바람으로 오는

푸른 소리

목 차

바람으로 오는 풍금 소리

01
우애가 남긴
상처 (1)

쿵더쿵 쿵더쿵

철도의 신입 잡부로 일을 마치고 들어온 아버지는 집주인 일본인 하루카 상의 요구로 열심히 짚 가마니 짜기에 몰두해있다. 집이라야 방 한 칸에 비바람도 의지하기 어려운 부엌이 전부지만 그래도 만삭인 아내와 병까지 든 여동생이 있어 밤을 낮 삼아 일하지 않으면 안 된다.

저녁을 먹은 지도 꽤나 지났고 중병인 동생 병과도 살펴볼 겸 잠시 일손을 멈추고 어지럽혀진 가마니틀(기계) 주변을 정리하는데 제법 두툼한 지갑이 짚 더미 속에 떨어져있다.

"여기는 누가 들어올 리도 없는데 웬 지갑이지?"

이상한 생각에 혹시나 하고 하루카 상을 찾아간다.

"하루카 상, 하루카 상!"

바람으로 오는 풍금 소리

추운 날씨 탓에 문까지 꽉 닫힌 하루카 상의 다다미 방문이 드르륵 열린다.

"하이! 긴상이노 웬일이노무니까?"

"혹시 이 빠스겐(지갑)이 하루카 상 것이 아닌가 해서요."

"하이! 내 것이노 맞스무니다. 그런데 어디서 찾았스무니까?"

"네. 가마니를 짜다가 흐트러진 짚을 정리하는데 짚 속에 떨어져 있었습니다."

"하이! 감사하무니다."

하루카 상은 지갑을 받아들고 지갑 속의 내용물까지 세세하게 살펴본다. 아버지는 지갑 속을 살펴보지도 않았지만 집주인의 세심한 동정을 살피면서 혹시나 하고 긴장된 얼굴로 잔뜩 기가 죽어있다. 한참 동안 지갑을 살펴보던 하루카 상의 얼굴이 굳어지는데 이에 놀란 아버지는 심장이 멎을 지경이다.

…

"긴상. 아리가또 고자이마스. 아리가또 고자이마스."

하루카상의 표정이 밝아지고 감사 인사까지 받게 되자 잔뜩 긴장했던 아버지는 '휴우'하고 안도의 숨을 내쉰다.

기온이 다시 영하로 떨어진 매서운 초봄이지만 이미 긴장된 등줄기에는 식은땀이 주르륵 흘러내린다. 별 생각 없이 주인을 찾아줘야겠다는 단순한 생각이었는데 하루카 상의 굳어진 얼굴을 보며 혹여 병든 동생을 데리고 쫓겨날까봐 얼굴이 흙빛으로 변하고 오금까지 저린 것 같다.

"하루카 상, 감사합니다."

아버지는 지갑을 찾아주는 좋은 일을 했으면서도 오히려 이 순간은 주인인 하루카 상이 고맙기만 하다.

긴장된 얼굴로 집으로 돌아오자 그래도 온기가 있는 아랫목에는 복수가 차서 배가 남산만큼 불러있는 여동생이 죽은 듯 잠들어있고 만삭인 아내는 이불도 덮지 못하고 잔뜩 움츠리고 누워있다.

"일찍 자지. 왜 이러고 있는가."

"아직도 일하는 사람이 있는데 어떻게 잠이 온다요."

"일도 마쳤응께 이제 잡시다. 그리고 동생은 오늘 좀 어떤가."

"더 이상은 어려울 것 같아요. 자꾸 물만 찾는디 안쓰러워서 죽을 것 같아요. 심지어 시누가 눈을 떠 있으면 물 한 모금도 먹기가 미안하다니까요."

혹시나 고모가 들을까 봐 속삭이듯 말하는 어머니는 불안함과 안쓰러움이 가득 찼다.

밤이 지나고 날이 밝기도 전에 출근을 하려는 아버지를 넌지시 바라보던 고모가 작심하고 한 마디 한다.

"오라배. 나는 어려울 것 같소. 내 생각일랑 말고 올케와 재밌게 오순도순 잘 사시오. 내 아들 병옥이도 이제는 걱정 안 할라요. 부잣집이니께 잘 키우겠죠."

"무슨 말을 그렇게 하냐. 기운을 내자. 오빠가 꼭 살려볼랑께."

"오라배, 고맙소. 내가 죽으면 오빠네가 부자가 되어 잘 살도록 옥황상제께 빌어볼라요."

이 말을 들은 어머니, 아버지는 가슴에서 울컥 치밀어 올라오는 뜨거운 불덩이를 삼킨다.

막 방문을 열고 나가는데 어제 지갑을 찾아줬던 하루카 상의 부인이 김이 모락모락 나는 생선국을 들고 찾아온다.

"기무상. 출근이노 하무니까? 어제는 감사했으무니다."

지갑을 찾아준 덕분에 하루카 상의 신임을 크게 얻은 아버지는 더 이상 집세를 내지 않아도 됐고, 그 믿음으로 인해 한시름 놓는다.

"지갑은 아마도 하루카 상이 날 시험하기 위해 한 짓 같네."

"이제 집세 걱정은 내려놓았는데 고모 건강이 나빠져서 큰일이네요."

어제부터 고모는 아예 곡기까지 끊게 되고 겨우 물 한 모금으로 연명하는데 가끔씩 하던 혼절까지 자주 하고 길어져 아버지는 부리나케 고향으로 내달린다.

초봄의 고향 바람은 언제나 변함없지만 동생의 막바지 건강에 잔뜩 긴장한 아버지는 추운 줄도 모른다. 아버지의 도착 소식에 집안사람들이 모여들고 모두들 아버지 입만 바라보고 있다.

"신답 동생이 더 이상 살기가 어려울 것 같네요. 일주일에 한 번씩 치료를 받으러 다녔지만 차도도 없고 그제부턴 아예 곡기를 끊었어요."

"곡기를 끊었다면 죽었던 화타가 와도 어렵겠구나. 준비를 해서 고향으로 데려오자."

아버지는 물때에 맞춰서 작은아버지와 덕룡이 당숙을 데리고 송장섬을 마주 보며 여수를 향해 노를 젓는데, 사람들이 모여서 웅성거리고 있다.

"어제 또 인명사고가 났는 모양이구나."

섬진강 주변에서 사고가 생기면 바다로 떠내려가는 마지막 관문인 송장섬에 시신이 밀려들어 가족을 찾는다. 그렇지만 어쩌다가 여길 지나쳐서 내려가면 시신을 찾기가 어려워져 사람들의 가슴에 못을 박는다. 송장섬은 물길이 갈라지고, 퇴적물이 쌓이는 섬이기에 간혹 상류에서 떠내려 오는 물건도 사람들에 유용하게 도움을 주는 섬이다.

송장섬을 뒤로하고 번갈아서 노를 저어 한 시간여를 내려가자 쥐섬이 눈앞이다. 드디어 날이 밝고 섬을 중심으로 하얗게 흐르는 해무가 바다에 누워 아름다운 장관을 펼치는데 오늘은 또 다른 꿈같은 선경이다. 해무에 취한 갈매기가 끼룩거리며 뭔가를 찾아내고 살며시 쥐섬 뒷자락으로 내려앉나 싶더니 제법 큰 물고기를 낚아채서 승천을 한다.

"쥐섬에 배를 대고 간단한 요기나 하고 가세."
"그럽시다. 형님. 사실 배가 좀 출출하던 참이었소."
당숙과 작은아버지가 나뭇가지를 주워 섬 바닥 돌 사이를 자연스럽게 긁어내자 온갖 무늬로 장식된 바지락이 다가오는 일도 모른 채 광채를 뽐낸다. 아버지도 밀려든 나뭇가지를 땔감으로 사용하기 위해 섬 주위를 한 바퀴 도는데 듬성듬성 소라가 해무를 구경 나왔다.

"이 정도면 허기는 면할 것 같다. 아니 저건 또 웬 횡재냐!"
제법 큰 낙지 한 마리가 물이 빠져나가는 줄도 모르고 뭔가를 꽉 움켜쥐고 있는데, 살짝 건드려 건져 올리자 뻘떡게(꽃게)를 껴안은 채 몽롱한 얼굴로 사랑에 빠져있다. 재료가 마련되고 누군가가 만일을 대비해 비치해둔 솥으로 요리를 하는데 타오르는 아침 불길이 얼었던 몸을 따뜻하게 달래준다.

"시간이 너무 지났다. 빨리 출발하자."
두 자루의 노를 저어 묘도 방면으로 나가는데 물살이 바뀌는 듯 배가 땀이 난다.

"쥐섬에서 너무 지체했나 보다. 바람까지 방해를 하고."
묘도는 광양만에서 가장 큰 섬으로 일명 고양이 섬이라고도 한다. 인근

바람으로 오는 풍금 소리

영취산 상봉에서 내려다보면 고양이와 독수리가 서로 먹이를 넘보고 있는 형상이다.

"고향으로 돌아갈 때는 되도록이면 묘도에서 떨어져 가야 한다."

"왜요? 지금 바람을 보면 마파람이 되어 쉽지 않을 것 같은데요."

"그래도 하는 수 없지. 동생이 서 씨 집안으로 출가했기 때문에 이 섬의 기운에 눌리면 위험할 수 있어서 그러지."

사실 묘도의 전설에는 쥐로 상징되는 서 씨가 살 수 없는 곳이다. 의식주는 걱정이 없지만 패가망신하여 다른 곳으로 이주를 하거나 시름시름 아프고, 또 갑자기 즉사하는 섬으로 전해온다. 전설의 묘도를 지나 드디어 여수항으로 진입하자 온몸이 나른하고 피로가 몰려온다.

아버지가 고향에서 출발해 송장섬을 지나올 때 쯤, 여수 집에서는 한바탕 소동이 일어난다.

"고모. 미음을 조금 쑤었응께 이것 좀 묵읍시다."

오후까지만 해도 의사소통이 충분해 병세가 상당히 호전되나 싶었는데 지금은 영 대답이 없다.

"고모, 고모! 정신 차려요!"

불러도 대답이 없는 고모의 얼굴을 살짝 만져본 어머니는 온몸이 전기에 감전된 듯 충격을 받는다. 식어버린 차가운 체온을 느끼는 순간 왈칵 든 무서움에 그만 정신을 잃고 만다.

그렇게 여러 시간이 지나고,

"올케언니, 올케언니. 물 한 모금만 주소."

하도 불러대는 고모 소리에 가까스로 눈을 뜬 어머니는 얼마 전의 어머니가 아니다. 멍하게 누운 채 천장을 쳐다보는 동공이 초점을 잃었다. 아버지 일행이 집에 도착했을 땐 이미 집안은 평소의 기운이 아니다.

아버지는 이상한 기운을 살필 겨를도 없이 이불로 방한 준비를 한 고모를 데리고 고향으로 출발한다.

"당신은 만삭의 몸으로 어려운 뱃길을 갈 수가 없으니 집에 있도록 하소."

"아니요, 아니요. 나도 갈라요."

무섭다고는 차마 말할 수가 없어서 기를 쓰고 따라 움직이려 하는데,

"올케언니. 그동안 수고 많았소. 내가 죽으면 꼭 언니 부자 되게 할라요."

모두가 떠나고 혼자 남은 어머니는 몽환적 망연자실이다.

쉴 틈도 없이 고향으로 출발한 아버지 일행이 묘도를 향해서 힘껏 노를 젓는데 훨씬 사나워진 파도가 철썩철썩 무서운 기세로 뱃전을 때린다.

"파도가 심하다. 뱃머리를 파도와 맞서게 해야 한다."

"큰일이요, 형님. 배는 제자리고 손바닥은 물집이 잡혔소."

사면초가의 어려움에 덜컥 걱정이 앞서는데 고모의 상태는 한계를 넘는 것 같다.

"오라배. 오라배들 고맙소. 그리고 고생시켜서 미안해요. 난 이제 갈라요. 내가 가거든 양지바른 곳에 묻어뒀다 후에 이장을 해서 신답 시가 선산에 묻어주시오."

고모는 눈물겹고 애처롭게 불러대는 형제들의 울음소리를 타고 조용히 떠나간다.

"하필 이 어려운 마파람과 험한 파도 때문에 묘도로 접근해서 동생을 잃고 마는구나."

바람으로 오는 풍금 소리

아버지와 형제들은 눈물로 깊은 탄식을 한다.

오랜 사투 끝에 쥐섬과 송장섬을 지나 '때까지끝'에 도착하자 동쪽으로부터 밝은 햇살이 비치어오고, 부모 형제의 단장을 끊는 장송곡 속에 고모는 영원히 이승과 작별한다.

한편 여수에 홀로 남겨진 어머니는 끼니도 잊고 하루카상 부부가 챙겨주는 음식으로 긴긴밤을 맞는다.

밤이 깊은 초봄 어느 날,

"고모! 오빠가 좀 이상해요. 오늘도 오지 않고 또 기다리게 하는 게."

오늘도 '휘이잉' 사납게 문풍지를 때리는 바람소리가 처량하고 구슬프게 꿈꾸는 듯 울어댄다.

02
우애가 남긴
상처 (2)

쿵더쿵 쿵더쿵

오늘도 짚 가마니 짜는 소리는 변함이 없고 일하는 아버지의 자세 또한 변함없이 적극적인데, 얼굴은 뭔가 불안하고 초조함이 묻어난다. 악몽을 꾸는 것은 살아있다는 증거라지만 현실과 꿈속에서 왔다 갔다 헷갈리는 아내를 생각하면 한숨과 걱정이 앞선다.

봄기운이 완연한 화창한 일요일, 모든 일을 접어놓고 만삭인 어머니를 데리고 부둣가를 찾은 아버지는 사람들의 살아가는 모습을 보며 새로운 각오를 다진다.

"그래. 무당을 통해서 해결하는 것보다 교회를 나가는 게 좋을 것 같다."

비로소 희망이 보이고 모처럼 밝은 얼굴의 어머니를 본 아버지도 기운이 난다. '통통통통' 요란한 기계 소리가 들리고 뱃고동이 우는가 싶더니 갈매기 떼를 몰고 오는 큰 기선이 성큼 나타난다. 배가 부둣가에 정박하고 사람들이 배 주위를 둘러싸는데 어김없이 나타나는 일본인 선주가 어획량을 통제한다.

"오늘은 고기가 많지 않아 팔 수가 없으무니다. 일본으로 가는 물량도 부족하무니다."

"그래도 여기 온 사람들에게만은 조금씩 살 수 있도록 해주시오."

"그렇다면 가격이노 비쌀 수밖에 없으무니다."

"쪽바리 새끼들 결국 속셈이 또 가격에 있었구나. 내 나라 수산물을 잡고서는 저희 맛대로 농간을 부리다니!"

화가 난 사람들이 투정을 해보지만 식민지 시대의 속국민의 서러움을 스스로 달랠 수밖에 없다.

"아... 언제쯤 이 더러운 왜놈들의 속국에서 벗어나려나!"

집으로 돌아온 아버지, 어머니는 다시 또 일상으로 돌아오고 아버지의 기침 소리는 가마니틀에 묻힌다.

출근을 서두르는 아버지 얼굴이 밝다.

"자주 바깥바람을 쐬도록 해야겠다."

어제는 꿈도 꾸지 않고 포근하게 자는 것 같은 아내가 고맙기까지 했다. 더욱이 교회까지 나가게 된 어머니는 많은 사람들과 조우를 하면서부터 훨씬 안정적으로 돌아온다.

"기무상! 기무상!"

한참이나 가마니를 짜는데 정신이 팔려있던 아버지가 하루카 상 부인이 급하게 부르는 소리에 밖으로 나온다.

"기무상, 애기가 나오는 것 같은데 위험해 보이무니다."

정신이 번쩍 들어 방으로 들어온 아버지는 어찌할 바를 모르는데 그 와중에도 어머니는 부끄럽다고 자꾸 나가란다. 많은 시간을 고통과 비명으로 시달리고 나서야 애기 울음소리가 들리고 또 잠잠해진다.

"옥상 감사합니다. 수고 많았습니다."

결혼 후 3년, 어머니 나이 20세 아버지 28세에 확실한 가정의 틀이 갖추어진다.

평온하고 한적한 진월면 오추 마을.

뒷산에 뻐꾸기 울고 '지지베베' 종달새가 분주한데 하동을 바라보고 섬진강을 오르내리는 나룻배가 첫 일과를 시작한다. 아침 햇살을 받으며 가족간의 담소가 이어지는데 갑자기 툭하고 둔탁한 소리가 마당 쪽에서 난다.

"아침부터 웬 소리고, 또 동네 애들이 장난을 치나 보다."

"아이고, 이게 무슨 조화냐. 성주님이 노했나보다. 저리도 큰 대명이(독이 없는 구렁이로 보통 2m 내외)가 마당에 떨어졌다."

깜짝 놀란 외할아버지는 급히 머슴 기욱을 부른다.

"저 대명이를 잡아다가 공터에서 불태워버려라."

머슴 기욱이 주저하자,

"웬 걱정이냐. 쌔고 쌘 게 대명이다."

하는 수 없이 기욱은 대명이를 잡아다가 공터에서 불 질러 없앤다. 구렁이 처리를 머슴에게 시켜놓고 멀리서 보고 있던 외할아버지는 근심 어린 표정이 역력하다. 사실 얼마 전 청명 한식에 집안에서 계획했던 조상 묘 이전으로 인해 항상 노심초사하던 차에 이런 일이 발생했기 때문이다.

　　　　　　　　　　바람으로 오는 풍금 소리

"안 좋은 싹은 트기 전에 잘라내야 한다. 요즘 일어나고 있는 일들이 우리에게 경각심을 주는 것 같다. 각자가 안전에 조심하자."

그렇게 집안 단속을 하고 일주일 여가 지나서 긴장의 끈이 느슨해질 때쯤 부엌에서 분주히 두부를 만들던 외할머니가 콩비지를 소에게 주기 위해 잠시 자리를 비운 사이 난데없이 휙 하고 바람이 불더니 조그마한 불티 하나가 쌓아뒀던 나무 더미에 떨어진다.

삽시간에 불길이 온 부엌을 휘감는데 늦게야 불길을 발견한 외할머니가 "불이야! 불이야!"하고 소리치며 불길을 잡기 위해 동분서주한다. 급기야 동네 사람들이 모여들고 각자가 가져온 물동이로 나래비를 서서 물을 전달하고 진화하는데, 불길이 잡혀갈 때쯤 심하게 화상을 입고 쓰러진 외할머니를 발견한다.

"이를 어째. 사람이 크게 다쳤다. 저 심한 화상을 어떡할 거나."

온갖 화상에 좋다는 약은 다 써봤지만 외할머니는 그 후부터 화상에 따른 부작용으로 문밖출입도 제대로 못하고 만다.

집안에 근심이 더 깊어 갈 때쯤 2남 1녀를 두고 있던 외할아버지는 면소에 들렀다가 깜짝 놀랄 정보를 듣는다.

"15세 이상 미혼녀를 대상으로 처녀 공출(위안부)이 있다고 합니다."

면소에서 근무하는 조카의 귓속말에 외할아버지는 충격과 놀라움으로 집에 돌아와 열일곱 된 외동딸을 서둘러 시집보내기로 한다. 이렇게 해서 어머니는 중산으로 시집온 사촌 언니의 소개로 8살 연상인 아버지와 선 한 번 보지 않고 결혼을 하게 된다.

"아부지, 나야 어쩔 수 없이 시집을 간다고 하지만 저렇게 누워만 있는 엄마를 어떻게 할까요?"

"걱정 마라. 네 조카 미오가 물심부름은 할 수 있고 아부지가 있잖니."

기쁜 경사여야 할 결혼이 눈물바다로 이루어지고 어머니의 고된 시집살이는 서막이 오른다.

고된 시집살이도 어느 정도 적응해 갈 때쯤 친정 큰 조카로부터 뜻밖의 이야기를 듣는다.

"고모, 삼촌이 대동아전쟁(태평양전쟁)에 돈을 벌기 위해 내일 떠난다고 해서 왔어요."

조카와 기쁜 만남도 잠시 어머니는 큰 둔기에 맞은 듯 정신이 멍해진다. 대동아전쟁은 2차 세계대전 당시 일제가 동아시아 지역에서 구미의 식민지 지배를 타파하고 아시아 제 민족의 해방을 위한 대동아 경영권 결성을 주장하는 침략 정책과 전쟁을 말한다. 미국과 영국 세력으로부터 동아시아 민족을 해방하고 새로운 세계질서를 구현한다는 명분으로 점령지의 치안 유지 군사전략물자의 신속한 확보, 현지에서의 물자 조달을 위해 돈을 벌게 해 준다는 감언이설로 젊은이들을 꼬드겨 차출한 것이다.

작은 외삼촌은 최근 일련의 사건들로부터 집안 가세가 기울어지자 어려운 집안을 재건하기 위해 죽음을 감수하는 위험한 결정을 하게 된다.

"안 돼, 오빠. 가지 마요. 전쟁에서 죽으면 어떡해."

"걱정 마라. 어떤 일이 있어도 난 살아서 돌아온다. 왜놈들 전쟁에서 결코 죽지 않는다."

온 가족이 그렇게도 만류했지만 끝내 삼촌은 대동아전쟁에 나선다.

그로부터 1년이 지난 어느 날, 면소로부터 막 연락을 받고 있는데 조그만 꽃상여 같은 신위를 모신 곳에 외삼촌 유품이라는 한 켤레의 신발이 집에

바람으로 오는 풍금 소리

도착한다. 그리고 가족들은 영원히 외삼촌을 볼 수 없게 된다.

출산의 기쁨과 호전된 어머니의 병세도 잠시, 막 일을 마치고 돌아온 아버지는 깜짝 놀라고 만다. 평소처럼 말끔하게 정리되어 있고 저녁 준비까지 되어 있어야 할 방안에는 여러 물건들이 흐트러져있고 갓난아기는 울고 있는데 어머니는 미동도 없이 멍하게 앉아있다.

"어디 아픈가?"

"모르겠소. 모든 게 다 귀찮고 힘도 없고."

안정을 찾아가던 어머니가 산후 우울증에 또 시달리게 된다. 아버지는 한숨과 함께 닥쳐올 미래가 염려된다.

"즈그매, 우리 그냥 고향으로 다시 돌아갈까?"

어머니는 아무 대꾸도 없이 멀뚱멀뚱 천장만 쳐다본다.

"하루카 상도 여길 정리하고 일본으로 돌아갈 모양이네. 우리를 보고 이 집을 인수하라고 하는데 어디 우리 처지에 가당키나 한가."

그러던 어느 날 하루카 상은 갑자기 모든 가산을 정리하고 일본으로 건너간다.

"긴상. 일본에 있는 주소무니다. 긴상 댁의 건강이 좀 더 나아지면 일본으로 왔으면 하무니다."

하루카 상이 떠난 집안은 공허한 적막강산이고 울적한 마음의 어머니는 더욱 우울한 나날이다.

"즈그 아부지. 힘들어도 고향으로 갑시다. 사실 고모가 있다가 떠난 뒤로도 언제나 그 자리에 있다는 느낌에 무섭고 고통스러운데 하루카 상 가족마저 떠난 뒤로는 더욱 무서워서 하루라도 더 있기가 싫소."

아버지는 가난의 고통과 애환으로 점철된 여수 생활을 접고 다시 고향으로 돌아가기로 결심한다.

1945년 8월 15일, 철도역에 일하러 갔던 아버지가 흥분되고 상기된 얼굴로 집으로 돌아온다.

"즈그매! 해방이 되었다네. 지긋지긋한 일본의 압박에서 해방이 됐어. 이제는 우리 세상이야. 하하하!"

어머니와 함께 기쁜 마음을 만끽하기 위해 부두로 나가는데 ,

"해방이다! 해방이야! 저 일본 놈들을 그냥 보내지 맙시다! 힘없는 나라 국민이라고 무시하고 고통 주고 고혈까지 짜간 저놈들을 이 바닷속으로 처넣어서 역사의 흔적이 없도록 해버립시다!"

크게 흥분된 사람들은 영화의 한 장면처럼 일본으로 가기 위해 부둣가에 나온 사람들을 바닷속으로 밀어 넣는다.

"살려주무니다! 우리의 모든 것을 드리고 갈 테니 그냥 돌아가게만 해주시무니다!"

"우리의 웬수놈들! 재산이 무슨 필요냐! 인생 공수래공수거라 했거늘 너희 왜놈들은 죽을 때도 이 더러운 재산 다 가지고 가거라!"

여수항은 살려달라고 울부짖는 일본인들의 처절함 그 자체다. 죽을힘으로 헤엄쳐 나오면 또 밀어 넣고, 또 밀어 넣고... 지옥의 불덩이에서 아우성치던 많은 일본인들은 그동안 쌓여왔던 국민감정에 속죄라도 하는 듯 바닷속으로 사라져간다.

"즈그매 돌아가세. 더 이상 볼 수 없는 참혹한 비극이네. 역사 이래 우리 민족의 한이 서린 비극이기도 하고."

여수에서 어렵게 둥지를 틀었던 부모님은 드디어 귀향한다. 1년이 지난

바람으로 오는 풍금 소리

어느 날 아버지의 완고한 고집으로 외가댁에서 외할아버지의 눈물 어린 정
성과 사랑 속에 치료를 마친 어머니는 웃으면서 돌아온다.

03
꿈꾸는
어린 시절

잠에서 깼다.

세상은 온통 어둠으로 가려져 있다. 소변을 보기 위해서 일어났는데, 어제 밤에 꿈 꿔둔 감 줍는 생각이 퍼뜩 난다. 그리고 허전한 배고픔이 속까지 쓰리게 한다. 어제의 환상적인 계획은 산모퉁이 묘지를 돌아 뒷집 할매집 감나무 아래에서 밤새 떨어진 새 감을 주워와 간식을 준비해 두는 것이었다. 고단한 몸을 흐느적거리며 잔뜩 찌푸린 얼굴로 비틀대며 주섬주섬 억지로 옷을 입는다. 또 혹시나 아부지, 어무니가 깰까 봐 조심스럽게 사뿐사뿐 방문을 나선다. 세상은 온통 별들을 수놓은 칠흑 같은 어둠 가득한 암흑천지. '왕왕왕' 숨 가쁘게 짖어대는 개 짖는 소리를 피하기 위해 몸서리치는 무서움을 감내하며 산 주변을 빙 둘러서 걷기 시작한다. 작은 바스락 소리도 용서 되지 않는 긴장속에서 숨을 죽인다.

한 걸음 또 한 걸음.

조심스레 무언가가 나타나서 무서움으로 공격한다. 작은 새싹도 긴장해서 파르르 떨며 연신 경고의 신호를 보내고 있다.

한 발 한 발.

소변이 마려운 것도 잊어버렸다. 오로지 온갖 신경은 주인이 떨어진 감을 줍기 전에 먼저 차지해서 가져오는 것에만 쏠려있다. 한 치의 바람소리도 허용치 않는 어둠이기에 나만의 작은 숨소리만 들릴 뿐, 눈에 보이는 건 아무것도 없다. 그때 갑자기 '툭'하며 경적을 울리는 경음소리에 흠칫 놀라 자지러지듯 뒤로 물러선다. 감나무 집 메리가 기다렸다는 듯 왕왕왕 짖기 시작한다. 깜짝 놀라서 가슴이 철렁 내려앉는다.

아니나 다를까, "어떤 놈이고!!"

주인집 할매는 나보다 먼저 귀찮은 본능으로 자신의 손자들을 위해 일어난 것 같다.

"이길 수 없는 일이야. 나는 역시 할매를 이길 수 없어."

바위틈으로 아무 느낌 없이 본능적으로 몸을 숨긴다. 마치 할매가 '이놈!' 하고 내 몸을 잡아 끌어내는 듯한 놀라운 전율을 느낀다.

"할매, 감을 우뤄서 많이 묵고 싶었써이다. 잘못했써이다."

아프지 않은 감각을 느끼며 조용히 주변을 둘러보니 아무도 없는 정적만이 헛웃음 짓는다. 평소 할매에 대한 나의 그릇된 환영이 주는 몽환적 착각이었다. 떨어진 감들을 하나 또 하나 아무 느낌 없이 구멍 난 런닝 속으로 집어넣기 시작하는데 어느새 풋감이 수북이 쌓여만 간다.

"야호! 오늘은 성공이야."

이 양식은 향후 일주일을 나에게 설레임과 기쁨으로 보상해주리라.

왕왕왕!

뒤늦게 메리가 제 실수를 알고 급히 만회라도 하려는 듯 강하게 울어댄다. 나는 그 울음소리를 웃음으로 대신하고 힘차게 바람처럼 집으로 내달린다.

04
풋감

학교에서 돌아오자마자 책보를 놓는 듯 마는 듯 습관적으로 장독에 담가둔 풋감에 손이 간다. 물에 담가둔 지가 3일 전이라 떫은맛이 없어질리 없지만 그래도 꼭 한번 점검을 해야 한다. 역시 물이 깨끗한 것을 보니 먹을 수 없는 것이 당연하다. 빨리 삼사일이 더 지나갔으면...

우리 뒷집은 예부터 부잣집이라 과일류가 많다. 그렇지만 중복이 지날 즈음엔 역시 과일은 귀한 손님이다. 아랫집도 큰 감나무가 있지만 아쉽게도 감나무 밑에 돼지우리가 자리 잡고 있다. 돼지 밥은 언제나 허드렛물에 딩겨 한 사발이 최고다. 항상 돼지우리에는 질퍽한 배설물이 도랑으로 흘러내린다.

"아부지, 어무이, 왜 우리 집은 감나무가 없어?"

"야야, 입에 풀칠도 어려워. 작은 땅뙈기만 있어도 농사를 지어야지, 감나무는 무슨."

나는 또 작심한다. 잠이 없는 윗집 할매에게 들키면 난리가 나기 때문에 내일은 아랫집 돼지우리 근처로 가보기로 한다. 슬며시 동이 틀 즈음 본능적으로 일어나 옷을 입는다.

"한규가 저리 일찍 일어나는 걸 보면 나중에 부자로 잘 살 것 같네."

부모님의 도란거리는 소리를 뒤로하고 마당을 나선다. 동이 트는 시간이지만 집을 나서니 무서움이 엄습한다.

"좀 이따가 나갈까?"

어무이 아부지 칭찬도 들었는데 돌아가기가 쑥스러워진다.

어두침침한 돼지우리 앞.

지나가는 사람 하나 없는 소담스럽고 쓸쓸한 거리를 휙 둘러본다. '왜 이 집은 감이 안 떨어지지? 내일은 오지 말아야지.'하고 생각하는데 큰 감 하나가 눈에 들어온다.

"야호!!"

마치 큰 횡재라도 한 것처럼 나도 모르게 소리친다. 그러다 순간 멈칫한다. 고대했던 감이 돼지우리 배설물이 흐르는 도랑에 걸쳐져 있지 않은가.

"아, 어쩌지... 주울까 말까" 고민에 고민을 거듭한다.

포기하고 집으로 돌아가는데 다리에 힘이 빠진다.

다시 하루를 시작하는 동틀 무렵. 본능적으로 아랫집 돼지우리 앞으로 달려간다.

"오늘은 큰 게 두 개만 있으면 얼마나 좋을까."

여기저기를 둘러보는데 또 허탕이다. 뒤로 돌아 몇 발자국 걸음을 옮긴다. 그때 문득 스치는 생각.

'어제 봤던 도랑 옆 그 감이 그대로 있을까?'

역시나 얄미운 그 감은 어제 본 그 자리에 날 보란 듯 싱긋 웃기까지 한다. 몇 번을 망설이다 용기를 내어, 닦아서 우려먹을 생각으로 살짝 집어 든다. 이 모습을 혹시나 들키면 어쩔까하는 부끄러운 마음으로 발길을 재촉한다.

집에 거의 다다를 즈음 나도 모르게 내 소중한 감을 엉거주춤 놓아버린다.

05
어무이
치성

늘 그렇듯 어무이는 양동이를 이고 큰 동네 우물에서 물을 길어온다. 정갈하게 참빗으로 머리 빗고 단장을 한다. 언제나 고정된 그 자리의 사발 단지에 새 물을 갈아올리고 치성을 드린다.

"전지전능하신 성주님, 조상님! 새로운 하루의 시작입니다. 오늘도 우리 식구들이 웃을 일만 있게 해 주소서."

어무이가 그토록 첫 새벽 물 길이를 고집하는 것은 종짓불에 기름 들어가는 것이 아까워서 일찍 잠자리에 들어 일어남이요, 성주 조상신에 최고의 정성으로 부정 타지 않는 천지기운의 샘물을 올리기 위함이다.

오늘은 청소당번이다. 얼렁뚱땅 책상 줄을 맞추고 선생님 허락을 받아 집으로 향한다. 한 시간여를 앞서 간 친구들을 따라가기엔 버겁고 배는 꼬르륵 요동친다. 발길에 걸려 구르는 돌이 길가로 툭 떨어지고, 고무신 끝의 먼지는 살랑거린다. 순간 눈에 확 들어오는 반지르르한 횡재수여! 절로 입 꼬리가 춤춘다. 주변을 휙 둘러보고 잽싸게 집어 든다. 옷에 쓱쓱 닦아 살짝 깨물어 본다. 꿀맛이다.

"아! 이 귀한 쥐포 고기!"

평소 어무이 기도가 이런 행운을 줄 줄이야.

아침에 일어나니 눈이 이상하다.

"어무이, 눈을 뜨니 뻑뻑하고 가렵고 이상해."

어무이는 혀로 침을 발라주며 '다리깨란다' 한다. 그길로 손을 잡고 동네 입구 '찔룩나무' 밑으로 간다.

"찔룩나무 각시님네~."

"어이~~~."

"찔룩나무 각시님네~."

"어이~~~."

어무이가 부르고 어무이가 대답한다.

"우리 막둥이 눈에 다리깨가 났습니더."

그러고는 찔룩나무 가시를 하나 떼어 내어 그 자리에다 거꾸로 푹 박아 놓는다.

"우리 막둥이 다리깨를 낫게 해주면 이 아픈 가시를 빼주겠소."

저녁때가 되어 까맣게 잊고 있던 눈을 어무이가 보더니,

"다 나은 것 같은데 어떠냐."

참 희한하다. 찔룩나무의 영험인가? 어무이의 정성인가? 지금까지도 어무이한테 찔룩나무 가시를 빼줬는지 물어보지 못했다.

06
말 달구지

　오늘은 토요일이다. 토요일은 2교시 수업으로 끝나기 때문에 항상 즐겁다. 청소를 끝내고 각 마을별 향토 애향단 깃발 아래로 모였다. 교장선생님 훈시를 끝으로 40여명의 우리 동네 학생들은 2열 종대로 마을을 향한다.

　"대대로 오손도손 모여 사는 새마을~

　오곡백과 알차가네~ 살림도 마음도…"

　학교가 저만치 멀어 보일 때 즈음 자연스레 대열이 흩어지고 재잘재잘 이야기로 꽃을 피운다. 중간지점인 중산마을에 접어들 때쯤 가장 인기가 많은 '말 달구지'를 몰고 오는 아저씨가 보인다. 저마다 잘 보이려고 인사를 건넨다.

　"안녕하십니까!"

　"안녕하십니까~"

　아저씨는 미소를 띠며 손까지 흔든다. 여유가 있는 모습이다.

"우리 좀 태워 주시면 안 돼요?"

아저씨는 최대한 태울 수 있는 만큼 태워서 다시 학교 방향으로 향한다. 여태 힘들게 왔는데 말 달구지 때문에 다시 돌아가다니. 힘센 고학년 위주로 타고 저학년인 우리들은 가던 길을 재촉한다. 40여 분을 왔는데도 선배들이 오지 않는 걸 보면 꽤 멀리 갔나 보다. 무슨 재미있는 꿍꿍이라도 있으려나.

월요일 아침.

평소와 같이 동네 애향단이 학교로 출발하는데 중산마을 근처쯤 왔을 때 두 개 무리로 나뉜다. 한 무리는 계속 가던 길로, 다른 무리는 산재를 넘어가는 지름길로. 형은 계속 가던 길로 가자하고, 난 재를 넘어가는 지름길로 가자고 우겨댄다. 하도 내가 우기니까 형도 산길을 택한다. 주변이 나무들로 가려진 산 중간쯤 왔을 때, 6학년 형이 "우리 약속대로 오늘 여기 온 애들은 도망치기!"라 외친다. 역시 말 달구지에서 꿍꿍이가 있었다. 난 묘하게 기분이 좋다. 기꺼이 동참하기로 한다. 허나 형은 자꾸 학교로 가자고 나를 잡아끈다.

"셍이야, 오늘은 가지 말고 같이 놀자, 응?"

결국 형은 막무가내인 나를 따를 수밖에 없었는지 포기한다. 20여 명쯤 되는 동네 학생들이 들통 나지 않게 산 속에 숨어 지내기는 무리다. 돌멩이로 자동차 놀이를 하는 남자아이들, 공기놀이를 하는 여자아이들, 열매를 따기 위해 움직이는 형들. 그때 한 형이 큰 바위를 밑으로 굴려보자고 제안한다. 몇 명이 움직여도 꿈쩍도 하지 않자 여러 명이 우르르 모여든다.

"어이차! 어이차!"

바람으로 오는 풍금 소리

움직일 것 같지 않던 바위가 흔들리나 싶더니, 우르릉 구르릉 산이 요동 치는 천둥소리와 함께 사정없이 아래로 굴러 내려가지 않는가. 약속이나 한 듯이 제각기 "야호!"를 외친다. 바위는 한참 구르는가 싶더니 큰 소나무에 부딪혀 방향 전환까지 한다.

'쾅쾅쾅!'

그때 논일을 위해 허리가 기역자로 굽어진 할매 한 분이 탱크처럼 굴러 오는 바위도 모른 채 다가온다. 야호를 외치던 모든 학생들은 순간 얼음이 된다.

"큰일 났네."

저마다 얼굴이 사색이다. 할매와 거의 닿을 때쯤 다행히도 소나무에 부딪친 바위가 다시 방향을 튼다.

"휴우…"

할매가 놀라 뒤로 넘어질 듯 휘청거린다. 엄청난 굉음으로 구르던 바위는 천수답 논의 둠벙에 첨벙 소리를 내며 물보라와 함께 처박힌다.

해가 서서히 그 찬란한 빛을 잃어갈 때쯤, 마치 아무 일도 없었던 듯 비밀을 간직한 채 각자 집으로 돌아온다. 집에 도착하자마자 어무이가 부른다. 생전 처음으로 묻는다.

"오늘 학교에서 뭘 했니?" 매까지 들고서.

형과 나는 부리나케 도망친다.

"말 달구지가 웬수여."

07
하늘로 날아간
고추잠자리

방과 후 친구들과 공을 찼다. 두 시간 정도를 정신없이 놀다 보니 집에 갈 일이 걱정이다. 빨리 가도 1시간 반. 땀으로 미끄러져 자주 벗겨지는 검정 고무신을 손에 들고 터덜터덜 집을 향하는데 몸은 천근만근이고 허기까지 더한다.

가을 햇살은 따갑고 황금물결 들녘엔 코스모스가 하늘거린다. 창공을 유유히 날아다니는 고추잠자리들. 내 몸도 잠자리처럼 가벼웠으면 좋겠다. 바람이 휙 스쳐 지나가고 흔들리는 코스모스 가지 위에 살포시 내려앉은 고추잠자리. 숨소리도 죽여 가며 조용히 손을 뻗는다.

운이 좋았다. 살려 달라 날갯짓을 해대지만 놓아줄 마음이 없다. 잠자리는 힘에 부친 듯 조용해진다. 죽은 줄 알고 손바닥에 살포시 놓는 순간, 비웃듯이 눈이 시린 가을 하늘로 날아간다.

삼십여 분을 왔을 때쯤 공사용 모래를 실은 말 달구지 아저씨를 만났다.

"안녕하십니까!"

오늘도 아저씨는 웃는 얼굴이다. 다행히 집에 가는 방향으로 친절히 태워주신다.

'따각 따각'

말발굽 소리는 경쾌하다 못해 노래까지 흥얼거리게 한다. 달구지를 내려놓은 말을 타고 이 황금들판을 내달리는 꿈을 꾼다.

"감사합니다~."

말에겐 미안하지만 자주자주 말 달구지를 타는 기회가 왔으면 좋겠다.

그 뒤로 '혹시 오늘은...' 하고 일주일여를 말 달구지를 만나기를 기다렸지만 도통 보이지 않는다.

"왜 안 보일까?"

비가 오려는 듯 잔뜩 흐려진 날씨다. 발길을 재촉하는데 말 달구지는 보이지 않고

아저씨는 술이 거하게 취하셨다. 슬퍼 보이기까지 하다. 인사를 했지만 받지도 않는다. 집에 도착하니 어른들과 중산 동네 매형이 가마솥에서 무언가를 열심히 준비 중이다. 한참 후에 김이 모락모락 나는 고기가 내여 져온다. 어른들은 술과 함께 고기를 맛있게 먹는다. 나도 한 점 입에 넣는데 이상한 맛이다. 먹어보지 못한 거북한 맛이다.

"퉤!"

우리 집은 일 년 중 추석, 설날을 제외하고 고기를 먹어보기 힘들다. 그래서 고기라면 이마에 된장을 싸붙이는 격이다.

"무슨 고기 맛이 이래요?"

"귀한 고기란다. 많이 묵으라."

귀한 고기란 말에 눈을 질끈 감고 한 점 더 입에 물었다. 몇 번을 오물거리다 억지로 삼키려는데 눈물까지 그렁거린다. 어른들은 여러 얘기에 양념까지 쳐가며 무용담을 쏟아낸다.

"석유 냄새가 없는 부위를 골라내고 여러 사람이 나누다 보니 얼마 되지 않았어요."

시골에서는 예부터 소, 말 등 큰 재산에 포함된 동물들이 원인 모르게 죽으면 제일 먼저 관할 지서에 신고를 한다. 순경들은 신고 된 동물들이 죽은 것을 확인한 후 미리 준비된 석유 등 기름을 붓고 매장한다. 사람들이 먹지 못하게 함이다.

오늘도 학교를 갔다 오지만 눈앞에 나타나 태워줄 것만 같은 그 말 달구지를 영원히 볼 수가 없다.

"아~ 그리운 말 달구지."

08
수레미 놀이와 멱

　모처럼 일상에서 탈피해 부산역에서 대전으로 향한다. 퍼뜩 차창으로 스쳐가는 수려한 강산들이 도회에서 찌든 잡념을 몰아내고 포근한 상념으로 안내한다.

　동네는 천왕산이 감싸 안고 이십 리 강이 수를 놓은 신선의 나루 선포. 내 어릴 적 영혼이 자라난 꿈의 궁전이다. 산이 깊어 땔감이 사계절 풍부하고, 기름진 강은 궁핍하던 시대에 식량을 보충하는 갱조개(재첩), 백합, 문절구로 베풀어준다. 특히 물이 빠져나간 자리엔 온갖 종류의 게들이 군무와 방아를 찧어대고 재산을 증식하는 신비의 장관을 이룬다.

　여름이 시작되면 많은 사람들이 갱조개를 잡기 위해 몰려오고, 필요한 만큼의 수확을 위해 게들이 군무를 펼치듯 방아를 찧어대듯 꿈의 결실을 이룬다. 밀물이 들어올 때쯤, 수확의 기쁨으로 다라를 이고 가는 사람, 지게에 지고 가는 사람들로 끝없는 행렬이 이어진다. 강은 다시 평온을 유지하고 우리들은 기다렸다는 듯 훌훌 옷을 벗어던지고 실오라기 하나 없는 몸으로 헤엄을 연습한다. '땅 짚고 헤엄치기' 물살이 제법 강해질 때쯤 본능적으로 옷 있는 곳으로 나온다. 누가 먼저랄 것도 없이 상대들 얼굴을 가리키며 킥킥 거린다.

"오늘은 내가 수염의 왕이다."

서로의 얼굴들은 분장이라도 한 듯이 뻘물로 수염이 그려졌다.

수업을 마치고 우리 학년 남자친구 6명이 집으로 향한다.

"한 시간만 '수레미' 놀이(우리는 오징어를 수레미라고 불렀다.)를 하고 가자."

바람잡이 재식이가 분위기를 띄운다. 자연스레 두 개조로 나눠지고 오징어 모양의 놀이 그림을 그린다.

"짱 게미 십(가위 바위 보)!"

우리가 져서 오징어 안쪽으로 배치된다. 상대방의 집요한 공격에서 살아남아야 한다. 상대팀은 이리저리 뛰어다니며 상대를 밀어내고 끌어낸다. 기습작전도 펼쳐진다. 누군가 상대 진영으로 기습공격을 시작할 땐 한 발 뛰기 깨금으로 상대팀 꼭짓점에 안착하면 이긴다. 이렇게 승부가 나면 이긴 팀이 밖의 넓은 공간을 갖게 된다. 이기거나 질 때마다 계속 진영이 바뀌며 시작되는 놀이다. 승부는 2대 1로 우리가 졌다. 땀에 젖은 기분으로 빨리 집에 가기 위해 산길을 선택한다. 재를 앞에 두고 재식이가 둠벙에서 헤엄치자고 또 꼬드긴다. 제일 먼저 재식이가 씩씩하게 개헤엄으로 건넌다. 성수도 성공했다. 뒤이어 기연이, 정용이도 성공했다. 남은 사람은 나를 포함 두 명. 재용이가 헤엄치기 시작하고 중간쯤 가는가 싶더니 자세가 영 아니다. 긴장하는 표정이 역력하다. 아니나 다를까 멈추는가 싶더니 허우적대기 시작한다.

'어푸어푸'

물속으로 들락날락.

"큰일 났네!"

우리는 서로의 얼굴만 쳐다보며 공포에 젖었다. 반사적으로 마지막 남은 내가 개헤엄을 치기 시작한다. 막 밀어내려고 하는 찰나 재용이가 내 몸을 잡고 눌러댄다. '어푸' 소리와 함께 나도 물속으로 빠져들었다. 이제 우리 둘이 반복적으로 물속으로 들락날락한다. 힘이 빠져 깊숙이 내려가는 내 발에 무언가 딱딱한 물체가 걸리는 가듯싶더니 서로 엉켜진 두 사람이 용수철처럼 튀어 오른다.

"살았다. 휴~."

이런 기적이 일어나다니. 지난번 선배들과 도망치며 놀다 둠벙에 굴려서 빠트렸던 바위 덕분인가 아님 천우신조인가.

대전이라는 KTX의 안내 소리에 포근한 상념에서 눈을 뜬다.

09

땡벌

여름 가뭄이 짙다.

대지도 목이 마르고 흔해 빠진 풀숲들이 더위에 지쳐서인지 고개를 꺾었다. 기다리고 기다리던 여름방학. 재잘재잘 청소를 마친 우리들은 선생님 말씀을 기다리고 생활통지표를 생각하며 잔뜩 기가 죽었다.

"자, 여러분. 내일부터 여름 방학이다. 집에서 생활하는 동안 부모님 말씀 잘 듣고, 매일 이 닦기, 손발 씻기, 물은 반드시 끓여먹는 것 잊지 말도록."

우리들만 신나는 줄 알았는데 평소와 다른 선생님 말씀이 경쾌하고 우렁차다. 이 순간은 더위도 없고 집에 가는 오랜 시간도 걱정이 없다. 배고픈 신호도 잊었고 밥 먹는 것도 사치다.

친구들과 큰 동네 작은 샘에서 다마치기를 한다. 손은 흙으로 범벅이 되고 승부근성도 더위처럼 흐느적인다. 매미들은 시원한 그늘 아래서 사랑 노래를 부르며 신이 났다. 다마를 잃어 속이 탄 나는 박 바가지로 푹 물을 퍼서 벌컥벌컥 마신다.

"캬~ 꿀맛이다."

허기진 배를 채울 생각으로 시원하게 들이킨다. 보고 있던 복만이가 내기를 걸자고 제안한다.

"물을 가장 많이 묵는 사람에게 다마를 하나씩 주기로 하면 어떨까?"

말이 끝나기도 전에 이미 시합이 시작됐다. 성수, 재용, 복만, 상옥, 기연, 재찬 등 차례를 정한 듯 질서정연하게 들이키기 시작한다. 다들 '꺽'하고 소리를 낼 즈음, 기연이가 학교 선생님 말씀을 생각해낸다.

'찬물 묵지 말고 끓여 묵어야 한다~.'

아니나 다를까 다들 다마는 욕심이 없고 얼굴들이 울상이다.

"이를 어쩌지."

갑자기 배가 아픈 것 같고 불안하다.

"아이고, 배야."

상옥이는 진짜 아픈 지 얼굴이 창백하다.

재찬이와 난 평소처럼 소를 몰고 매봉산에 올랐다. 소들은 아래서부터 풀을 뜯어 올라오고 우린 그늘을 찾아 앉는다. 그때 풀을 뜯으며 올라오던 재찬이네 소가 부리나케 내달리고 난리다. 얌전히 옆에서 풀을 뜯던 우리 소도 갑자기 내달린다. 우리는 필사적으로 소 고삐를 잡기 위해 뒤를 따르는데 재찬이의 비명이 "아이고~ 아이고~" 장난이 아니다. 급기야 큰 소리로 울기까지 한다. 나도 영문도 모른 채 따라가다 '위잉~' 하는 소리와 함께

"아이코, 아얏!"

하늘은 온통 땡볕로 덮였다. 이미 소도 잊고 벌을 피하기 위해 사정없이 내달린다. 소도 멈춰 서고, 우리도 멈춰 섰다. 몰골은 땀으로 상처로 얼룩지고 피까지 주르륵 흘러내린다. 재찬이 윗옷을 벗겨보니 온통 부어올랐다. 본능적으로 나는 손톱으로 이빨을 훑기 시작하고 손에 묻은 이똥을 부어오른 재찬이 몸에 바른다. 너무 많이 쏘인 탓에 부족해도 너무 부족하다.

"이럴 줄 알았다면 이를 닦지 않았어야 했는데."

"선생님은 시골을 몰라도 너무 몰라."

평소 선생님의 이 닦는 위생교육이 이 순간을 전혀 고려하지 않은 절름발이식 교육이라는 억지생각 까지 다 든다. 기울어 가는 여름날의 오후가 선생님이 미안해하는 듯 붉게 물들었다.

10
아이스케키
단팥 하드

아침을 먹은 지가 불과 한 시간 전인데, 이글거리는 땅의 온도가 숨을 헐떡이게 한다. 매미도 너무 더워 피서를 가려는지 울음소리마저 빨라진다.

맴맴맴 매~~~~

콩밭 매러 갔던 어무이도 더 참기 어려웠던지 일찍 돌아왔다.

"어휴~ 웬 날씨가 이렇게 찌냐. 평생 이런 더위가 또 올까 겁난다."

나뭇잎 하나 움직임 없는 또 하루가 이렇게 지나가려나.

"아이스케키 사이소~ 아이스케키 사이소~!"

평소와 같은 말이지만 아이스케키 장사의 목소리도 길게 늘어졌다. 어차피 소용없는 말이겠지만 상투적으로

"어무이 아이스케키 하나 사 묵으면 안 돼? 응?" 하면서 표정을 살피는데

애써 무시하려는 기색이 역력하다. 역시나 하고 포기하려다가 이미 저만치 지나가는 아이스케키 장사 소리에 실없는 말로

"빨리 겨울이 왔으면 좋겠네, 고드름이라도 실컷 묵어보게."

어무이가 부석(부엌)에서 나오면서 꼬깃꼬깃한 뭔가를 내게 전해준다.

"딱 하나만 사 묵어라~."

세상에나 만상에나 이런 행운이 오다니. 혹시나 아이스케키가 다 팔려서 없진 않을까 하는 마음으로 부리나케 내달리는데. '아이코 아야!' 하는 소리와 함께 나는 나뒹굴고 만다. 무릎이 까지고 손에는 피가 난다. 그렇지만 희한하게도 아프지 않다. 단지 발에 땀이 나서 미끄러져 넘어지게 한 고무신이 원망스러울 뿐이다.

"아이스케키 하나 주이다."

장사는 한 개라는 말에 실망한 듯

"너 혼자냐?

"어무이와 둘인 데이다."

"그럼 두 개를 가져가야지."

혼이 날 것을 뻔히 알면서도 온전히 하나를 다 먹을 참으로 두 개를 샀다. 발걸음도 가볍게 집으로 돌아오는데 이젠 살짝 걱정이 앞선다. 평소 어무이 성격으로 봐선 두 개를 샀다간 불호령이 떨어지니까. 그리고 집으로 오는 도중 더 이상의 인내로는 유혹의 맛을 참지를 못하고 그만 하나를 꺼내 입술로 살짝 훑어본다.

"캬~. 세상에 이런 맛이 있다니."

걱정 반 기대 반으로 집에 도착하니 가만히 나를 살펴보던 어무이 표정이 생각과는 다르게 살짝 피어오른다. 언제 하나만 사라고 했냐는 듯 태연히

웃는다. 하나를 어무이에게 전하니 내보다 먹는 것이 훨씬 더 느리다. 아니 아예 먹지 않는다는 표현이 옳다. 마치 맛이 없어서인지 아님 누군가를 기다리는 자세 같다. 오랫동안 녹지 않을 아이스케키를 누군가를 기다리며 하루 내내 가지고 있을 태세다. 그러다 살짝 녹아내리는 아이스케키가 아까운지 가끔씩 정리만 할 뿐이다. 또한 지그시 눈을 감은 모습이 꼭 더위에 지쳐 더위를 먹은 뒤 몽롱해 하는 표정 같다. 어느덧 빠르게 다 먹어치운 내 손을 보더니 어무이가 드시던 하나 그대로를 나에게 도로 준다. 난 망설임이 없이 어무이가 기다리는 사람이 나타날까봐 잽싸게 받아 든다.

"형들한테 아스케키 묵었다고 이야기하지 마라."

그런데 내 귀엔 '아부지한테 얘기 마라.'라고 들리는 건 왜 무엇 때문인가.

여름은 또 하나의 추억으로 간직되고 어느덧 아침저녁이 싸늘하고 춥기까지 하다. 오늘은 망덕산으로 가을소풍 가는 날, 들뜬 마음으로 잠을 설쳤다. 신작로 길을 학년별 반별로 조심스레 이동하는데 선생님 호루라기 소리가 행진곡이다. 누가 선창을 했는지 어느덧 우리들은

"대대로 오손도손~ 모여사는 새마을~

오곡백과 알차가네~ 살림도 마음도~."

망덕산 입구 동네를 지나 산길을 오르는데 숨소리는 가빠지고 이마에 이슬이 맺혀서

주르륵 흘러내린다.

"이 땐 아이스케키가 최곤데."

입속엔 이미 아이스케키 향기가 그윽이 찬 느낌이다. 엿장수 아저씨, 아이스케키 아저씨, 풍선 아저씨가 함께 따라 올라가고 옆 친구 용정이가 뭘

가를 먹고 있는데 내가 보지 못한 것이다. 뭉툭하게 생겼는데 팥이 송송히 박혀있다. 단팥 하드란다. 형을 졸랐다. 꼭 먹고 싶었다. 하지만 형은 돈을 아껴야 한다고 요지부동이다. 하도 졸라대는 내게 하나를 사서 한 입 깨물 더니 그대로 준다. 아~ 고소하고 달콤하고 사르르 녹아내리는 이런 아이스케키가 또 있다니.

점심 도시락은 평소처럼 보리밥에 생멸치 한 줌, 그리고 고추장 한 숟가락. 반별 보물찾기가 끝나고 전교생이 함께하는 장기 자랑도 끝났다. 형과 나는 집에 가서 식구들과 먹으려고 뽀빠이 라면땅 캔디도 한 봉지 샀다. 물론 사이다도 한 병, 콜라도 한 병. 산길을 돌고 돌아 언제 도착할 줄 모르는 길을 걷다가 피곤에 지친 나머지 나도 모르게 바위에 걸려 넘어졌다.

'쨍그랑!'

그렇게 소중하게 담아오던 사이다 병은 내 정성과 다르게 산산조각 나버렸고 동네 친구들과 형은 눈이 다 튀어나올 듯하다. 형한테 바보 같다고 심하게 꾸중을 듣고 집으로 돌아가는 마음이 아리고 슬프다.

집엔 저녁상이 마련되고 온 식구가 둘러앉아 한 병 남은 콜라병을 보고 있다. 큰형님이 숟가락으로 병 꼭지를 따자 거품이 일어난다. 밥사발에 아부지 큰형님 작은형 형 나 마지막이 어무이. 돌아오는 양도 순서대로다. 오늘도 어무이 몫은 없는 듯하다.

"참 맛이 좋구나."

바람으로 오는 풍금 소리

11
동동구루무와
엿장수

한 무리의 참새 떼가 군무와 노래로 황금들판을 휘젓더니 고개 숙인 나락 사이로 미끄러지듯 내려앉는다. 멀리서 이 광경을 지켜보던 아부지는 부리나케 내달리며 소리소리 지른다.

"휘이~여~, 휘이~여~."

청춘의 참새들이 부리를 비벼대며 가을이 벌려놓은 잔칫상에 가무를 즐기려다 불청객 아부지의 서슬 퍼런 독기 소리에 퍼뜩 놀라 경기를 일으킨다. 뭔가 아쉬운 듯 한 바퀴를 선회하더니 곧바로 험상궂은 얼굴에 두 팔 벌려 쫓아내는 이웃집 논의 허수아비 어깨 위에 무시하듯 투박하게 매달린다.

'둥둥 둥둥'

"문화와 예술을 사랑하고 존경하시는 동민 여러분! 새색시처럼 예뻐지는 사랑의 명약 동동구루무가 왔습니다! 구경 한 번 오세요!"

'둥둥둥둥 둥둥둥둥'

하나둘 누나들이 몰려오고 낼모레 시집간다는 꽃처럼 예쁜 옥희 누나는 아지매 손까지 잡고 나온다. 한바탕 사람들이 진을 쳤다 돌아가고 동동구루무 아저씨는 웃음꽃이 만발이다. 아직도 미련이 남은 듯 좀 더 기다리다 자리를 뜨려던 구루무 아저씨 앞으로 앞집의 옥매 누나가 조그만 보따리 하나를 들고 다시 나타난다. 누나는 긴장된 표정으로 재빠르게 물물교환을 하더니 곧바로 집으로 들어가다 내 눈과 마주쳤다. 누나가 전달한 건 조그마한 하얀 쌀자루다.

"어매한테 말하지 마라. 누야가 엿장수 오면 엿 사줄 테니."

자기 어매만 걱정하면 될 걸, 왜 우리 어매한테 말하지 말라는지 아리송하다. 어쨌든 동동구루무 장사가 마을에 오는 날은 우리 아부지까지 표정이 좋지 않다. 그러나 마을 여자들은 웃음이 함박꽃이다.

아부지 심부름으로 막걸리를 사기위해 빈병을 들고 큰 동네에 들렀다. 주먹만 한 고무공으로 친구들은 시합이 한창이다. 심부름도 잊은 채 같은 무리가 되어 정신없이 공을 찼다. 마침내 찾아온 골 넣을 기회에 욕심을 내 힘껏 차려다 땀에 젖은 고무신이 벗겨져 아래에 있는 큰 샘까지 날아간다. 그제야 아부지 심부름 생각이 났다.

"큰일 났다. 이를 어쩌지."

막걸리를 받아들고 나오는데 호기심에 한 모금 먹고 싶은 생각이 난다. 살짝 입을 대보니 정말 맛있다.

"이래 맛있는 걸 어른들만 묵다니 어른들은 참 좋겠네. 나도 얼른 어른이 되어야지."

몇 발자국 더 걷다 다시 한 번 입을 대어 본다.

"캬~아, 더 맛이 좋아졌네."

병을 쳐다보니 웬걸, 처음 샀을 때보다 양이 많이 줄었다. 집에 가면 아부지는 병부터 쳐다볼 것인데... 큰 샘에서 물을 조금 채워 넣기로 했다. 감쪽같다.

아부지는 술병을 보시더니 금세 화색이 돌아온다. 한 잔을 따라 쭉 마시고 나서

"아 이 집은 장난이 너무 심하네. 아무리 돈이 좋아도 정도껏 물을 타야지!"

아부지도 그렇지만 술집 아지매에게 살짝 미안한 맘이 든다.

쟁글쟁글 쟁글쟁글

가시게(가위)소리가 점점 가까이 온다. 엿 판을 어깨에 멘 개선장군 성샌(성씨 아저씨)이 당당히 걸어온다. 옥매 누나의 약속이 있던 터라 그 얼마나 기다렸던 성샌인가. 성샌은 언제나 그렇듯이

"짜증을 내어서 무엇하나~, 성화를 부려서 무엇하나~."

구성진 노랫가락이 자장가보다 더 감미롭다. 앞집에 달려가 옥매 누나를 불렀지만 누나는 보이지 않는다.

"아지매~ 누나 어디 갔어요?"

아지매도 대답이 없다. 하는 수 없이 집으로 돌아 와서 고물을 찾으니 성샌이 좋아하는 고물이 있을 리 없다. 어무이가 머리 빗다 뭉쳐놓은 머리카락은 엿을 바꾸기에 너무 적은 양이다. 그렇다고 떨어지지 않은 신발을

엿 바꿔 먹기도 양심상 빛깔이 너무 고와 어려울 것 같다. 전에도 새 고무신을 칼로 찢어 엿 바꾸려 하다 심하게 혼나고 검정 실로 꿰매 신어 창피하기까지 했었다.

"에이 성질 나!"

어무이한테 옥매 누나와 동동구루무 아저씨의 쌀 보따리를 일러바쳐버릴까 하는

생각도 든다.

쟁글쟁글 쟁글쟁글

성샌은 또 다시 구성지게 노래 한 곡조를 뽑아대며 이동을 한다.

"아저씨 잠깐만요!"

옥매 누나다. 반가워서 눈물이 날 지경이다. 옥매 누나가 시집가지 말고 계속 옆집에 있었으면 좋겠다.

바람으로 오는 풍금 소리

12
와와짱과 나무꾼

"와와와~"

"공 내려간다. 정신 차려라~!"

묘지 축(언덕)으로 가려져 언제 공이 날아올지 모르는 곳에서 손 야구 수비를 하는 우리들은 눈보다는 오히려 촉각과 순발력에 의지해서 수비를 한다. 그때 '팅'하는 소리와 함께 옆 바위를 맞고 내려오는 고무공을 맨손으로 잽싸게 낚아채서 허공으로 던진다. 대충 감에 의존해서 던졌지만 중간 수비에 정확히 전달됐다. 홈에서 "아웃!" 소리가 우렁차다.

"쓰리 아웃 체인지!"

"야~ 드디어 우리 공격이다."

반농반어의 한 겨울 시골풍경은 한 달 중 '조금(바닷물 때)' 무렵을 기준으로 약 일주일씩 두 번의 농한기를 맞는다. 새벽 네 시 경부터 해구(김)를 뜨는 것으로 시작해서 꼬박 일주일여를 모든 식구들이 밤낮없이 동원된다. 그렇게 일상이 지쳐갈 때쯤 어김없이 찾아오는 '조금 물때'는 약간의 휴식도 만들어내지만 한겨울 땔감을 마련키 위해 산으로 오르게 한다. 어린 국민학생 우리들도 예외는 아니다. 아침을 먹고 여자들은 짚으로 엮은 새끼를 준비하고 남자들은 축소된 지게를 지고 자연스레 동네 뒷산 안 씨 가의 묘지에서 만난다.

동쪽으로 가려진 높은 뒷산은 아홉시를 넘긴 시간에도 햇빛이 들지 않아 춥다. 먼저 온 순서대로 옹기종기 모여 앉아 재잘거리던 우리들은 추위를 떨치기 위해 손 야구를 하기로 한다. 팀은 성별도 인원도 제한이 없다. 이미 비슷한 검증으로 1학년부터 6학년 남녀가 두 팀으로 나뉜다.

"짱게미십(가위바위보)!"

"에이, 오늘은 처음부터 불길한데."

우리가 수비다.

서로들 각자의 수비 위치로 움직이고 대표 격인 6학년 형이 확인 점검만 하면 시합이 시작된다. 드디어 상대편 일번타자(*배트 없이 맨손 또는 손장갑만 인정)가 공격을 시작한다.

"볼"

첫 구가 볼이다. 두 번째 구가 전달되자 힘 좋은 한천이 형이 장갑을 낀 손으로 강력한 안타를 쳐 나간다.

"와~ 안타다! 달려라 달려!"

어느덧 태양이 추위와 산통 끝에 고개를 내밀고 묘지 놀이터를 비추기 시작한다.

막상막하의 접전으로 오늘의 시합은 끝을 맺었다. 어제는 이겼지만 오늘은 졌다. 서로들 아쉽지만 오늘 할 일이 정해졌기에 각자의 도구들을 가지고 산길을 오른다.

산모퉁이를 한 줄로 늘어선 길이가 처음과 끝이 보이지 않는다. 산 중턱쯤 왔을 때,

"야~아, 고드름이다."

다들 우르르 고드름으로 달려간다. 춥고 손 시린 것도 잊은 채 제각기 고드름을 입에 물었다.

"크으~ 시원하다."

몇몇 형과 누나들은 이미 배추를 수확해 간 땅을 발로 툭툭 찬다. 하얗게 속살을 드러낸 배추 뿌리를 캐내어 풀숲에 쓱쓱 문지르더니 먹는다.

"나도 좀 줘."

여기저기서 손을 벌린다. 흙이 온전히 지워지지 않는 언 듯한 뿌리를 한입 콱 깨물어보니 매운듯, 단듯 이렇게 시원하고 맛있을 수가...

드디어 작업 현장에 도착했다. 좀 더 놀고 싶다. 그래서 일전에 배워 뒀던 '와와짱'을 생각한다.

"우리 와와짱 한 번 하면 좋겠네."

형은 빨리 나무를 시작해도 늦는데 쓸데없는 소리라고 나무란다. 동조자가 하나둘 나타나더니 열 명이 넘어섰다.

"자~ 참여하고 싶은 사람은 5분 동안 갈비(솔잎 떨어진 것)를 해와라. 실시!"

각자가 부리나케 소량의 갈비를 해 와서 가운데 놓고 갈쿠지(갈비를 모으는 장비)를 들고 빙 둘러섰다.

"엎어지게 나오면 묵는다."

시작 소리와 함께 제각기 갈쿠지를 하늘 높이 돌리면서 던진다.

"와와짱!"

세 사람을 제외하고 나머진 탈락했다. 세 사람은 다시 "와와짱!"

아무리 표정을 관리해도 나도 모르게 웃음이 나오고 세상을 얻은 것 같다.

"이얏! 흐흐."

작은집 민순이 누나가 억울했던지 한번 더 하자고 했지만 점심때를 맞추기엔 너무 늦은 시간이라 그만하기로 했다. 각자 4~5m 간격으로 갈비를 모아 올라가는데, 집에 가서 형보다 많이 했다는 칭찬을 생각하니 기분이 좋아죽을 지경이다.

"자~ 집에 가자."

여자들은 지금까지 모았던 갈비를 둥그렇게 묶어서 이고, 남자들은 제법 나무꾼처럼 잘 정돈해서 지게에 졌다. 집으로 돌아오는 꼬부랑길은 그냥 걸을 때와 천양지차다. 짐은 무겁고 ,지겟다리가 나무에 걸려 여러 번이나 넘어질 뻔도 했다.

드디어 마지막 모퉁이만 지나면 산길은 끝난다. 아뿔싸! 방심이 지나쳤는지 오른쪽 지겟다리가 나무에 걸리면서 나뒹굴어진다. 몇 바퀴를 굴러서 한참 아래에 떨어졌다. 다들 자기 짐을 내려놓고 힘을 합쳐 다시 짐을 꾸려 지게를 지는데 제법 많았던 나무 둥지가 푹 줄어들었다. 간신히 집에 도착해 짐을 풀었지만 어무이, 아부지, 큰형이 칭찬이 없다. 마음을 알아달라는 요량으로 넘어진 무용담까지 이야기해도 역시나다.

다음엔 끝까지 방심 말아야지...

　　　　　　　　　　　　　　바람으로 오는 풍금 소리

13
동냥과 적선 사이

　도로도 정비되지 않은 꾸불꾸불 오솔길 같은 정겨운 우리 동네. 비라도 오는 날이면 길은 온통 진흙 밭이다. 급경사의 뒷산과 길고 넓은 강을 끼고, 쭉 늘어진 모퉁이에 , 점을 찍은 듯 아담한 곳에 우리 집이 있다. 새로운 소식이라도 접할 생각으로 북서쪽으로 고개를 내밀면 , 누군가가 따끈한 소식을 가지고 오는 것을 금방 알 수 있다. 아부지의 첫 일과는 강 건너 옥곡 쪽 높은 산을 쳐다보며 하루의 일기를 점치는 일이다. 희한하게도 비는 물론이고 바람 부는 일기까지 점쟁이다.

　"날씨가 많이 흐릴 것 같은데 각자 조심해서 다투는 일이 없도록 해라."

　북서쪽 입구의 모퉁이를 돌아 목발에 의지하며 절뚝절뚝 걸어오는 동냥치 아재가 보인다.

　"어무이, 동냥치 아재가 오는데."

어무이는 곳간으로 들어가더니 바가지에 곡식을 조금 내어 미리 준비까지 해둔다.

채 담배 한대 피울 시간도 아닌 찰나에 아랫집 하자네 집에 시끄러운 소리와 함께 난리가 났다.

"아니 내가 거지야? 내 몸이 이렇게 병신이 된 것도 너희들을 위해 전쟁터에서 목숨 걸고 싸우다 다쳤기 때문이야. 그런데 날 거지 취급을 해?"

말이 떨어지나 싶더니 장독대의 작은 독을 짚고 왔던 지팡이로 내려친다. '쨍그랑!' 소리와 함께 옹기가 박살나고 하자네 할매와 엄마는 연신 고개를 조아린다. 마치 어무이가 정화수를 떠놓고 조상님께 치성을 드리듯 두 손 모아 봐달란다. 이를 본 우리 집도 잔뜩 긴장했다. 사실 우리 집도 가난하지만 하자네 집은 할아씨, 할매와 함께 근근이 끼니를 때우는 11명의 대가족이 사는 집이다. 따라서 준비된 여유분의 곡식이 있을 리 만무하다. 결국 상이군인이라는 동냥치 아재도 이리저리 두리번거리더니 대문 밖으로 나온다.

이젠 우리 앞집 옥매 누나네가 긴장에 빠졌다. 그런데 옥매누나네로 들어갔던 상이군인은 별일 없었던 듯 우리 집 대문 앞으로 불쑥 들어선다. 어무이와 우리들은 겁먹은 얼굴로 미리 준비한 곡식을 자루에 담아준다. 처음 어무이가 준비했던 곡식 양보다 좀 더 많아진 것 같다. 어무이의 순발력이 대단히 돋보이는 순간이다.

그렇게 상이군인 동냥치 아재는 큰 동네로 넘어갔다.

"하도 살기가 어려우니 상이군인 핑계로 행패 부리는 동냥치가 많아서 큰일이다."

이런 일이 종종 일어나는 광경이다 보니 어무이 말도 이해가 간다. 아마

큰 동네에서도 가 보지는 않았지만 한바탕 소동이 일어났음이 불 보듯 뻔하다. 어느새 태풍이 휩쓸고 지나가고 시골은 다시 고요함으로 평정을 유지한다.

아침에 아부지 말씀처럼 하늘은 곧 비가 내릴 듯이 잔뜩 우거지상이다. 중산 동네 누님 댁에 심부름을 다녀오는데 아까 봤던 상이군인 아재가 저만치 오고 있다. 순간 긴장된다. 이미 얼굴을 마주쳤기 때문에 뒤로 도망가지도 못한다. '어쩌지…' 진퇴양난이다.

본능적으로 "안녕히 가십시오."

상이군인 아재는 하자네 집에서의 험악한 얼굴도 아니고 걸음걸이도 정상이다. 태연히 "오냐"하고 인사까지 받는다. 어깨에 멘 동냥자루는 충분히 가득해 보인다.

"어무이도 아부지처럼 귀신이여, 어떻게 상이군인이 아니라는 걸 알았을까?"

쾌청한 하루의 일과속에 모처럼 방에서 여유로움을 즐기는 시간. 목탁소리가 들리는가 싶더니 염불소리가 난다. 마당에는 모이를 쪼던 닭들이 상냥하게 '꼬꼬꼭' 메시지를 전달해 오고 한 스님이 대문으로 들어오며 좌우를 둘러본다. 겨울 햇빛을 받기 위해 마당가에 매어뒀던 우리 집 보물 누렁이 소를 포근하게 쳐다본다.

"소가 살이 참 통통하게 쪘구나."

농사짓는 겨울 소는 농한기엔 귀한 손님 대접을 받는다. 일 년에 한 번은 거의 새끼를 낳아주고 ,농사를 책임져주기에 아부지와 우리들에겐 귀중한 보물이다. 어무이는 여유 있게 곳간으로 가서 스님께 시주를 한다.

"나무아미타불 관세음보살"

어무이 표정에는 오늘 하루가 복되게 보인다. 멀리서 엿장수 성샌 아재의 가새 소리와 구성진 노랫가락이 정겹게 다가온다.

14
전설의 오일장

온 동네가 부산을 떤다. 아침 해가 동네를 비추기엔 이른 시간인데 벌써 앞집, 옆집, 뒷집 아지매들은 옥곡장으로 출발했다. 함께 출발하자고 어무이를 불러내지만 좀처럼 준비하는 기색이 없다. 먼저 간 아지매들이 돌아올 시간인데 이제야 어무이는 출발이다. 극성스러운 친구들은 장 마중 간다고 동생을 업고 나서는데... 농로길엔 어느덧 어무이를 포함한, 장 마중가는 꼬마들이 '개미들 소풍'이라도 가는 듯 삼삼오오 진풍경을 이룬다.

"어무이는 언제쯤 올까?"

기다리다 지쳐서 작은집 여동생을 데리고 장 마중에 나섰다. 하매나하고 고개를 자라목처럼 쭈뼛 빼내보지만 보이는 건 쓸쓸하고 황량한 강가와 들판뿐이다. 마침내 더 갈래야 갈 수 없는 나루터까지 왔다. 흔들거리는 갈대 사이로 강 건너 나루터에 사람의 움직임이 보인다.

"사공 아재~ 사공 아재, 나룻배 좀 부탁합시다."

어딘가 낯익은 소리, 분명 어무이 소리다. 계속 불러도 사공의 대답이 없자,

"병수 아재~ 병수 아재~." 호칭까지 바뀐다. 이미 늦은 오후라 사공 병수 아재는 약간의 불평을 섞어서 "좀 일찍 다니소!" 고함소리가 높다. 물때도 맞지 않은 시간에 움직이는 나룻배가 그래도 꾸역꾸역 건너온다.

우리들을 본 어무이와 작은 어매는 "추운데 뭐 하러 나왔냐" 하며 이고 오던 다라이에서 과자 봉지를 내주는데 역시나 손가락에 끼워서 먹는 손가락 과자다.

"다른 과자 없어?" 짐작은 했지만 그래도 서운하다.

해도 서산에 걸터앉고 어무이는 장본 내역을 공개한다.

"이게 얼마고, 저게 얼마고... 갈치가 얼마인데, 싸게 잘 샀죠?"

아부진 미소를 짓는 둥 마는 둥 긍정도 부정도 없이 고개만 끄덕인다.

"시장은 파장이 되어야 푸짐하고 돈의 가치가 크지."

늦은 저녁 오랜만에 묵어보는 갈치국은 뭔가 부족한 듯, 상한 듯 했지만 푸짐하게 잘 먹었다.

한규는 하동 장날 늦은 오후부터 약속이 있어 친구 준혁이를 꼬드긴다.

"내일 나랑 일찍 하동 장에 같이 좀 가자, 막걸리는 푸짐하게 살게."

준혁은 나무도 해야 하고 또 마땅히 사야 할 것도 없고 해서 못 간다고 한다. 속으로는 '소 팔러 가는데 개 따라가듯' 하는 것도 마음이 편찮다. 하지만 절친 한규가 계속 동행을 요구하는 바람에 은근히 막걸리도 생각나고, 특히 지난번 주막집 주모의 매력에 은근히 호감이 가던 터라 한규의 제안에 못 이기는 척 우정을 앞세운다. 한규는 평소 개숫물에 밥풀이 나가는 것

바람으로 오는 풍금 소리

도 마땅찮고 쌀을 도구통(절구통)에 찧은 후 딩겨 가루를 남에게 주는 것도 아깝던 터다. 그래서 햇살이 잘 드는 곳에 며칠 전부터 돼지우리를 만들어 놨다. 하동 장에서 새끼 돼지를 한 마리 사서 키울 생각으로 준혁을 꼬드긴 것이다.

참깨 다섯 되와 검은콩 한 말을 지게에 졌다. 너무 이른 시간이라 준혁이 일어났는지도 걱정이다. 하동 장까지는 빨리 걸어야 4시간이 넘는다. 호롱불을 길잡이로 준혁이 집 앞에 도착하니 준혁은 왜 늦었느냐는 듯 길을 재촉한다.

"서두르자. 그래야 막걸리 시간이라도 여유가 있게."

지게를 번갈아가며 두 시간여를 걸었지만 갈 길이 태산이다. 이런저런 케케묵은 신변잡기도 밑천이 떨어졌다. 드디어 매텃재 입구에 접어들었다. 어두운 밤 험한 길이라 헉헉 숨이 차오고 말소린 끊겨졌다. 호롱불로 좁은 길을 찾아가지만 시야는 한정되고 어둠이 중압감을 더 느끼게 한다. 깊은 숲길엔 솔바람 소리가 스산하게 들려오고 긴장 때문인지 추위 때문인지 비둘기 소리도 '꾸꾸꾹 꾸꾸꾹' 떨고 있다.

앞에서 길잡이를 하던 준혁이 미끄러지는 실수로 그만 호롱불이 꺼졌다.

"이 고개를 넘어서 평지가 나오면 다시 불을 켜자."

말이 끝나기도 무섭게 열 발자국도 못 가서 뭔가 재촉하는 긴박한 소리가 숨을 멎게 한다.

"빨리 해치우자, 곧 동이 틀 거 같다."

갑자기 둔탁한 소리가 퍽퍽 들리는가 싶더니 꺼억~ 꺼억~ 소리까지 난다. 이어지는 소리가 더욱 거칠어지고 푸~웁, 푸웁~, 푸웁~ 숨 몰아쉬는 잔인함에 숲 속이 운다. 한규와 준혁은 온몸에 식은땀이 주르륵 흐르며 얼음이 됐다. 잔뜩 긴장하고 움츠린 몸으로 얼마나 산길을 내달렸던지 몰골은 이미 치열한 전쟁을 치른 것 같다. 어느덧 동쪽 하늘에 붉은 기운이 돌고 한숨을 돌리는데 다리가 후들거려 도저히 걸을 수가 없다. 댓바람에 주막에 달려들어 막걸리를 한 됫박씩 퍼마시고 나자

비로소 제정신이 돌아온다. 준혁은 이미 주막집 주모의 매력도 안중에 없다. 한규는 오후의 약속도 잊은 채 늦게 합류한 동네 사람들에게 새벽 매틋재의 이야기를 들려주며 앞으로 하동 장을 이용할 땐 꼭 마을 공동으로 다니자고 제안한다. 한규의 지게 위에선 검은 새끼 돼지 한 마리가 무서운 이야기 소리에 놀랐던지 '꽤액 꽤액' 몸서리를 친다.

아부지는 언제쯤인 얘긴지 모르지만 그때부터 하동 장은 마을 공동 행사가 되었다고 전한다. 지금의 매틋재는 전라도와 경상도를 잇는 잘 포장된 국도로 경제 번영과 소통의 자리로 자리매김 되었다. 유구한 역사 속에 흘러가는 섬진강은 그때나 지금이나 변함없이 미래를 향해 푸르게 이어간다. 매틋재에서 바라보는 섬진강 철교에는 과거를 회상하는 연무가 가득하다.

15
참꽃술 그리고
송감

    개학을 했지만 여전히 옷깃을 여미게 하는 추위는 어깨마저 움츠리게 한다. 빨리 집으로 가기 위해 들판을 가로지르는데 이 추위에도 계절의 냄새를 맡고 독새풀은 활짝 고개를 내밀었다. 출출한 기분에 막 성장기를 맞이한 유채 순이라도 꺾어 먹을 요량으로 유채 밭을 쳐다본다.

"설마 유채 순이 나왔을까?"

    땅에 붙어서 봄이 오는 길목을 보지 못하던 유채가 기별 없던 봄의 전령사를 만난 것 같다. 막 피어오르는 노란 꽃봉오리가 하나 둘 터지고 주변은 화려한 옷을 입기 시작한다.

    톡톡톡

    첫날밤 수줍은 새색시의 옷고름 소리처럼 봄이 오는 소리다. 출출한 기운도 유채꽃에 감전된 듯 손이 가지 못하고 만다.

"콜록콜록, 에취!"

아부지는 긴긴 밤에 새끼라도 꽈둘 생각으로 짚단을 훑기 시작한다. 일을 시작하자마자 자연스레 담뱃불을 붙이고 다시 또 기침이 정적을 깬다.

"제발, 좀! 기침이 그렇게 심한 분이 왜 일만 시작하면 담배부터 챙기는지 모르겠네."

아부진 이미 잔소리에 만성이 되었는지 듣는 둥 마는 둥 개의치 않는다. 오히려 약이라도 올리려는지 "콜록콜록 엣취취!" 하고 난리다.

"참꽃이 피면 어떤 일이 있어도 참꽃 술을 담가야 한다. 저러다 네 아부지 큰일 나겠다."

자연의 약속대로 봄으로 달려오는 참꽃들의 향연이 온 산하를 덮었다. 작심을 하고 부모님과 큰형님, 나는 뒷산 천왕산으로 오른다. 완연한 봄기운에 땀방울이 맺히고 산 중턱에서 잠시 숨을 고르는데 또 아부지 재채기 소리가 크게 울려나간다. 순간 '푸드득 꿩! 꿩! 꿩!' 하면서 장꿩 한 마리가 크게 놀랐는지 날아오른다.

"아이고, 깜짝이야! 간 떨어질 뻔했다."

온 산은 수를 놓은 듯 참꽃으로 가득 펼쳐졌고 남쪽 바다에서 불어오는 산들바람이 아부지 기침 치료를 약속하듯 간지럽다. 꽃이 피자마자 앗아가는 미안함이 크지만 그래도 아부지를 위한 노력이라 생각하니 든든한 생각마저 든다.

떡 시루에는 고두밥이 고슬고슬 익어가고 덕석(멍석)에는 깨끗한 비닐로 마무리 준비가 끝났다. 누룩을 섞기 위해 펼쳐 놓은 고두밥은 하얀 수증기로 날아오르고 한 입 가득 입속엔 구수한 정이 넘친다.

"재료는 준비가 끝났고 정성을 담아야 해."

어무이는 누룩의 비율을 맞춰가며 오랜 걱정과 짐을 털어낸 개운함에서 인지 연신 입이 귀에 닿았다. 마침내 집에서 가장 큰 장독은 짚불로 소독까지 마쳤다. 오래된 나무 베눌(창고가 없어 노지에 나무를 쌓아두고 비를 맞지 않도록 적재해 둠)을 헐어내고 잘 배합된 재료를 독 속에 넣는다. 중간 중간 참꽃을 양념처럼 채우는데 독 속에 들어가자마자 묘한 기운에 미리 취하는지 수줍은 핑크색이 된다. 어느새 작업이 끝나고 나무 베눌은 원래의 모습으로 위장이 되고 평온을 찾는다. 또 아부지 기침은 마지막 몽니라도 부리는지 요란함이 더하다.

"큰일 났다. 이번에는 송감(산림보호를 위해 벌목을 못하도록 정부에서 파견한 감시단)과 밀주 단속반이 한꺼번에 나왔단다."

상면이네 집은 이 잡듯이 뒤져지고 나무 베눌은 죄다 헐어서 난장판이다. 단속반들이 우리집쪽으로 오고 있다. 어무이는 얼마나 긴장을 하는지 이미 사색이 되었고 몸져눕기까지 한다.

"아이고 나 죽겠네. 숨도 제대로 쉬지를 못하겠다."

아부지와 큰 형님도 긴장한 얼굴이 역력하다. 난 혹시나 어무이가 죽는 게 아닌가, 아부지 기침을 영영 고치지 못하는 게 아닌가하는 걱정으로 울음보가 터졌다.

"엉엉엉~ 어무이 아프지 마, 응?"

마침내 단속반들이 우리 집으로 들어오고 벌써 두 명은 참꽃 술이 숨 쉬고 있는 나무 베눌을 응시한다. 어느새 한 명은 베눌 위로 올라가 헤집기 작업을 시작하려 하는데 단속반 중 한 명이

"집에 무슨 일이라도 있습니까, 네?"

난 더욱 큰 소리로 울기 시작한다.

"어무이가 너무 많이 아파서 동생이 놀라서 저럽니다."

"자, 여긴 그냥 갑시다."

집을 다시 휙 둘러보던 단속반은 "빨리 약방에라도 가보세요."하고 나간다.

"휴... 다행이다."

언제 그랬냐는 듯 어무이는 멀쩡해진다. 옆집은 소나무를 베어다 땔감으로 숨겨뒀던 것이 적발되어 고발조치가 되고 온통 집안은 난리가 났다.

"엄마가 죽을까 그렇게 걱정이 되더냐."

어무이의 갑작스러운 경련과 나의 울음이 위기를 넘기게 한 것 같다. 천왕산에 자욱했던 안개가 서서히 걷히고, 드디어 나무 베눌의 참꽃 술이 얼굴을 드러내는데 맑고 불그스레한 게 명약 중 명약처럼 고귀해 보인다.

참꽃 술 향이 어느새 서쪽 하늘까지 진하게 취하게 했는지 옥곡산 끝자락이 홍조 띤 얼굴로 거하게 붉다.

16
한국을 빛낸 위인들

"육성회비 가져온 사람은 지금 내도록~!"

아침조회가 끝나기가 무섭게 돈 문제로 걱정이다. 혹시나 애들이 가지고 있다가 잃어버릴까 염려되어 선생님은 제일 먼저 돈부터 수납 받는다. 마감 날이 이틀 밖에 남지 않았지만 아직도 반 정도는 납부를 하지 못 했다. 일순간 선생님의 표정이 굳어지고 아직 납부를 하지 못한 우리들은 무슨 소리를 들을까 긴장한다.

"내일까지 가져올 사람 손들어라."

나는 주저 없이 손을 든다. 설마 어제도 아버지께 이야기했는데 낼은 주겠지.

"그럼 마감일인 모레까지도 못 가져올 사람 어디 손 한 번 들어봐라."

머뭇머뭇 움찔거리던 친구 몇 명이 손을 든다.

"나머지는 모레까지는 약속을 했으니까 됐고 마지막 손든 사람들은 청소 끝나고 선생님과 면담 후에 집에 가도록.”

오늘도 하루는 돈으로 시작됐다.

2교시 후, ‘국민체조’ 시간이 되자 우리들은 운동장에 모였다. 운동장으로 나오자 언제 돈 문제로 고민했냐는 듯 다들 표정이 밝다. 이리 뛰고 저리 뛰고, 이리 구르고 저리 구르고 천진난만한 우리들의 모습에 하늘도 감동 했는지 밝은 햇살을 해맑게 비춘다.

드디어 청소가 끝나고 종례시간이다. 선생님이 먼저 들어오고 뒤를 따라오는 아저씨 한 분이 있다.

“다들 조심해서 집에 가고 낼 올 때 육성회비 잊지 마라. 그리고 여기 여러분에게 소개해드릴 손님이 있다.”

양복을 깨끗이 입은 아저씨는 동백기름을 발랐는지 머리는 윤기가 나고 멋지게 가르마를 탔다. 촌에서는 좀처럼 보기 힘든 신사다.

“여러분에게 ‘한국위인전’이라는 책을 소개합니다. 이 책은 여러분들이 나라를 생각하고, 나라를 위해 무엇을 해야 하며, 또 무엇을 준비해야 하는가를 알려주는 소중한 지침서입니다.”

가뭄에 단비를 기다리듯 그렇게 기다려서 꼭 읽어보고 싶었던 책이 내 앞에 있다. 책을 소개하는 아저씨의 감언이설 때문도 아니고, 분위기 때문만도 아니다. 잠들기 어려운 밤이면 옛날이야기가 듣고 싶어 어른들을 졸라대던 갈증을 한 번에 풀어버릴 수 있는 소중한 꿈을 담고 있다.

“어떻게 해야 저 책을 가질 수 있을까.”

집에 오는 내내 궁리에 궁리를 더한다.

오늘은 꿈자리가 좋다.

거의 매일 같이 꿨던 귀신에 쫓기거나 높은 낭떠러지에서 떨어지는 긴장된 꿈이 아니었다. 뒷산에서 맑은 물이 폭포수처럼 흘러내리고 집 앞을 가득 채운 강물에는 숭어 떼가 유유자적 노니는 꿈이었다. 잠에서 깨어서도 한참 동안 편안했었다.

"오늘이 네 아부지 생일이니 작은 동네 집집마다 미리 찾아가서 아침 잡수러 오시라고 전해라."

'얏호! 드디어 묘책을 찾았다. 확실히 어젯밤 꿈이 좋긴 좋았어!'

동네 어른들이 한 분 두 분 찾아오고 축하 인사와 함께 어느새 집안은 담배연기와 대화소리로 가득 찼다. 평소와 다른 진수성찬이지만 난 마음이 바빠서 대충 묵는 둥 마는 둥 했다.

"아부지, 어제 학교에 책장사가 왔는데 선생님이 보고 나서 우리들이 꼭 읽어야 할 귀중한 책이라고 해서 산다고 했는데요…"

어느새 간지러운 표준말이 일사천리다.

"…그 책 좀 사주세요."

"아니 책은 이미 다 샀다아이가."

"그건 학교에서 쓰는 책이고 이 책은 우리나라를 지킨 훌륭한 사람들의 위인집이랑께요."

아버지는 영 못마땅한 얼굴로 "오늘은 그냥 가고 낼 다시 생각해보자." 하고 계속 밥만 먹는다. 나는 거의 울상으로 옆 어른들을 쳐다보며 지원을 요청하는 간절함으로 목소리 톤이 높아진다.

"오늘 책을 꼭 산다고 약속을 했는데요. 앞으로 심부름도 잘하고 일도 잘하고 공부도 열심히 할게요. 네?"

아침을 들던 동네 사람들이 아버지와 나의 대화소리에 조용해지고 난 직관적으로 성공의 기회가 왔다는 걸 느끼며 윗집 아재를 쳐다본다. 역시 아재는 순경 출신이라 그런지 눈치 하나는 무지 빠르다.

"아이고 성님은 참 좋겠소. 요즘에 공부하고 싶다고 책 사달라는 애도 있다니."

아재가 벌써 맘에 든다. 기쁜 마음으로 아재에게 눈인사를 하니 아재는 확실히 쐐기라도 박아줄 생각인지 한 번 더 거든다.

"성님, 성님 아들이지만 내가 보기엔 쟤는 뭔가 달라보이요. 그러니 큰 돈 드는 것 아니면 잘 키워보소."

"어이 참... 허허."

아버지는 어쩔 수 없다는 듯 궤짝 문을 열고 돈을 내어 주는데 의외로 기분이 나빠 보이지 않는다. 세상에 이렇게 좋은 날이 있다니! 돈을 받아들고 마루로 나오다 퍼뜩 생각나는 육성회비 얘기를 내친김에 또 한다.

"아부지 육성회비가 낼 마감인디 내일은 꼭 줘야 돼요."

그러자 옆에서 밥만 먹던 평소 성질이 괴팍하고 싸우기 좋아하는 술주정뱅이 아재가

"성님, 육성회비를 아직도 안 줬소? 오늘 그냥 다 줘 버리시오! 우리 애들은 벌써 여러 날 됐는디."

아버지는 언제나 마지막 날에 돈을 주는 게 기본이다. 기분이 좋을 때나 공휴일이 낄 땐 하루쯤 당겨주기도 하는데, 이는 가뭄에 콩 날만큼 드문 일이다. 돈을 다 받아들고 집을 나서는데, 몸은 이미 깃털처럼 가볍게 붕 떠올랐다.

책을 사고 집으로 오면서 처음으로 길에서 독서를 해본다. 이미 나는 박사다. 오늘도 육성회비를 내지 못해 선생님 얼굴을 살피던 친구들을 보며 미안한 마음이 들고 또 부모님께 감사를 드린다.

아버지 고맙습니다.

17
오뉴월의 하루 볕

두째 형과 우성이 두째 형은 동갑내기 친구다. 우성이네는 하동에서 이사 왔는데 형들은 학교에서 금방 친해졌고, 내보다 한 살 위인 우성이와 나는 자연스럽게 친구가 되었다.

어느 날 차디찬 여수골에 바람을 맞으며 형들을 따라 산토끼를 잡기위해 찔룩(찔레)나무 열매를 꺾으러 갔는데 우성이와 내가 티격태격 싸움이 났다. 먼저 우성이가 털신을 벗어들었고 나도 검정 고무신을 벗어들었다. 털신보다 고무신의 순발력이 좋았던지 내 고무신이 우성이 얼굴을 먼저 강타한다. 간발의 차이로 서로가 통증을 느꼈지만 우성이 얼굴엔 코피가 흐르고 피를 확인한 우성이는 울음을 터뜨린다.

"코피 난다. 이제 그만해라."

형들은 왜 우리가 싸우기 전에 말리지 않았을까. 아무리 생각해도 의문이 남는다. 마음속으론 말려주기를 얼마나 고대했는데.

'개굴개굴 개굴개굴'

봄비가 그치고 햇빛이 구름 사이로 얼굴을 내밀자 갯샘(논가 근처의 샘)이 옆에 나란히 신발을 벗어놓은 두 소년이 개구리 잡기에 정신이 팔렸다. 한 살이 많은 우성이는 숙달된 동작으로 연신 개구리를 잡아서 논두렁에다 패댕이 친다. 짝을 찾는 봄노래에 정신이 팔려있다 갑자기 나타난 불청객에 잡혀 저항 한 번 못 하고 죽어간다. 무엇 때문에 죽어 가는지도 모른 채 너무 원통한 나머지 하늘을 향해 네 다리를 부들부들 떨어대는 개구리가 안 됐다. 이를 지켜보던 한규도 이리 뛰고 저리 뛰고 열심히 노력해보지만 막 잡으려고 하면 '나 잡아봐라 개굴! 또 잡아봐라 개굴개굴!' 약만 올리고 잘도 피해 도망간다.

실패를 거듭하던 한규는 이내 개구리 잡기를 포기하고 우성이가 잡아놓은 개구리를 샘으로 가져간다.

"많이 잡았다. 이제 그만하자."

우성이는 얼마나 열심히 뛰었는지 아직도 쌀쌀한 날씨인데도 이마에 땀방울이 송송 맺혔다.

잠시 후 산 밑으로 뛰어간 우성이는 칼날 같은 작은 돌멩이를 들고 온다. 그리고 숙달된 동작으로 죽어있는 개구리 허리 부위를 능숙하게 잘라 껍질을 손질한다.

"캬, 다칠 염려가 없는 칼이네."

처음 보는 동작에 감동이 인다. 파르르 경련이 일어나고 아직도 살아있는 듯한 개구리 다리가 너무나 투명하고 깨끗하다. 우성이는 미리 준비해둔 깡통에 손질된 개구리를 넣고 물을 떠서 붓는다.

밭두렁이 어느새 부엌처럼 정교하게 단장이 되고 '화르르' 갈비 불이, 김이 모락모락 나는 요리를 해낸다.

"인자 묵어도 될 거 같다. 묵어보자."

그래도 내가 손님이라고 개구리 다리를 덜어주는데 먹어야 될지 말아야 될지 망설여진다. 주저하던 내 모습을 보던 우성이는 시범이라도 보이는 냥 태연히 먹어댄다. 저걸 어떻게 저리 쉽게 먹을 수 있지? 정말 맛이 있을까?

"묵어봐라. 묵을만하다."

주저하는 내 모습이 민망해서 한입 먹어보니 '아이고' 무슨 맛인지도 모르겠고 기름기는 동동 맛있게 보이는데 누린 맛에 도저히 목에 넘어가지 않는다. 우성이도 처음과 달리 두 마리째 먹더니 더는 먹지 않는다.

"우성아! 놀자~."

숟가락을 놓기가 무섭게 우성이네 집에 또 왔다. 방에서 편찮으신 아부지와 함께 있던 우성이는 밖으로 나오며 무척 반가워한다.

"멀리 가면 안 된다."

어쩔 수 없이 멀리 가지 못하고 담벼락 아래 갈대밭으로 간다. 막 새순으로 자라나는 깔촉(갈대 새순)을 분지르기도 하고 뽑아서 먹다가, 반복되는 번거로움에 싫증을 느껴 다시 집으로 왔다. 우성이는 부엌에서 조그마한 다마네기를 가져와서 한 껍질씩 벗겨 먹는다. 표정이 참 맛있게 보인다. 생으로 한 번도 먹어보지 않았던 나도 침이 꿀꺽 삼켜진다.

"한번 묵어봐라."

"아이고, 매워서 못 묵겠다."

이번에는 우성이가 눈물까지 글썽이며 한 껍질 더 벗겨 먹는다. 나 또한 질세라 또 한입 물었다. 이제 부터는 양파의 매운 맛에 대한 기피는 없고 오

바람으로 오는 풍금 소리

직 지면 안 된다는 묘한 오기로, 작은 수컷들의 쓸데없는 기싸움이 펼쳐진다. 양파를 한 겹씩 더 벗겨 먹을수록 고통이 더 심해지지만 그래도 새하얗게 예뻐지는 양파 모습에 반해서 계속 먹는다. 마침내 더 줄어들 수 없는 단계에서 둘로 나뉜다. 나눠진 두 쪽을 눈빛까지 교환해가며 끝까지 다 먹었다. 다 먹고 나니 속이 아리고 쓰려서 죽을 지경이다. 우성이도 속이 좋지 않았는지 부엌 옆 물동이 옆에서 하얗고 길쭉한 비밀 과자를 들고 나온다.

"이거 묵으면 입이 시원해지고 괜찮아질끼다."

뚜껑을 열더니 자기 손에 듬뿍 짜서 태연히 먹기 시작한다. 얼른 나도 더 많이 짜서 입에 오물오물 씹어보는데 씹는 맛은 없고 입이 '쏴~아~'하니 묘한 맛이다. 그래도 과자라고 생각하고 서로 번갈아가며 먹는데, 입안 가득 과자가 부풀기만 하고 삼켜지지 않는다.

"미국 과자는 참 이상하고 좋네. 묵을수록 입이 가벼워지고 시원하네."

그렇게 둘이서 거의 한 개를 다 먹어갈 때쯤 일하러 나갔던 우성이 어무이가 "느그들 치약으로 뭐하노?" 한다.

"형과 누야가 묵던 과자 묵는다아이요?"

아련한 추억으로 웃음 주던 어린 시절,

소금이나 간장을 사용할 줄 몰라 영양식을 버렸고

치약이라는 현대식 문화를 몰라서 미국 과자로 인식했던 때가 있었다.

그런 시대에 함께 했던 한 살 위인 우성이가 지금도 근처에 살고 있다.

나는 지금도 믿고 있다.

오뉴월 하루 땡볕이 그냥 땡볕이 아니라고.

18
도도한 변화의 물결

"중매(중산)는 전기가 들어온다고 좋아서들 난리여."

"아~ 전기가 뭣인디 그래쌀까~잉, 난 눈도 안 나빠지고 지금이 훨씬 좋은디."

"자네는 전기가 뭔지 알기나 하고 말하는가?"

동네 아지매들은 소문도 참 빠르게 안다. 나도 전기가 주는 혜택이 뭔지 잘 모른다. 봐본 적이 없기 때문이다.

가을걷이가 끝나자마자 학교 앞 들판에는 '두두두두', ' 부릉부릉' 요란한 소리와 함께 책에서만 보던 불도저가 논들을 무작위로 갈아엎는다. 불도저의 역량은 상상을 초월한다. 하루가 지나고 이틀이 지나면 갑자기 태산이 하나 뚝딱 만들어지고 강이 하나 금방 생기기도 한다. 불과 보름 사이에 학교를 다니던 낭만의 꼬부랑 통학 길이 넓고 반듯하게 만들어진다.

바람으로 오는 풍금 소리

이런 추세로 방학이 끝날 쯤 되면 어느 정도로 천지개벽이 일어날지 아무도 모른다.

봄을 재촉하는 봄비가 추적추적 내린다. 이미 동네 앞 통학 길은 진흙밭이 되어 버렸다. 그중에서도 금옥이 집 앞 도로는 너무 질퍽해서 고무신을 신고는 제대로 가질 못한다. 잘 떨어지지 않는 고무신 특성상 항상 발보다 한 치수 큰 것을 사기 때문에 잘 벗겨져서 일어나는 일이 많다. 역시나 재찬이, 하숙이, 사촌동생 윤순이가 진흙 속에 고무신이 벗겨져서 큰 곤란에 빠졌다. 겨우 선배들의 도움으로 위기를 모면하고 긴장된 마음으로 학교로 향한다.

"이랴 이랴! 빨리 가자. 이놈의 소야!

길은 좋아졌는데 요놈은 늙어서 그러는지 꾀를 부리는지 잘 가지를 못하네, 이랴!"

소달구지를 끄는 아저씨들이 연신 고삐로 소 잔등을 쳐댄다.

달구지에는 생전 보지 못하던 길쭉하고 묵직한 '전봇대'라는 것이 실려 있다.

중산 동네 입구에는 이미 전봇대 십여 개가 서로 먼저 사용해 달라는 듯, 늠름한 자태를 뽐낸다.

마을 사람들도 의욕이 넘치는 것 같다. 경험해 보지 못한 희망찬 세계가 눈앞에 다가오고 있음을 실감하는지 두 세 사람만 만나도 전기 이야기와 지붕개량 이야기다.

오후 햇살이 따뜻한 양지바른 호기형 집 마당에는 학교에서 돌아오던 우리들의 딱지치기가 벌어졌다.

제각기 비장의 무기인 대표 딱지를 하나씩 꺼내고 순서를 정한다.

가장 유리한 사람은 맨 첫 번째 사람이다.

첫 번째 주자인 세 살 위의 호기 형이 마당에 펼쳐져 있는 딱지들 중에 가장 욕심나는 재식이 딱지를 선택해서 힘껏 두드린다.

'팡!' 소리와 함께 두 장의 딱지가 기싸움 하듯 '뱅그르르' 돌면서 아슬아슬하게 묘기를 부리더니 재식이 딱지를 힘겹게 이겨낸다.

연이어 딱지들은 호기형의 힘과 요령에 맥을 쓰지 못하고, 마침내 난 한 장의 딱지도 남지 않았다.

아쉽기도 하고 어떻게든 재도전을 하고 싶지만 오늘은 그만하기로 한다. 꼭 더 좋은 힘 있는 딱지를 만들어 복수하기로 다짐한다.

속상함을 달래기 위해 집 밖으로 나오는데 호자 친구 집 대나무 울타리 앞에 노랗게 활짝 핀 수선화가 그 꽃말처럼, 딱지로 상처받은 '자존심'을 어루만지고 달래준다.

"저렇게 예쁜 꽃이 세상에 또 있을까?"

흐뭇한 상념도 잠시 재식이가 딱지를 다 잃었는지 미처 말릴 틈도 없이 책보따리를 풀어 별로 쓰지도 않은 새 공책을 뜯기 시작한다.

이때 '부릉 부릉 두두두두' 한적한 시골의 정적을 뚫고 땅이 갑자기 흔들리나 싶더니 호기형 집 뒤쪽에서 굉음소리와 함께 산과 나무들이 뭉개지기 시작한다.

바람으로 오는 풍금 소리

"큰일 났다. 도망가자! 전쟁이 났나 보다."

정신없이 아랫길로 뛰기 시작하는데 엎어지는 친구, 놀라서 우는 친구 그 야말로 아수라장이 됐다. 겨우 우영이 집 가까이서 호자 친구 집 쪽을 돌아 보니 뒷산이 온통 붉은 황토색으로 속살을 드러냈고 바위들이 굴러 내리고 수선화가 있던 자리까지도 초토화되고 있다.

세상에 꿈속에서도 있을 수 없는 이런 일이 벌건 대낮에 일어날 수가 있을까.

매일같이 통학 길에 우리들의 놀이터가 되어주기도 하고 학교를 빨리 가게 지름길이 되어준 중산 동네 중심지가 찰나적인 시간에 없어져 버리다니. 집으로 오는 도중 우리들은 너무나 큰 상실감과 충격에 그렇게 재잘거리던 말을 잃어버렸고 벙어리가 됐다.

"중산 동네가 불도저 때문에 없어졌어요."

이러한 고통 속에서 역사적이고 운명적인 남해고속도로가 열렸다.

19
<u>삶은 희망이다</u>

"전기가 들어오니께 좋기는 좋은디, 일이 밤낮이 없당께."

"참말이지, 밤에는 일찍 쉬는 게 낙인디."

"아휴 그건 그래도 요즘은 앞집 테레비 보는 게 낙이여. 거 뭔가 에루야 라는 봉수대 연속극인디 ,주인공 에루야 박근행인가 하는 총각이 어찌 그리도 잘생겼당가~이."

우리 동네에서는 일어날 수 없는 이야기다.

중산 동네의 전기는 생활환경과 밤의 문화까지 바꿔버린 것 같다.

평상시 공동우물에서는 싸움 이야기, 흉보는 이야기, 굿하는 이야기들로 대세를 이루지만 전기가 들어온 이후로는 대화도 바뀐 것 같다.

어제는 우리 진월 국민학교 축구부가 코치 선생님과 함께 '배들이'로 우리 나라와 일본이 붙는 축구 경기를 보러 갔었다. 처음 보는 '테레비'는 신기하고 대단했다. 장롱보다도 작은 조그만 상자 같은 테레비에서 선수들이 실제로 뛰는 모습이 정말 놀라웠다.

"전기라는 것이 참 좋네, 저런 것을 사용할 수 있게 하다니."

우리들의 바램과 열열한 응원속에 다행히도 우리나라 선수들이 일본을 쉽게 이겨서 기분이 좋았다. 실력도 실력이지만 민족적 정서를 고려해도 꼭 일본만은 이겨야 한다는 것이 나만의 생각이고 욕심일까.

늦게까지 연습을 하고 집으로 돌아오는 어둑해진 길에 긴장과 무서움으로 발걸음이 빨라졌다. 최근에 생긴 묘지가 있는 산모퉁이를 바짝 긴장해서 뛰는데 작은 불빛 두 개와 마주쳤다. 순간 '후다닥' 소리와 함께 이상한 소리를 내며 달아나는 짐승 때문에 귀신을 만난 줄 알고 그만 간이 떨어져 나가는 줄 알았다. 드디어 중산 동네에 접어드는데 온 동네가 불타는 듯한 휘황찬란한 광채에 "이런 신천지도 있을까"하고 절로 감탄사가 나온다. 집집마다 날 보라는 듯 환하게 밝혀진 전깃불이 밤낮이 따로 없다.

서울서 온 박샌집 마당 와상에는 동네 사람들이 몰려와서 '테레비'에 빠져든다.

"에루야 에루야, 에루 에루야 무너진 산 너머…

봉화대에 뜬 달은 그리운 님 얼굴~"

"아~ 저 연속극이 에루야구나. 잘생긴 저 사람이 박근형이고."

갈 길이 바쁜데 자꾸만 보고 가라고 유혹하는 테레비의 마력에 넋을 잃고 있는데,

어무이하고 큰형이 마중을 오는 모양이다.

"왜 아직도 애가 안 오지? 밤이라 무서울 텐데."

"어무이~"

"한규 아이가 집에는 안 오고 거기서 뭐 하냐."

"늦게 오다가 테레비가 신기해서 보고 있지."

테레비가 나오는 동안만 중산에 우리 집이 있다면 얼마나 좋을까 하고 억지 상상을 해본다.

"오늘 남해 고속도로가 개통을 한답니다. 오후 한 시경 개통식 차들이 중산을 지나간다고 하니 구경 갈 사람들은 준비들 하시요."

이장 아재가 집집마다 다니면서 연락을 해준다. 뒷집, 아랫집 할매들은 머리를 감기 시작하고 우리들도 온갖 멋을 다 낸다.

"빨리 서두르자. 시간이 얼마 안 남았다."

동네 큰 길에는 사람들의 줄이 이어지고 한껏 멋을 낸 아지매들이 흥에 겨워서 노래까지 불러댄다.

"여러분! 차가 지나가려면 30분이 넘게 남았응께 이리 와서 맨 앞에는 애들과 할매들이 앉고, 어른들은 줄을 맞춰서 앉읍시다."

그냥 편하게 구경을 하면 될 일을 이장님은 줄까지 맞춰서 앉으란다.

"저기 뭐가 많이 온다. 야~아 차가 도대체 몇 대가 되는겨."

옥곡 쪽에서 오고 있는 차들이 끝없이 이어지고 눈을 떼지 못하는 사람들은 넋을 잃고 쳐다볼 뿐이다. 차들이 마침내 우리들이 줄을 맞춰 앉아있는 근처에까지 다가오자, 제일 먼저 경찰차의 사이렌 소리를 신호로 '빠~앙, 빵!' 고속버스 클렉션 소리가 귓전을 울린다.

"뭔 소리가 저렇게 큰 게 있당가."

일순간 와~ 하는 소리와 함께 서로 손을 흔들어 대는데 고속도로 일대가 대 장관이다.

"광주고속, 천일고속, 중앙고속... 저게 고속버스구나."

"저리 크고 멋진 차를 운전하는 운전수는 대단한 사람이겠지."

"암만 대단하다마다. 곱게 손을 흔드는 아가씨는 또 얼마나 예뻐 보이는가."

차량 행렬이 다 끝나도록 사람들은 입을 다물 줄 모른다.

"나도 저런 고속버스를 타보는 날이 오겠지. 아니 매일 타려면 운전수가 되어야겠다."

나중에 안 일이지만 오늘의 차량 행렬을 본 우리 또래들의 장래희망은 하나같이 다 고속버스 운전수와 안내양 아가씨였다.

우리 동네도 변화의 바람이 일었다.

리어카조차도 다니기 어려웠던 좁은 동네 길이 크게 넓어지는가 싶더니, 어느 샌가 전봇대가 들어오고 공사가 시작된다. 한전에서 나와서 집집마다 내부 공사를 하는데 새집을 지어 단장한 우리 집이 다행스럽고 흐뭇하다. 우리 가족들은 이런 경사에 들떠있고 어무이는 연신 공사를 잘해달라며 대접할 재료를 찾는다.

"뭐 대접할게 있나, 촌에."

"시원한 물이나 한 잔 주시요."

아무 말이 없이 아부지는 슬며시 닭장으로 가더니 잘생긴 계란 두 개를 가져와서 내놓는다. 공사가 끝나고 기술자들이 다른 집으로 나가자 어무이 얼굴이 심상찮다.

"아니, 그 계란은 내일 손님 오면 대접할 건데 써버리면 어찌하요."

어무이 속마음은 참 알다가도 모르겠다.

대접한다고 말 할 땐 언제고.… 아부지 얼굴은 이미 단련이 됐는지 만성이 됐는지 그냥 웃고 있다.

"저녁 6시다. 전기가 오는지 불 써 봐라."

"오메, 전기 들어온다!"

순간 집집마다 '와'하고 동네가 다 울린다.

"이렇게 밝을 수 있냐, 천지개벽하는 세상이 됐다."

지나다니며 남의 집에서 보던 전기보다 오늘 우리 집 전기가 더 밝은 거 같다.

"저기 봐라, 저기 봐. 개미 지나가는 게 다 보인다."

밤은 계속 깊어 가는데 집집마다 이야기꽃에 불 꺼지는 집이 없고,

우리 집도 내일은 늦잠이 분명해 보인다.

20
아~ 아버지!

한 여름의 열기는 밤을 재촉하는 또 하나의 요인이다.

대나무 잎 하나 까딱없는 밤이 찾아오고 소마굿간에 매어진 어미 소와 송아지는 극성스러운 모기 때문에 안절부절못한다. 어미 소는 연신 꼬리와 머리를 흔들어 모기를 쫓아보지만 그래도 힘에 겨운지 '후후' 소리를 내면서 다리를 움직이기 시작한다.

"안되겠다. 조금 매워도 모깻불을 피워야겠다. 쉥아지(송아지)가 모구에 물려서 크지 않을라."

아버지는 저녁을 먹다 일어나더니 쇠스랑으로 쇠 뒤엄을 끌어당겨 바닥에 깐다. 그리고 그 위에 마른 나무를 얹고는 불을 피운다. 불이 피어오르자 낮에 베어 왔던 풀을 얹고 그 위에 청솔가지를 덮는다. 뿌옇게 연기가 피어오르고 청솔가지를 몇 번 휘둘러주자 와상 가운데로 매운 연기가 자욱이 내려앉는다. 이제야 어미 소와 송아지가 조용해지고 저녁을 먹던 우리들은 매운 연기에 눈물, 콧물로 고통스러워한다.

"빨리 밥을 묵고 연기를 피해 강바람이나 쐬러 가야겠다."

집 앞 청녕으로 나오자 또래들이 몰려나오고 우리들은 자연스럽게 일 년에 한 번 오는 놀이를 생각해낸다. 특별한 준비물이 없어도 고무신만 신고 나오면 그만이다.

드디어 어둠이 찾아오고 밤하늘에는 은은한 별들이 고개를 내민다. 머리 위에선 제비가 여름이 벌여놓은 벌레들의 잔치를 날렵하고 유연하게 사냥을 하고, 시원한 강물처럼 길게 늘어진 은하수가 천지 가득 졸졸 흘러내린다.

"때가 됐다. 시작해보자. 하나, 둘, 셋!"

우리들은 각자가 신고 왔던 고무신을 벗어들고 하늘 위로 던져 올린다. '탁' 소리와 함께 고무신이 바닥으로 떨어지고 잘 보이지 않는 신발 속에는 '찍찍'소리가 여기저기서 난다.

"빨리 잡아라. 몇 마리 잡힌 것 같다."

기연이 복만이 고무신에는 박쥐가 들어있고 성수 신발에 있던 박쥐는 어느새 기력을 회복했는지 하늘로 다시 날아오른다.

"나는 헛방이다."

다시 한 번 하늘로 힘껏 신발을 던져 올려 보지만 어느새 박쥐들은 낌새를 알아차리고 멀리 날아가 버린 듯 소식이 없다.

"너희들 박쥐 많이 잡았냐."

고등학교 다니는 강면이 형과 친구들이다.

"오늘은 두 마리밖에 못 잡았어."

"다들 이리 와봐라. 동네에 전기가 들어와서 뒷산 밭에 전기를 연결해서 다음 주부터 태권도를 배워볼까 하는데 집에 가서들 의논을 잘해서 함께 배워보자."

불현듯 지난 해 가장 마음 아팠던 기억들이 스멀스멀 기어 나온다.

콜록콜록 에취!

집 앞 안산 소나무 밭에서 아버지는 오늘도 일과 기침으로 하루를 시작한다. 이른 봄에 베어서 소나무에 의지해 쌓아두었던 갈대더미(갈대베눌)를 다시 가지런하게 정돈해서 사용이 편리하도록 섶을 만들기 위한 작업인 것이다. 기침과 먼지의 고통으로부터 하루가 끝나가는 춘삼월의 늦은 오후에 아버지는 하던 일을 정리하고 있다.

그때 정샌 아재가 거나하게 술이 취해서 자기 집으로 들어가더니 '와장창' 그릇 깨지는 소리와 함께 고함소리가 들린다.

"아니 돈을 벌면 자기가 벌지. 왜 남의 산에다 섶을 재고 일을 해? 돈 벌어서 나를 주나."

아버지는 마무리를 한 후 싸움을 말리려는 생각으로 막 산을 내려오는데, 아재는 술 취한 걸음으로 아버지가 지금까지 해뒀던 갈대베눌로 오르기 시작한다. 미처 말릴 틈도 없이 정돈된 갈대베눌을 헤집고 이리 던지고 저리 던지고 아수라장을 만든다. 큰 형과 아버지는 있는 힘을 다해서 말려보지만 끝내 당해내지 못하고 가만히 쳐다만 보고 서 있다. 한참이나 고개를 숙이고 서있던 아버지는 큰형을 데리고 그냥 집으로 들어와 버린다.

"없는 게 죄다. 이 쓰라린 고통을 열심히 살아서 자식들에게만은 물려주지 않을 것이다. 반드시 우리 땅에서 이 아픔을 달래리라."

아버지의 이슬 맺힌 얼굴을 어린 마음에 지켜보면서

"자기네 산도 아니면서 이웃간에 어쩜 저렇게 잔인할 수가 있을까. 빨리 자라서 힘을 길러야지. 난 저렇게 당하고 살지 않을 거야"하고 분한 마음에 두 손을 불끈 쥔다.

"어무니 설이 며칠 남았어?"

"왜? 한 달 정도 남았지. 나는 설 같은 명절이 없었으면 좋겠다, 야."

막 저녁을 먹고 있는데 벙데미 안샌 아재가 집으로 찾아온다.

"성님! 집에 있소?"

"아니 동생 아닌가, 추운데 어서 방으로 들어오게."

약간 술에 취한 아재가 방으로 들어오고 아버지는 술병을 가져와서 한 잔 권한다.

"성님 할 일이 있어서 빨리 돈 갚고 가야겠소. 원금 30만 원에 2부 이자요."

"고맙네. 한 달 치 이자는 돌려주겠네."

짧은 순간 어머니는 이자를 돌려주는 아버지를 곁눈질로 못마땅해 한다. 이런 일은 매년 설이 돌아오는 마지막 달에 우리 집에서 일어나는 반복되는 일이다. 촌에서는 한 해 마지막 달까지 빚을 정리하는 것이 관행적인 약속이다. 차용증도 없이 사람들 사이에 일어나는 경제 활동이지만 약속 이행에는 실수가 없는 편이다.

"정샌집은 낼모레가 설인데 왜 아무 소식이 없지?"

"낼쯤 정샌댁한테 내가 알아볼께."

다음날 어머니는 정샌떡 아지매에게 빚 정리를 이야기했고 아지매는 아재한테 알아보겠다고 약속했다. 그렇게 설이 지나고 열흘쯤 지난 후에 마침내 정샌 아재가 술에 취해서 "성님 있소?"하고 집으로 찾아왔다. 춥다고

바람으로 오는 풍금 소리

방으로 들어오라고 말하는데도 요지부동이다.

"성님, 내가 언제 성님 돈을 빌렸소!"

"지난 삼월에 우리 집에 와서 급하게 살 게 있다고 빌려 갔잖은가."

"난 빌린 적 없소."

갑자기 정샌 아재는 소리를 지르고 생떼를 쓰기 시작한다. 급기야 자기 집으로 달려가더니 괭이며 쇠스랑을 들고 와서 큰형 어깨에 걸어놓고 때려 달라고 억지를 부린다. 작은 집을 비롯 이웃들이 몰려오자 정샌 아재는 슬그머니 목소리가 작아진다.

이웃 사람들과 함께 정샌 아재를 돌려보낸 아버지는

"참 불량하고 불쌍한 사람이네, 양심을 기다려보는 수밖에."

어쩌다가 어머니가 정샌 아재 얘기를 꺼낼라치면 아버지는 더 이상 얘기 말라며 어머니를 달래기까지 한다. 그 이후로 형과 난 정샌 아재와 그의 식구들을 봐도 항의의 표시로 일절 인사를 하지 않았다.

오늘도 밤이 깊은 뒷산 언덕배기 밭에서는 전깃불이 훤하게 밝혀지고, 체력을 키워가는 나의 태권도 기합소리가 천왕산을 울린다.

이얍! 차!

21
뿌리 깊은 나무 샘이 깊은 물

　신의 축복 속에 따스한 봄볕이 새 생명의 근원으로 시골 어느 안락한 마을을 찾아 창조의 장으로 선택한다. 사방은 순식간에 꽃으로 물들고 열매를 맺어 태평성대를 노래한다. 하루의 무난함에 감사하며 봄기운에 젖어 여유롭게 책을 읽어가던 배상달은 서산으로 기울어가는 태양을 바라보며 상념에 젖는다.

　마당에서는 하인 동길이 상달의 글 읽는 소리에 방해가 될까 하는 노심초사의 마음으로 사뿐사뿐 비질을 해댄다.
　"저~주인어른이 계시면 잠시 뵙고 인사라도 드렸으면 하오."
　상달과 동길이 동시에 대문 쪽으로 시선이 모아질 때, 평상복에 괴나리봇짐을 멘, 한 백면서생 젊은이가 대문 안으로 들어선다.

"내가 주인이네만, 젊은이는 무슨 연고로 그리하는가."

"소인은 하동 횡천에 사는 김상탁라는 사람으로 집안 사정이 여의치 않아 새롭게 안착할 장소를 물색하던 중, 이곳의 수려한 경관에 매료되어 여기까지 오게 되었습니다."

물끄러미 젊은 서생을 바라보던 상달은 나이는 어려 보이는데도 꿋꿋한 풍채와 안정되고 기품 있어 보이는 젊은이의 언변에 마음의 문을 연다.

"그래, 내게 무엇을 말하고자 하는가."

"네. 무작정 여기까지 왔으나 해가 서산으로 기울고 있어, 하룻밤 거할 곳을 찾던 중 염치 불고하고 주인어른을 뵙고자 했습니다."

상달이 동길에게 일러 행랑채를 불편 없이 내어주도록 하고 있을 때, 유모와 함께 쑥부쟁이 나물과 달래를 캐러 나갔던 가은 아씨가 봄 향기와 나비에 취해서 흥분된 마음으로 대문으로 들어선다.

집안에서 평소와 다른 기운을 느낀 가은 아씨는 들떴던 마음을 억지로 진정시키며 부친 상달을 쳐다보다 이내 상탁과 눈이 마주친다.

'세상에 저렇게 늠름한 옥골선풍의 도령이 어떻게 우리 마당에 서있단 말인가.'

가뜩이나 봄기운으로 활짝 피어오른 꽃봉오리 같은 가은 아씨는 서생 상탁을 보자마자 벌렁대는 마음과 정신이 번개라도 맞은 듯 혼미해진다. 이내 잘 익은 홍조 핀 얼굴이 들켜버릴까 부끄러워 안채로 발길을 재촉한다.

뜻하지 않은 낯선 환경에서 융숭한 대접을 받은 상탁은 오늘 하루를 조용히 정리해 본다. 정처 없이 여기까지 왔지만 소담스럽고 운치 있어 보이는 환경이 꼭 어디선가 본 듯한 친숙함이 느껴진다. 누적된 피로로 몸은 이내 천근만근이나 내일 이후 벌어질 불확실한 상황에 다시 몸을 일으켜 세운다.

"밤공기라도 쐬고 들어오자."

걱정을 덜어볼 심산으로 방문을 나서는데 누군가가 자신을 지켜보는 듯한 느낌이 들어 반사적으로 안채 쪽을 훑어본다. 그런데 낮에 봤던 그 낭자가 자신을 주시하고 있는 게 아닌가.

서로 흠칫 놀라서 시선을 바꾸는데

"아가씨 여기 있었네요. 한참을 기다렸는데..."

"응. 마당에 찾아볼게 좀 있어서."

서둘러 두 사람이 안채로 들어가자 그제야 상탁은 현실로 돌아오고

'참 아리따운 낭자구나.'

집 밖으로 나온 상탁은 어둠이 짙게 깔린 강 건너 편을 지그시 눈을 감고 응시한다. 그러자 보일 듯 말듯 작은 불빛들이 서서히 한쪽으로 움직이는가 싶더니 갑자기 악보를 타듯이 일렬로 빠르게 파도를 탄다. 또 한순간 갑자기 불빛이 없어지기를 수 없이 반복한다.

'내가 심기가 허해서 귀신불이 보이는가.'

방안으로 들어온 상탁은 어느덧 깊은 꿈속으로 빠져든다.

"아가씨, 일어나세요. 오늘따라 늦잠을 다 자네. 어제 나물 캐러 가서 그렇게 좋아하더니만 많이 피곤했나 보네."

사실 가은 아씨는 첫눈에 반해버린 상탁 도령의 모습에 쉬이 안정이 되지 않고 가슴이 콩닥콩닥 이리 뒤척 저리 뒤척, 새벽 2경이 지나서야 잠이 들었다.

새파란 바닷물이 살포시 빠져나간 광활한 하얀 백사장에 예쁜 백합조개

한 마리가 자기를 잡아 가라는 듯 입을 활짝 벌리고 광채를 발한다. 누가 먼저 잡기 전에 흥분된 마음으로 조개를 막 잡으려 하는데, 하도 귀찮게 불러대는 유모 잔소리에 가은 아씨는 살며시 눈을 뜬다.

간신히 일어나서도 좀처럼 안정이 되지 않고 잡지 못한 백합조개가 눈에 아른거린다. 또 자꾸만 행랑채를 의식하고 살펴보고자 하는 자신의 모습이 큰 병이라도 걸린 것 같은 불안한 착각을 불러일으킨다.

"내가 왜 이럴까, 오늘이라도 떠나버리면 그 허망함과 황망함을 어이하려고."

자신도 모르게 가은 아씨는 두 손을 합장하고 부처님을 불러본다.

며칠이 지나서 상탁은 주인어른 상달을 찾아 안채로 들어선다. 평범해 보이면서도 균형 잡힌 기와집이 옛날 자신의 조부모님과 함께했던 진성 고택과 별반 차이가 없다.

'일찍이 조실부모하고 내 박복함이 덜했다면 이런 아담한 공간에서 지금도 지내고 있을 것을...'

횡천으로 조모님과 이사를 와서도 좀처럼 풀리지 않는 가세에 오늘 이 자리까지 와있는 자신의 처지가 주마간산처럼 스쳐간다.

"아니, 상탁이 아닌가. 지내는 동안 불편함은 없는가?"

상탁은 주인 상달이 자신을 지켜보고 있었음에도 짧은 잡념으로 인해 눈치를 채지 못하고 있었다.

"아, 네~. 어르신을 좀 뵈올 양으로 왔습니다."

"안으로 들어오시게."

상달과 마주 앉은 상탁은 지금까지 살아온 자신의 집안 내력과 생활상을 전하고 감사의 인사를 드리러 왔다고 고한다.

"음, 그렇게 어려운 상황에서 의지가 컸던 조 모님마저 돌아가셨다니 자네의 상심이 컸겠구만."

상탁은 지금까지 가슴속에 묻어뒀던 앞날에 대한 막연한 불안함과 처지를 털어놓을 수 있는 계기가 되어 한편으론 속이 후련하기까지 하다.

"딱히 갈 곳이 정해져있지 않다면, 정해질 때까지 다소간 불편하더라도 우리 집에서 더 지내보시게."

한줄기 강렬한 빛이 상탁의 가슴으로 들어와 금세 답답함이 툭 터진다.

"감사합니다. 이 은혜 잊지 않고 깊이 간직하겠습니다."

방문을 나서는 상탁은 주인 상달의 깊은 배려에 절로 감읍이 일어난다.

사실 상달이 오늘 이 자리가 마련되기까지 아무도 모르게 나름의 조치가 있었다.

자신이 애지중지하는 금쪽같은 외동딸이 이곳에서 자리 잡은 이후로 모처럼 발랄한 생기를 회복하고 평소와 달라진 모습을 유모로부터 전해 들었던 터였다. 또, 나름 기품이 있어 보이는 상탁에 대한 호감이 더해져 하인 동길에게 은근히 감시 아닌 감시를 지시도 했다.

"어르신네, 제가 유심히 보기로는 그냥 평범한 도령이 아닌 것 같고 특히 괴나리봇짐을 소중히 다루는 것을 볼 때 그 속에 필히 큰 보물이라도 감춘듯합니다."

상달은 이미 그것이 족보라는 것을 알기에 하인 동길이 알지 못한 흐뭇한 미소를 짓는다.

가은 아씨는 상탁이 자기 집에 기거한 이후로 전보다 더욱 성숙해지고 날로 예뻐져 간다. 하루하루가 즐겁고 먼 미래가 무지개처럼 신비롭고 아름답게 느껴진다. 그러다가도 혹시나 상탁이 떠날 것 같은 불안함에 또 한숨을 내쉬기도 한다.

"우리 예쁜 규수가 한숨이 깊구나."

갑작스러운 부친 상달의 기척 소리에 자신의 속마음을 들킨 듯 깜짝 놀란 가은 아씨는 금세 얼굴이 붉어진다.

"내일쯤 절에나 한 번 다녀올까 하는데 간단하게 준비라도 하거라."

상달은 이미 상탁에게도 아무도 모르게 이 사실을 전한 터였다. 날이 밝기가 무섭게 사람들이 분주히 움직이고 이른 식사를 마친 상달은 부인과 유모 그리고 상탁과 가은을 대동하고 비교적 근거리에 있는 쌍계사로 나선다.

막 동네 모퉁이를 돌아서는데 전설의 수호신으로 자리 잡은 대밭 속의 팽나무에서 까치 한 쌍이 분주히 노닐면서 '깍깍깍' 사랑을 속삭인다.

"까치는 기쁨과 행운을 전하는 상서로운 짐승으로 오늘 우리들의 길잡이가 되겠구나."

상달은 평소 울적해 하는 상탁을 배려하는 마음에서 그의 고향 횡천과 근접한 쌍계사를 선택한 것이다. 또한 아직도 서먹한 가족들과의 관계를 위해서 좁은 공간에서 친숙해질 수 있는 나룻배를 이용하는 치밀함도 계산됐다. 상탁은 어색한 나들이에 긴장감이 배인 걸음걸이지만 수십 리 갈대밭에 만조가 된 물자락이 '사사삭 사사삭' 일어나는 마찰 소리에 비로소 편안한 화색이 돈다.

가은은 유모와 함께 맨 뒷줄에서 조신하게 따르는데, 이미 상탁에 마음이 뺏긴 터라 자연이 주는 감흥도 잊은 채 오직 상탁의 뒤태만 바라볼 뿐이다.

'어쩌면 저리도 뒤태가 늠름하고 담대할까.'

상탁을 보내준 부처님의 자비로움에 감사에 감사를 더한다.

마침내 망덕 포구에 도착해서 뱃삯을 지불하고 순풍에 돛을 올려 섬진강을 거슬러 오르는데 굽이굽이 비경들이 활짝 핀 얼굴로 반갑게 달려온다. 어느 순간 파도가 살랑 하고 일렁이고 물소리와 바람소리가 뱃전에 부딪쳐 차르르르 강하고 급한 소리를 내자, 이에 놀란 탐스럽고 매끄러운 숭어 한 마리가 뱃전으로 튀어 오른다.

파다닥

파닥 파닥

"어머나, 깜짝이야!"

갑작스러운 돌발 상황에 가은이 움찔하면서 뒤로 피하려다 그만 중심을 잃고 넘어지려는 찰나, 상탁은 생각할 틈도 없이 잽싸게 가은의 손을 잡아 중심을 잡는다. 예기치 못한 돌발 상황에서 가은과 상탁은 몸 둘 바를 모르고 상달과 부인은 조심스럽게 웃는다.

"아가씨 괜찮아요? 어머 아가씨 얼굴 빨개진 것 좀 봐. 호호"

유모의 긴장을 풀어주는 놀림 소리에 나룻배에서는 한바탕 웃음꽃이 핀다.

자연스러운 분위기 속에 쌍계사에 도착한 일행들은 경건하고 엄숙한 마음으로 짧은 자유 시간을 갖기로 한다. 상탁은 일행에서 벗어나 경내 이곳 저곳을 자유롭게 둘러보다 목이라도 축여볼 겸 약수터로 발길을 돌린다. 여러 사람들 사이로 막 바가지를 집으려는데

"물을 드시려거든 받으세요."

자신 앞에서 미리 물을 받아 전해주는 사람은 분명 가은 아씨다.

'아 이런 절세가인이 가은 아씨라니.'

먼빛으로만 봐왔던 아가씨가 단아한 자세로 자신 앞에서 남의 시선을 의식 않고 전해주는 물맛은 천하의 명주요, 감로주 그 자체다.

"감사히 잘 마셨습니다. 경내 구경은 좀 하셨는지요?"

서로가 눈빛으로 인사를 확인 후, 약속된 대웅전으로 향한다. 이미 상달과 부인은 부처님께 삼배를 마치고 두 사람을 손짓한다.

"전지전능하신 부처님께 소원성취 기도를 올리거라."

상탁과 가은은 조용히 부처님 전에 합장을 하고 나란히 서서 기도를 올린다. 두 사람의 기도가 얼마나 절실하고 뜨겁게 부처님께 전달되었던지 부처님 표정이 온화하고 진지하면서도 엷은 미소로 바뀌어 자애롭다.

오월 단옷날 동이 틀 무렵.

마을의 수호신인 팽나무 위에서는 한 쌍의 까치가 사랑의 밀어로 행복의 나래를 펼친다.

상달의 뜰에서는 오늘 일어날 백년가약의 채비가 분주하다.

22
알프스 소녀 하이디와
큰 고모

"어무이, 고모 집 갈 준비는 다 해놨는가."

"벌써 가려고 보채쌌냐? 밥 묵고 좀 이따가 해가 쑥 올라오면 가도 충분
한다."

해마다 이맘때면 꼭 한 번 찾아오는 기쁜 날이다. 고모 집에는 두 시간 가
까이를 가는데 이를 기다리고 좋아하는 사람이 나 말고 더 있을까.

"싸게 준비해서 까자 사 묵을 돈도 줘서 보내게."

나 말고도 또 고모 집에 가는 것을 좋아하는 사람은 아부지다. 겨울이 오
고 양력설이 오기 전, 성탄절이 올 때쯤이 되면 우리 형제들 중에 누군가가
고모 집에 심부름을 가야 한다. 김이나 조개 등 해산물을 가지고 고모 집을
가기 때문에 고모 집에서도 기다려주고 반겨준다.

2년 전부터 그 일이 대물림되어 내 차지가 되었다. 내 위의 형이 자기가

해야 할 일을 내게 어물쩍 떠넘긴 탓이다. 왕복으로 4시간여를 심부름한다는 것이 아직도 어린 내게는 고역임에 틀림없지만 난 또 다른 무언가가 있어서 괜찮다. 우리 가족들은 내가 착하고 말을 잘 들어서 그러는 줄 알지만 나만의 비밀을 굳이 부정 타게 알릴 필요는 없다.

"흐흐흐, 형은 내 맘을 절대 모를 거야."

지금도 어린 내가 싫다고 떼를 쓰면 십중팔구는 자기가 가야 되지만 내가 못 이기는 척하고 가는 것을.

"한규야, 고모 집에 다녀오면 네가 갖고 싶어 하던 내 팽이를 네 줄게."

형의 팽이는 잘 돌아갈 뿐만 아니라 싸움을 붙여도 천하무적이다. 형은 자기의 꼼수에 내가 넘어갔다고 생각하는지 연신 싱글벙글이다. 기는 사람 위에 나는 사람 있고, 도랑치고 가재 잡고, 누이 좋고 매부 좋고 하겠지. 눈만 뜨면 코앞인 집 앞 강에서는 간밤에 얼마나 추웠는지 개성애(얼음덩어리)가 극지방의 빙하 덩어리 마냥 신비하게 장관을 이루고 강물의 흐름에 위로 아래로 유유자적 유영을 한다. 편안한 마음으로 어무이가 싸준 보따리를 살짝 들어본다.

"야~야. 오늘 짐은 한규한테는 무거워서 무리다. 종주 네가 갔다 와야겠다."

"어무이는 참, 한규가 내보다 힘이 훨씬 더 세다."

나는 갑작스러운 상황 변화에 크게 생색내려던 얄팍한 마음도 잊어버리고 형 말이 떨어지기도 전에 별로 무겁지 않은 냥 보따리를 들었다 놨다를 반복하며 연기 한다.

"이 정도는 아무것도 아니다, 뭐."

사실 고모 집까지는 내가 들고 가기에는 짐이 좀 무겁고 부담스럽다. 내 말과 행동에 약은 형은 입이 헤 벌어지고 아버지도 덩달아 좋아한다.

"우리 막둥이가 많이 커서 힘이 장사네."

새털 같이 가벼운 마음으로 재식이 집 앞을 지나는데 논에 물이 적어 조금밖에 얼지 않은 좁고 부실한 얼음판에서 재식이가 썰매를 타고 있다. 나도 한바탕 끼어들어 놀고 싶지만 오늘만은 고모 집이 우선이다.

드디어 영신이 집 근처인 배들이에 도착해서 어무니가 준 20원으로 캔디 다섯 개를 샀다. 먼 거리를 편안한 마음으로 서둘러서 왔지만 무겁고 추워서 잠시나마 후회가 되었던 마음이 이내 보상받는다.

"자가 누구(너희) 외갓집 한규 아니가? 이 추위에 심부름을... 아이고 내 새끼야~. 양말도 신지 않고, 저를 어째."

사실은 어제 신었던 양말이 빵꾸가 나서 부끄러워 고모 집 근처에서 벗어 개배(호주머니)에 넣어버렸다. 고모는 맨발로 뛰어나와 힘껏 껴안아주는데 숨이 막히기도 하고 조카들과 예쁜 영애 누나를 보기가 좀 부끄럽다.

'역시 내 예상이 맞았어. 고생을 하면서도 기꺼이 형의 부탁도 들어주고 과자와 테레비로 보상을 받는 나만의 고난도 전략이.'

고모집 테레비에서는 내가 그렇게 보고 싶어 1년 동안 참고 꿈꿔왔던 '알프스 소녀 하이디'가 막 시작되고 있다.

일찍이 부모를 잃은 하이디는 광활한 자연의 알프스에서 마음이 따뜻한 할아버지와 행복하게 살고 있다. 그러나 착한 하이디는 몸이 약하고 걷지를 못하는 '클라라'를 위해 어쩔 수 없이 큰 도시로 가야 한다. 하이디의 도움으로 '클라라'는 성격이 밝아지고 건강을 찾아가는데...

"집에 누가 있냐."

어디서 많이 듣던 목소리다.

"어서 오게, 어찌 조카가 온 줄 알고 벌써 찾아온다냐."

"그런가, 내 새끼가 왔구먼."

어무니의 사촌 언니인 이모는 언제나 나를 귀여워하고 예뻐해 준다. 테레비에 빠져 건성건성 인사를 하는데 하이디는 알프스와 할아버지에 대한 향수로 몽유병에 시달리고 있다.

"아들아, 이모 집에서 좀 놀다 오자."

아이고, 이 최악의 상황을 어찌할까. 가장 중요하고 재미있는 장면을 봐야 하는데 이모 집에 가자고 하니. 오늘만은 이모가 야속하기까지 하고 내가 온 걸 몰랐다면 좋았을걸 하며 억지 생각이 다 든다.

"이모가 네 오면 줄려고 꼭꼭 숨겨뒀던 '오다마'다, 많이 묵어레이."

이모는 누나들이 사온 오다마를 정작 자신은 먹지 않고 농속 깊이 숨겨뒀다 내게 만 주는 것이다. 이모 집에서도 내 마음은 온통 오다마보다 테레비 생각뿐이다.

"이모, 테레비를 봐야 할 게 있는데 어쩔까?"

"아 그러면 봐야지."

급히 서둘러 다시 고모집에 도착하니 테레비에서는 이미 알프스로 돌아온 하이디와 클라라가 건강을 회복하고 행복해하는 장면으로 끝이 난다. 아쉬움 속에 집에 가야 하는 것도 깜빡 잊고 있었는데

"한규야, 오늘은 늦었응께 고모 집에서 자고 내일 가라."

'아싸! 오늘 자고 간다면 실컷 테레비를 보겠네!' 마음속으로 무척 기뻐하는데, 다른 가족들의 표정이 좀 이상한 것 같다.

"고모 깜빡했는데 집에 가야 돼요. 꼭 해야 할 게 있어요."

아쉬워하는 고모의 사랑과 양말까지 새것으로 얻어 신고 집으로 달리는데 뒤에서 누군가가 내 옷을 막 잡아당긴다. 왈칵 무섭고 눈물이 난다. 그때 멀리서 밝은 빛이 비치는가 싶더니 경운기 소리가 '탈탈탈' 들려온다. 경운기 하면 보지 않아도 형채아부지일 것이다. 벌써 생각만으로도 안정이 된다. 역시 경운기를 몰고 바람처럼 스쳐가는 사람은 형채 아부지다. 안심도 잠시 경운기는 저 멀리 뒤로 멀어지고 다시 어둠에 적응 하는데 아까보다 무서움이 더 엄습한다.

마침내 동네 초입에 들어서자 금옥이 집 발발이가 무서운데 수고 많았다고 반갑게 짖어준다.

"그래, 발발아 고맙다."

비로소 안정을 찾으며, 비록 오늘은 이렇게 텔레비전 만화로 알프스를 여행했지만 먼 시간이 흐른 후 내가 어른이 되면 '알프스 소녀 하이디'의 배경을 직접 찾아보고 싶다고 다짐해 본다. 아름다운 대자연에서 하이디와 클라라의 인간승리에 도취되어 내년 이맘때가 벌써 또 궁금해진다.

과연 그때는, 나대신 형을 고모 집으로 심부름 가게 할 수 있을까.

바람으로 오는 풍금 소리

23
전설의 고향
그리고 리얼리티(1)

    심산유곡 하늘 아래 첫 동네. 퍼뜩 눈에 띄는 건 산이요, 하늘이다. 무엇을 위해 사는지, 살기 위해 무엇을 해야 하는지를 굳이 따질 필요가 없다. 그저 허기가 느껴지면 문밖에서 지천에 널린 나물이나 과일을 필요한 만큼만 이용하면 된다.

    나른해지는 어느 하루. 해는 중천으로 지나가고 툇마루에 걸터앉은 한 청년이 근심 어린 마음으로 백발이 성성한 노모를 보고 있다.

    "세상이 야속타. 그리도 곱던 우리 엄니가 오늘은 평소보다 더 측은하고 노쇠해 보인다."

    마당가의 한쪽에는 형 산돌이 시키는 대로 숯으로 불을 피워 정성 들여 화로에 담아내는 동생 강산이 분주하다.

    "이제 됐다. 그 화롯불을 마루로 가져오거레이."

동생 강산은 형의 말에 따라 잘 발화된 화롯불을 마루로 옮겨 간다.

"엄니요, 따뜻한 화롯불이 마련됐으니 이 화로 옆으로 오이소."

불면 날아갈세라 안으면 깨질세라 귀하디 귀한 아들의 다리를 베개 삼아 사랑의 화로 옆에 비스듬히 누운 노모는 편안함에 눈을 감고 뭔가를 골똘히 생각한다.

"올해만큼은 어떤 일이 있어도 큰 아들 산돌이를 혼인시켜 근심을 덜어야 할 텐데."

산돌은 세월의 흔적 속에 엉성해진 어머니의 머리를 이리저리 조심스럽게 골라본다. 우려했던 대로 여기저기서 녹두알 같은 튼실한 이가 몽그작몽그작 기어 나온다. 혹여 놓칠세라 잽싸게 한 마리를 잡아서 이글거리는 화롯불에 던져 넣는다. 순간 그 조그맣던 이가 대포 소리같이 '퍽' 소리가 나면서 튀어나가는데 마치 쥐불놀이의 불꽃을 방불케 한다.

"아휴, 이제는 시원해서 살 것 같다. 이를 도대체 몇 마리나 잡은 게냐."

산돌과 강산은 엷은 미소를 띠며 오늘 하루가 의미가 있고 보람찬 하루라고 자신한다. 그리고 탁탁 튀는 화롯불 소리가 후련하고 통쾌하기까지 하다.

'다그닥 다그닥' 이히힝

평화롭기만 하던 깊은 산중에 한 무리의 말을 탄 군사들이 벼락같이 들이닥쳐 두 눈을 부라리고 정적을 깨뜨린다.

"도적들이 나라를 침탈하여 군사를 징발해야 한다. 우리와 함께 위기에 처한 나라를 구해야겠다."

아뿔싸, 이를 어찌할꼬. 빈번한 전란으로 끝내 아버지를 잃은 두 아들은 전란만큼은 피해야 한다는 어머니의 완곡한 성화에 이곳 하늘동네로 숨어

바람으로 오는 풍금 소리

들어야 했었다. 깊은 상처가 이제는 좀 아물어 가는가 싶었는데 또 이렇게 청천벽력과 같은 순간이 닥쳐왔다.

"나리님네, 이제껏 악몽 같은 전란으로 남편을 잃고 두 아들을 기둥 삼아 이 오지에서 이 늙은이가 죽을 날을 기다리고 있나이다. 부디 이 늙은이를 측은히 여겨 그냥 지나가 주소서."

"닥치시오! 백척간두의 이 나라에 할멈 같은 사정이 없는 사람이 어디에 있소. 특별히 할멈의 처지를 생각하여 한 사람만 징발해 갈 것이니 그리 아시오!"

"강산아! 엄니를 잘 모시거라. 이 형이 꼭 살아서 돌아오마."

어머니는 지금까지 지극정성으로 가장 역할을 다 해온 큰 아들을 생각하니 눈물이 앞을 가리고 하늘이 노랗다. 결국 너무도 황망한 충격으로 혼절까지 하고 만다.

"형! 엄니는 형이 모시는 게 맞는 것 같아. 나는 아직 형 보다 어리지만 여러 지형지물과 사물에 민첩하여 형보다는 살아올 가능성이 크다고 생각해."

동생 강산은 냉정하게 형을 뿌리치고 군사들을 재촉한다.

"자, 이미 결정 했으니 출발 합시다."

하늘이 무너지고 땅이 꺼지는 난감한 상황에서 어찌할 바를 몰라 넋을 잃은 산돌은 멀어져 가는 동생과 눈이 시릴 만큼 푸른 하늘을 쳐다보며 탄식한다.

강산은 오직 살아서 가족을 상봉해야겠다는 일념으로 죽을힘을 다해 전쟁에 임한다. 하루가 지나고 열흘이 지나고 그렇게 푸르던 높은 하늘이 어느덧 뼛속을 파고드는 북풍한설의 계절로 접어들었다.

아침부터 유리한 고지를 선점하기 위해 엄청난 희생이 치러지고 잠시 휴

전에 들어간다. 분노와 울분으로 가득했던 원망의 하늘에서는 포근한 추억의 솜사탕 같은 함박눈을 내려 보낸다.

"엄니와 형은 건강하게 잘 있겠지."

강산은 소복이 쌓여만 가는 눈꽃을 쳐다보며 화롯불의 포근하고 따뜻했던 사랑의 옛정이 새록새록 그립다. 묵시적인 휴전도 잠시, '와'하는 함성과 천둥의 소나기 같은 화살들이 피에 굶주린 늑대처럼 본능을 자극한다. 강산은 이미 하늘만 쳐다보며 꿈같이 살았던 평범한 인간에서 탈피하여 철저하게 이기적인 독사 같은 냉혈한이 되어간다. 그리고 끊임없이 몰려오는 적들을 불사조처럼 도륙한다.

강산이 전쟁터로 나간 지도 벌써 여러 해가 지났건만 돌아오는 기별은 없고 생사의 소식도 없다.

"산돌아! 이미 이 애미는 기력을 다했다. 네 혼인과 동생을 끝내 보지 못하는 애미를 이해 하거라."

강산의 하늘 아래 고향에서는 돌아오지 않는 아들을 자나 깨나 학수고대하던 어머니가 시름시름 앓다가 끝내 한 많은 세상을 등지고 만다.

"아! 엄니, 이토록 무능하여 아무것도 할 수 없는 불효자식을 용서하소서. 꼭 우리 강산이를 찾아서 엄니의 한을 풀어드리겠습니다."

산돌의 뜨거운 가슴에선 용암처럼 응축된 눈물이 저녁노을까지 붉게 물들인다.

산돌은 동생 강산을 찾는 길은 오직 전쟁에 나가는 길밖에 없다고 생각하여 자원하여 전쟁터로 나간다. 처절한 전투 속에서 실낱같은 희망으로도 동생을 만나지 못하던 산돌은 서남쪽으로 흐르는 아늑하고 정겨운 '순자강'

바람으로 오는 풍금 소리

전투에서 애석하게도 적의 포로가 되고 만다.

"아, 끝내 내 천금 같은 동생을 만나지 못하고 이렇게 한이 서린 말로가 되고 마는구나."

또 다시 흘러내리는 눈물이 강물을 이룬다.

"이 전투가 우리의 운명을 결정할 것이다. 죽을 각오로 적을 무찔러라."

하얀 톱니를 드러낸 백사장에서 처절한 백병전이 벌어진다. 죽고 죽이기를 수없이 반복하며 끝없이 펼쳐진 백사장에는 시뻘건 핏물이 사해를 이룬다. 하늘에는 요란한 까마귀 떼가 운무를 틀어대고 마침내 더 이상 버텨내지 못한 한 쪽 군대가 퇴각 명령과 함께 퇴각을 시작한다.

"끝까지 추격해서 한 놈도 남기지 마라!"

일시적으로 포로가 되었던 산돌은 구원병과 함께 혹시나 하고 퇴각하는 적군들을 소극적으로 추격해 가는데 마지막까지 사력을 다하는 적군들이 최후의 발악을 한다. 선발대를 후퇴시키며, 추격하는 산돌 측 군대를 차단해 나가는 적의 최정예 병사들은 거침없고 잔인하게 저항을 하고, 그 과정에서 산돌은 심한 부상을 당한다. 그런데 적의 최정예 병사 중에 유독 더 처절하게 저항하는 한 병사가 바로 자나 깨나 꿈속에서도 그리던 내 동생 강산이 아닌가.

"이 무슨 운명의 장난인가. 아 드디어 찾았구나! 내 사랑하는 동생, 강산아!"

산돌은 피맺힌 절규로 사력을 다해 강산을 부르고 그 소리에 감전된 듯 순간적인 방심으로 경계심을 놓은 강산이 흘러가던 화살에 가슴을 맞고 만다.

"아~ 이를 어이할꼬. 하늘이여! 하늘이여!"

이 통한의 안타까움으로 동생 강산은 천왕산을 등을 지고 강을 내려다보고, 형 산돌은 강을 등지고 천왕산을 올려다보며 피눈물을 흘리며 서서히 그리고 영원히 굳어져 간다.

하늘과 땅도 슬픔에 젖어 천둥과 번개를 내리친다. 이미 굳어버린 두 형제는 50여 미터를 사이에 두고 그리움과 애절한 생명의 기운으로 싹을 틔워 선포 마을 수호신인 팽나무로 수백 년을 함께 해왔다. 그저 바라만 볼 뿐 가을 낙엽 겨울 빈 가지로, 날마다 애틋한 사랑과 우애의 기적을 꿈꾸며 그 자리에 서 있다.

* 형제는 수족과 같고 부부는 의복과 같다.
    의복이 헤졌을 경우 다시 새것을 얻을 수 있으나
    수족이 끊어지면 잇기가 어렵다.
                                          – 장자

24
전설의 고향
그리고 리얼리티(2)

"아버님, 집안에는 늘 온기가 있고 상서로운 일이 많아야 번성한다고 합니다. 그런데 자꾸만 괴이한 일이 생기고 더구나 종부 며느리가 눈까지 보이지 않는 병이 생겨서 큰 걱정입니다."

"그러게나 말이네. 좋아지는 방법을 빨리 찾아야 할 것인데."

저녁을 마친 늦은 밤에 오늘만은 꼭 부친께 의논을 드려야겠다는 결심으로 종환 어른이 마지막 선비인 아버지를 찾은 것이다. 본인도 이제 칠십이 넘은 고령이라 훗날 자손들에게 폐가 될 수 있는 일은 자기 생전에 정리하는 악역을 맡기 위함이다.

며칠 전부터 꿈자리가 하도 뒤숭숭해서 비밀리에 가까운 사람을 무당집에 보냈었다.

"집안을 싸고 있는 사물들이 하도 오래되어 정령신이 되어 나타나는 일로 조심해서 정리해야 탈이 없어집니다. 단, 방책을 쓰지 않고 정리하게 되면 큰 우환이 생길 수 있으므로 조심해서 해야 합니다."

종환 어른은 차마 무당의 말을 그대로 부친께 전하지 못하고 에둘러

"집 뒤뜰의 팽나무를 이번 기회에 베어낼까 하는데 아버님 생각은 어떤지요?"하고 의견을 청한다.

"조심해야 되네. 그 나무는 수백 년을 우리 마을과 천왕산의 수문장처럼 살아왔기 때문에 함부로 베어내선 안 되네. 내 생각은 손대지 않고 그대로 두는 것이 상책이네."

"그래서 저도 고민이 많은데, 무슨 특이한 방책을 쓰면 괜찮다고 해서 아버님 의견을 듣고자 합니다."

"중국 한나라 말에 조조라는 대장군이 있었지. 그의 위용은 하늘을 찌를 듯 대단했는데 관우 장군, 명의 화타의 죽음 이후로 환영에 시달리던 중 부하들의 건의로 새 전각을 짓기로 했다네."

부친은 걱정스러운 마음에 삼국지의 한 부분을 얘기하기 시작한다.

"훌륭한 나무를 물색하던 중 수백 년 된 배나무를 사용하기로 결정했지. 그런데 사람들이 목신에 대한 두려움으로 인해 나무를 베는 일이 진척이 없자 손수 배나무를 베어서 사용토록 했지. 음..."

계속 말씀을 이어가던 부친은 갈증이 나서인지 걱정에 속이 타서인지 물을 찾는다.

"그날 이후로 조조는 더 많은 귀신들에 시달리게 되고 극도로 예민하여 정신적인 중병에 걸리게 되지. 결국 천하의 조조도 자기병을 극복하지 못하고 한 많은 생을 마감하게 되네."

부친의 진지한 말씀에는 함축된 많은 걱정이 묻어있다.

사실 조조는 영민한 사람이었다. 전쟁에서는 완급을 조절하고 진퇴를 알았으며 자신의 위치를 교만하게 보이지 않도록 조절할 수 있는 사람이었다. 그런 그가 "아! 사람은 사람일 뿐이다. 하늘에 죄를 지으면 아무리 빌어도 소용이 없다"라고 한 일화는 지금도 많은 사람들에게 회자되고 있다.

종환 어른은 아버지 방을 나오면서 밤하늘을 물끄러미 주시하는데 웬일인지 오늘은 달과 별들이 풍요치 않고 쓸쓸하고 측은해 보인다.

세월은 유수와도 같다.

천지가 개벽을 하듯 하늘도 울고 땅도 울었다. 언제나 그 자리에 같은 자세로 나란히 서 있는 팽나무는 수백 년이 넘는 세월 속에서도 하늘로부터 부여받은 감각적인 기능을 발전시키거나 퇴화시켜왔다. 바람이 불면 솔바람 대나무 소리로, 봄소식이 느껴지면 꽃향기 송홧가루 향으로 기쁨과 슬픔이 공존하는 인간 세상과 교감해왔다.

"참 이상하네. 올해는 까막까치가 왜 둥지를 틀지 않지?"

수 없는 세월과 전쟁의 참화 속에서도 단 한 번도 이런 적이 없었다. 어미가 알을 낳고 새끼가 태어나고 또 새끼가 알을 낳고 그 새끼가 다시 알을 낳고 하는 깨질 수 없는 법칙처럼 연속적이었다. 큰 팽나무는 자연의 순리가 어긋남에 적잖이 의아해하며 까막까치를 기다려본다.

"작업을 시작하려면 나무 주위의 대나무들부터 정리해야겠는데요."

"그 일은 내일부터 새로운 인부들이 오기로 했으니까 염려 안 해도 되네."

"그러면 저희도 장비나 도구를 점검해서 사흘 후부터 시작하도록 하겠습니다."

뭔가 허전하고 불길한 느낌이다. 애초에 우리 형제가 팽나무로 환생할 때 인간사의 참화들로부터 영원히 벗어난 길에 자리 잡게 되어 늘 하늘에 감사했었다. 다른 동네의 정자나무나 성황당 나무처럼 마을 한가운데 자리 잡지 않고 조용히 떨어져 자연과 같이 호흡하고 포근하게 영생할 수 있어서 좋았다.

"언제나 다정다감했던 까막까치가 둥지를 틀지 않는 이유가 이것 때문이었구나."

드디어 날이 밝고 많은 사람들이 몰려오더니 술과 안주를 가득 담아 제의식을 취한다.

"비나이다. 비나이다. 모든 나무를 관장하는 여러 목신들이시여, 여기 이 자리에 저희의 작은 정성으로 마련한 '만반진수'를 흠향하시고 '일배주'에 감흥을 하시어 저희가 하는 이 일에 무탈을 비나이다."

이때 난데없는 회오리바람이 '휙'하고 일더니 제를 관장하던 대목수가 바람에 중심을 잃고 제사상 옆으로 넘어진다.

"아이코, 갑자기 웬 바람이야."

이 광경을 지켜보던 사람들은 뭔가 불길한 징조라 여겨 얼굴이 굳어지고 설레설레 자리를 피한다.

"여러분! 완도에서 전학 온 새 친구를 소개한다. 친하게 잘 지내도록."

우리 동네로 그것도 우리 집에서 한 시간을 더 내려갈 만큼 먼 '벙데미'라는 곳으로 친구 정인이가 이사를 왔다. 새로운 친구의 전학으로 동네 친구들은 더 끈끈하고 재밌는 활기를 얻었다.

"정인아, 느그 아부지는 뭐 하는 사람이고."

"응. 집도 짓고, 배도 만드는 대목수라고 해."

"느그 집은 나중에 멋지게 만들어지겠네. 넌 좋겠다."

우리들 생각과는 달리 정인이 표정에는 알 수 없는 그늘이 스친다. 이사를 온 이후, 팽나무 일을 하면서부터 아버지와 삼촌이 더 많이 술에 살고 신경이 예민해졌기 때문이다. 대목수 형제는 오늘도 언제나처럼 팽나무를 베어내는데 전력을 다하지만 일은 생각보다 더 많은 시간과 노력이 든다.

"나무가 아무리 크고 오래되었다 해도 이렇게 톱날이 들어가지 않으니 일은 시작해놓고 멈출 수는 없고 큰일이다."

한 달이 가고 벌써 세 달이 지나는데 큰 팽나무도 정리하지 못했다. 체력은 떨어지고 힘이 들어 술에 대한 의존도가 더욱 높아지고 평소보다 성격도 자꾸 거칠어지고 난폭해진다.

종환 어른 집에서도 종부 며느리의 건강 상태가 날로 험 해지더니 이제는 환각 증상까지 나타난다.

"이놈들아! 날 어디로 데려가려고 이 난리냐. 난 못 간다. 아이고, 저 망나니가 날 죽이려 하네."

"이를 어째. 종부의 상태가 점점 도를 넘는구나."

멀찍이 본채 마루에서 종부의 태도를 근심 어리게 지켜보는 종환 어른의 얼굴이 굳어진다.

"부질없는 생각으로 오늘의 걱정을 만들어 자꾸만 꼬여가는 일이 발생하는구나."

한편 벙데미에서는 우려했던 일이 기어코 발생하고 만다. 웬일인지 그 먼 곳에서도 지각 한 번 않던 정인이가 결석을 했다. 날로 이해되지 않게 이상하게 변해가던 아버지가 끝내 쓰러져 세상을 떠난 것이다. 동네서도 묘하게도 팽나무에 손을 댄 이후부터 생전에 일어나지 않았던 젊은 사람들이 묘한

변을 당하는 이상 현상이 자꾸 나타나기 시작하는데, 서로들 말은 못하지만 종환 어른을 원망하는 빛이 역력하다. 술 힘은 빌리지만 다소 원만하던 정인이 삼촌은 형님이 돌아가신 후 한동안 일손을 놓고 빈둥빈둥하더니 갑자기 형과 함께 했던 일을 억지로라도 마무리해야겠다고 퍼뜩 정신을 차린다.

어느덧 첫 서리가 내리고 하얀 눈이 쏟아지는 날, 동생 팽나무도 더 이상 자신의 의지로 자신의 몸을 지켜내지 못하고 스르륵 허망하게 쓰러지고 만다. 종환 어른의 종부 며느리도 팽나무가 다 정리되던 날, 원통하게도 건강을 회복하지 못하고 저물어가는 저녁 노을 처럼 조용히 떠나버린다.

"세상은 자신이 의도하든 의도하지 않든 해야 할 일이 정해져있고 그 누군가는 할 수밖에 없는 게 운명이요, 숙명인 것 같다."

종환 어른은 잠시나마 흔들렸던 마음을 강하게 추스르며

"마음이 나약하면 병이 되는 법이다"라고 결기를 다진다.

팽나무가 없어진지 수십 년이 지났건만 아직도 시골에 가면 두 형제의 한이 서린 그 자리에 자꾸만 눈이 간다. 대를 이어 둥지를 틀었던 까막까치도 그 흔적을 잊지 않았는지 모를 일이다.

25
달아 달아
밝은 달아

학교 가는 길이 신바람이 났다.

집에서 일찍 출발도 하고 용돈에다 처음으로 크레용 살 돈도 받았다. 사실 6학년까지 크레용 한 번 새것을 사서 써본 적이 없고 그림 한 번 내 의도대로 색상에 맞춰 그려보지 못했다. 물려받은 크레용은 반은 색상이 없고, 반 정도는 부러지거나 닳은 것을 썼었다.

아침부터 밀물이 들어오는 동네 앞 강에서도 집채 크기 만한의 모랫배들이 힘차게 물살을 가르고 희망찬 뱃고동 소리로 하루를 연다.

"내일이 용의검사 날인데 큰 일 났다."

"왜? 무슨 일 있냐? 목욕만 하면 되는 거 아이가."

"목욕은 하면 되는데 엄마가 장에서 브라를 사와야 되는데 또 깜빡해서 안 샀다이가, 어쩌꼬."

"하는 수 없지 뭐. 중학교에 오니 용의검사가 달라져서."

앞서가는 우리 동네 선배 정이, 영이, 연자가 걱정스럽게 대화를 나누는데 도통 무슨 말인지 모르겠다.

"브라가 뭐지?"

큰 누님은 내 나이 여섯 살에 시집을 가서 남자 형제들만 있는 난 당연히 모르는 말이다.

"사지 못했다면 빌려 쓰면 될 텐데."

점심시간이다.

아직도 도시락을 반도 먹지 못했는데 운동장에는 벌써 동네별 축구시합이 열린다. 부리나케 운동장으로 뛰어나가 동네 애들 수를 점검하니 인원수가 모자란다.

"기연이는 왜 안 보이지?"

"지금 밥 묵고 있다."

어쩔 수 없이 부족한 숫자로 시합은 시작되고, 곧 기연이의 합류로 우리 동네에 유리한 상황으로 반전된다.

"역시 오늘은 일이 잘 풀리고 기분 좋은 날이다."

마지막 수업으로 미술시간이 시작됐다.

"오늘 산 크레용으로 멋지게 한 번 그려봐야지."

손때라도 묻을까 조심스럽게 크레용 뚜껑을 열어보니 색색별로 가지런히 누워있는 모습이 너무나 곱고 예뻐서 손을 댈 수가 없다.

"이 좋은 걸 어떻게 쓰지?"

써볼까 말까, 이래 볼까 저래 볼까 망설이는 사이 시간은 흘러가고 친구들은 이미 스케치를 끝내고 색을 입히는 중이다. 다급한 마음에 언제나처럼 또 산을 그리고 도로를 내고 소달구지와 들판을 구상한다. 산을 그리려고 큰 용기를 내어 푸른색 크레용을 집었는데 도저히 아까워서 사용할 마음이 생기지 않는다. 또 망설이고 망설이다 도로 제자리에 집어넣고 만다.

"왜 그림을 그리려고 하다 마냐?"

"응, 내 크레용이 아니라서 쪼깨만 쓰다가 갖다 주려고 했는데 미안해서 안 되겠다."

오늘도 내 그림은 변함없는 내용에 삼원색이 다다. 그것도 친구 선홍이의 양보에 따라 엉성하게 그려진 게.

"자. 내일은 용의 검사하는 날이란 걸 알고 있지? 영실이 이리 나와서 손 한 번 내밀어 봐라. 손톱, 발톱, 목, 손발 그래 이 정도는 청결해야 한다."

영실이는 이미 우리들의 용의검사에 대한 모델이 되어버렸다. 내일이 국민학교 중학교가 다 용의검사인 걸 보니 목욕탕이 없는 우리 촌에는 마을마다 집집마다 한바탕 난리가 불을 보듯 뻔하다.

"선홍아, 너 혹시 브라가 뭔지 아냐?"

"아니 모르는데 왜 그러냐?"

"내일 중학교 용의 검사한다고 브라얘기를 들었는데. 호기심에."

"그래. 그럼 우리 동네에 가서 가르쳐줄까?"

선홍의 표정은 뭔가 아는 것 같은데 숨기는 게 분명해 보인다. 묘한 생각으로 다른 동네까지 가는 내가 참 우습다.

"선홍아, 왜 빨리 안 가르쳐주냐. 집에 가서 목욕해야 하는데."

"이제 됐다. 걱정 마라. 대식이가 오기로 했는데 자슥이 왜 여태 안 오지?"

밤이 찾아오고 사방은 어둑어둑해지는데 집에까지 갈 일이 새삼 큰 걱정이다. 대식이도 합류를 하고 동네 앞쪽으로 나오는데 집집마다 훤하게 불이 켜지고 개 짖는 소리가 요란하다.

"저놈의 개들 좀 없으면 좋겠다. 이런 날은 소리가 더 요란하다."

"이 집에서 가르쳐 줄끼다. 조용히 하고 조심해야 한다."

말로 해도 될 일을 이상하게 현장 교육까지 할 모양으로 선홍이와 대식이는 자못 진지하다.

어쩌다가 밤손님처럼 방문한 이 집 뒤꼍은 장독들이 여러 개가 놓여 있고 아담하고 정갈하게 잘 정리 되어 있다.

"영옥아! 빨리 나와라. 준비 다 했다."

"선홍아, 뭐냐?"

"쉿! 조용히 해라. 네가 궁금했던 브라를 인자 알게 된다."

부엌의 조그만 환기구에 얼기설기 엮어진 대발 사이로 잘 보이지 않는 좁은 공간을 어떻게 보고 알아낼지 모르겠다.

드디어 부엌 안에서는 목욕하는 소리가 나고 환기구 사이로 새하얀 수증기가 불이라도 난 것처럼 뭉텅 지게 나온다. 우리 셋은 일제히 온갖 신경을 동원해서 수증기 나오는 곳을 침을 삼키며 쳐다본다.

"아이고, 때 봐라. 너도 이제 처녀가 되어 간께 자주 목욕을 해야겠다."

"그런데 요즘에 내 몸이 좀 이상하다. 가슴이 딱딱해지고 아프고 뭉기는 것 같다. 친구 봉숙이는 제법 가슴이 커서 브라를 해야 하는데 집에서 사주지 않으니까 용의 검사 때마다 가정 선생님한테 혼이 많이 난다."

대충 의문이 풀려 가는데 작은 말소리만 들릴 뿐이지 도통 볼 수가 없다.

"나는 키가 작아서 안 보인다. 장독 위로 올라가야겠다."

대식이는 이제 더욱 적극적이다. 어차피 잘 볼 수도 없는데 작은 키 때문인 것처럼 장독을 밟고도 모자라 발레 선수같이 발끝으로 꼿꼿이 서보려고 난리다.

'딸딸딸'

중심을 잡기 어려워질 때마다 다리가 떨려서 장독대 뚜껑이 부딪쳐 나는 소리다.

"난 못 보겠다. 이러다가 들키겠다."

두 사람은 얼마나 몰입했는지 내 말을 못 들은 것 같다.

또 딸딸딸딸

크게 긴장이 되어 황급히 담장을 넘어 도망 나와 두 사람 쪽을 쳐다보는데 아까보다 장독 소리가 더 심한 것 같다.

"야, 중심 좀 잘 잡아라. 자꾸 소리가 커진다."

이때, 옆집에서 갑자기 개 짖는 소리가 '왕왕왕' 하자 또 다른 집에서 '월월월' 연속으로 난리가 났다.

"누고! 어떤 놈이고!"

놀란 선홍이랑 대식이가 후다닥 담장을 넘어 줄행랑을 치고 나도 따라 뛰는데 누군가가 내 목 뒷덜미를 잡아당긴다.

"너 어떤 놈이고, 모르는 놈 아니가!"

사력을 다해서 도망치는데 힘세고 강한 주먹이 내 뒤통수를 갈긴다. 아픈 줄도 모르고 간신히 도망을 쳤는데 한참 후에야 머리가 아프다. 결국 호기심도 확실히 풀지 못하고 비싼 수업료만 낸 것 같다.

친구들과 헤어져 우리 동네가 보이는 옛날 나루터 근처 고속도로 앞에 섰다. 달빛이 구름 사이로 소소히 다가오고 멀리 달빛에 반사되어 은은히 비쳐오는 강물이 놀랐던 가슴을 진정시켜준다.

"저 저게 뭣이고. 저리 큰 귀신이 다 있냐."

달님이 구름 사이로 들어가고 어두워지는가 싶더니 하늘에서 땅에까지 맞닿은 엄청난 크기의 사람이 앞을 막아서 있다. 얼마나 놀라고 심장이 얼어붙었는지 도저히 앞으로도 갈 수가 없고 뒤로도 발이 떨어지지 않아 움직일 수가 없다.

"오늘 나쁜 짓으로 벌을 받나 보다."

어쩔 수 없이 눈을 질끈 감고 귀신이 있는 쪽으로 내달리는데 오늘따라 종종 지나가던 밤차도 없다.

큰 긴장으로 사람이 가로막았던 자리까지 와서 눈을 떠보니

"휴 다행이다."

엄청난 크기의 사람은 귀신이 아니라 구름에 가려졌던 달빛이 굴절되어 보인 현상으로 쭉쭉 뻗은 버드나무다.

"아니, 나무가 사람으로 다 보이다니. 마음과 생각의 차이가 사물도 달리 보이게 하는 마술이 있구나."

용의 검사 시간이 다 되어간다. 친구들은 긴장되게 서로를 점검하고 나도 준비를 하는데 평소 괜찮던 손에 때가 많아 보인다. 비장의 응급처치 법으로 침을 발라 이리저리 문질러 보는데 살갗만 벌겋게 되고 효과가 별로 없는 것 같다. 선홍이와 대식이도 역시나 이빨로 손톱 정리를 하더니 침을 바르기 시작한다.

바람으로 오는 풍금 소리

"대식이 너 용의 검사 준비 안 했지? 이 녀석아. 그렇다고 침으로 때를 벗기냐."

지적을 당한 몇몇의 친구들이 교단 앞으로 불려나가 대나무 자로 손등을 세 대씩 맞는데 무척 고통스러워하고 창피스러워 한다. 참내. 어제와 오늘 이 운이 좋은 건지 나쁜 건지 헷갈린다.

단, 의문은 풀었다. 히히히

아무렴 빌려 쓰기는 좀 그렇지.

26

도서실
습격 사건

"화 아이 유?"

"키득키득, ㅎㅎㅎ"

"굿모닝~ 하우두 유 두?"

"크크크"

너무나 희한한 소리라 우스워서 재미있다 못해 힘까지 든다. 여기저기서 키득거리는 소리로 영어선생님을 자극할 만도 한데 선생님은 전혀 내색하지 않고 우리들과 똑같이 웃고 웃는 밝은 표정이다.

"와... 어쩌면 저렇게 예쁠 수 있을까? 마음까지도"

"여러분! 중학생이 된 걸 축하해요. 우리 열심히 공부해서 멋진 중학생활을 보내요. 그리고 오늘 배운 인쇄체 대문자, 소문자를 다음 시간까지 꼭 읽고 쓸 수 있도록 공부해 오세요."

이렇게 우리들의 중학 생활과 영어 첫 수업이 웃음과 기대 그리고 희망으로 시작되었다. 진월초등학교, 진월남초등학교 두 개 학교가 처음 만나 서먹서먹하고 냉랭하던 분위기가 오늘 영어 수업 한 시간으로 완전히 해소된 느낌이다. 나도 정신이 번쩍 든다.

　"그래! 열심히 할 거야!"

　웃음과 설렘으로 시작된 중학 생활이 적응되고 익숙해져 갈수록 입학 때의 각오와 결의가 지나간 시간에 비례해 느슨해지고 무뎌진다. 벌써 흥분과 즐거움으로 시작된 영어시간이 나태와 부담으로 서서히 열기가 식어간다.

　"학교 운동장에 잔디를 조성할까 한다. 그래서 여러분의 도움이 필요하다. 다음 주 월요일부터 등교 시간에 동네별로 잔디를 가져와야 교문을 통과할 수 있다."

　교장선생님은 우리들의 유일한 안식처인 운동장까지 사용할 수 없도록 엄명을 내린다.

　"말도 안 된다. 왜 그 일을 우리들이 해야 하는데."

　"설마 그렇게 할까."

　월요일 아침, 학교 운동장에서는 놀랄만한 일들이 벌어지고 있다. 학교 근처에 사는 애들이 설마 하고 잔디를 가져오지 않자 다시 집으로 돌려보내지고 우리같이 먼 지역에 사는 애들한테는 운동장 돌기를 벌로 내린다. 다음 날, 또 다음 날 우리들은 자연스럽게 길들여져서 으레 리어카에 한가득 잔디가 실려 있고, 내기라도 하는 듯 칭찬 경쟁도 벌어진다. 심지어 몇몇 친구들은 묘지의 잔디를 떠와서 민원까지도 발생한다.

　학외 활동으로 독서반을 신청했다.

평소 문학에 대한 관심이 많았지만 책을 접하기 어려웠던 나는 학외 활동이 매우 좋은 기회였다. 하지만 독서반이 되지 못했다. 학업 성적에 따라 일 이 등을 의무적으로 선발했기 때문이다. 학외 활동은 당연히 취미나 재능, 그리고 희망에 따라 결정 되는 게 순리라고 생각했다. 아쉬움과 안타까움에 눈물이 날 뻔했지만 받아들일 수밖에 없다.

평소 도서실은 일주일에 한 번꼴로 학외 활동에 맞춰서 개방을 하기 때문에 일반학생들은 접근하기 어려운 그림의 떡이다.

"어떤 일이 있어도 도서실을 꼭 이용하고 싶은데 방법이 없다. 어쩌지..."

우형이도 나와 같은 경우의 친구로 독서반이 되지 못해 나보다 더 많이 속상해 했다. 이 친구만은 꼭 선발될 줄 알았는데 그렇지 못해 서로가 아쉽고 안타까웠다. 둘은 어떻게 하면 도서실에 갈 수 있을까 상상을 하고 고민을 한다.

"여러분, 내일은 오전 수업을 마치고 봄나들이 겸 토끼몰이를 갈 예정이니 토끼 잡기에 용이한 막대기를 지참하도록."

"야호~!"

모두들 하나같이 기분이 좋아 화색이 돈다. 공부보다는 시골 놀이에 젖어 있던 우리들은 운동장에서 나름 청춘의 끼를 발산해야함에도 교장선생님의 확고한 잔디 조성계획 때문에 방법이 없었다. 우형이 친구와 나는 거사를 준비하는 혁명군처럼 진지하게 내일을 의논한다.

"1학년부터 2~3미터 간격으로 이동한다. 토끼가 놀래서 미리 도망가지 않도록 조용히 해야 한다."

그러나 우리 안에 갇혔던 망아지처럼 해방감에 취한 우리들은 무슨 할 말이 그리도 많은지 온통 재잘거리는 소리로 장터를 방불케 한다. 심지어 어깨까지 부딪히는 기싸움으로 이어지자 이에 놀란 날짐승들이 하늘 높이 날아오르는데 그 놀라움과 해방감에 속이 다 후련하다.

드디어 여학생들과 저학년들은 산 아래를 중심으로 산을 빙 둘러 감싸고 일부 3학년 남학생들은 산꼭대기에서 막대기를 들고 대기를 한다. 체육 선생님의 호루라기 소리를 신호로 일제히 '와'하고 함성을 지르며 산 정상을 향해서 올라가는데 그 신선한 기개가 마치 고지를 탈환하기 위해 작전을 펼치는 것 같다. 함성은 계속되고 산 정상쯤 올라가자 산토끼 두 마리가 헐레벌떡 뛰어오는데 그 날렵함이 섬뜩할 정도다.

"저기 토끼가 보인다. 대열이 흐트러지지 않도록 계속해서 포위망을 좁혀야 한다."

산토끼 두 마리를 잡고서야 오늘의 일과는 끝났다. 학생들이 집으로 돌아가고 학교 숙직실에서는 선생님들의 잔치가 벌어졌다. 우형이 친구와 난문방구점에서 붕어빵으로 허기와 시간을 달래며 긴장된 마음으로 밤이 오기를 기다린다.

"음악선생님 오늘 기분도 좋은데 노래 한 곡 부탁합니다."

"일출봉에 해 뜨거든 날 불러주오. 월출봉에 달뜨거든 날 불러주오~."

"역시 음악선생님이라 다르긴 다르다."

선생님들은 흥에 취해 이제는 돌림노래로 이어가는데 하마터면 우리도 무의식중에 따라 부를 뻔했다.

밤은 계속 깊어가고 숙직실 근무자를 빼고는 모두 집으로 돌아갔다.

"어째 으스스하다."

"그래. 나도 그렇다. 학교가 공동묘지 자리라서 그런가?"

우리는 사전 준비로 잠그지 않았던 창문을 조심스럽게 여는데 열리는 소리가 '드르륵'하고 커서 우리까지 깜짝 놀랄 정도다. 가까스로 일층 계단을 까치걸음으로 통과하고 2층 도서실 앞에서 크게 심호흡을 한다. 우형이가 먼저 옆 창문으로 도서실로 들어가고 나도 막 따라서 들어가려고 하는데 당직 선생님이 손전등을 들고 순찰을 시작한다.

"큰일 났다. 어쩌지."

점점 손전등이 도서실 근처로 다가오는데 이제는 도망갈 수도 없다. 몸에는 식은땀이 주르륵 흐르고 한 발자국도 움직일 수 없는 얼음이 되어버렸다.

"조 선생님. 공동묘지 터가 되어 그런지 으스스 합니다. 그냥 들어갑시다."

선생님도 순찰을 도는 밤 분위기가 좀 이상한지 발길을 돌린다.

"휴우, 다행이다."

둘은 이제 안심을 하고 값진 보물을 찾아 여기저기를 만져보지만 불빛이 없는 상황에서 필요한 책을 선택하기엔 요행만이 뒤따를 뿐이다. 나는 딱딱하고 두꺼운 책을 주저 없이 선택했다.

"나는 골랐다."

"나도 골랐는데 딱 한 권씩만이다."

목적을 달성하고 도서실을 긴장된 마음으로 빠져나오는데 죄책감은 없고 뿌듯한 성취감이 든다.

삼일을 굶으면 담장을 넘지 않을 사람이 없듯이, 책에 굶주려 읽기가 힘들었던 책을 어쩔 수 없이 훔친 것은 미래의 꿈을 위한 미안한 선택이라 스스로 억지 위안을 한다.

집으로 돌아와 안전한 곳에 책을 숨겨놓고 곤하게 잠으로 빠져든다. 날이 밝고 어제 숨겨둔 책을 찾아 이산가족을 상봉하는 마음으로 조심스럽게 다가가는데 가슴이 두근두근 훔칠 때 보다 더 긴장되고 흥분된다.

"내 바람대로 주옥같은 멋진 문학책일거야, 그럼."

흐뭇한 생각으로 여유 있는 미소가 지어진다.

"아이고! 이게 뭐야! 왜 하필 이 책이야!"

「의료 전집 제7권 컬러판 인체 해부학」

내가 가장 무서워하고 부담스러워하는 책이다.

"어째 이런 일이!"

세상에는 공짜로 얻어지는 게 없다.

내가 과학적이고 이과적 성향이었다면 이 책은 동기야 부끄럽지만 많은 도움이 되어서 의사나 약사 같은 꿈을 키웠을지도 모른다. 하지만 아쉽게도 이과보단 문과 성향이라 간밤의 부끄러운 자화상에 이제야 마음이 아프다.

"언젠가는 이 영광스럽고 부끄러운 유물에서 또 다른 예측하지 못한 참회의 길을 찾아야겠다."

그렇게 하는 것이 최소한의 양심이니까.

27

갈대꽃에 앉은
恨

"큰 난리가 났구먼."

"무슨 일인데 큰일이랑가?"

"어제 깔꽃(갈대꽃) 빼러 갔던 윗동네 은수 엄마가 아직까지 돌아오지 않
았대."

"그럼 뭔가 사달이 났구먼."

시골에서는 큰일이라야 고작 노름판에서 일어나는 다툼이나 약간의 부주
의로 일어나는 화재 사건이 거의 전부다. 그런데 지금 이야기는 처음부터
불길한 생각으로 온 마을을 엄습한다.

섬진강 하구의 우리 동네는 강이 주는 여러 혜택이 많아 농한기가 거의 없
는, 사계절 내내 소득을 찾을 수 있는 곳이다. 그중 여름철엔 풍성하게자란
갈대에서 탐스러운 꽃이 피는데 사람들은 이 꽃을 뽑아다가 건조해서 시장

에 내다 팔거나 빗자루를 만들어 선물도 하고 소득을 챙기기도 한다. 이 과정에서 어제 오후에 갈대꽃을 뽑으러 강으로 나갔던 은수 엄마가 돌아오지 않은 것이다.

마을 앞 강가에는 여러 동네 사람들이 몰려들어 "은수 엄마~ 은수 엄마!" 하고 크게 소리 내어 불러보지만 듣는 이가 없는 허무한 울림뿐이다.

"어제 깔꽃을 많이 빼가지고 광양이나, 순천, 하동으로 팔러 가지나 않았을까?"

"아니지. 뻘이 묻고 젖은 옷으로 어떻게 그런당가. 설사 그렇다고 해도 이미 돌아왔을 시간이고."

사람들은 더 이상 불러 보는 것이 무의미하다 생각하고 몇 사람씩 조를 짜서 주변 갈대밭을 샅샅이 훑기 시작한다.

"그러고 보니 은수 엄마가 요즘 좀 이상했어."

"왜? 뭐가?"

"아니, 꼭 세상을 정리하려는 사람처럼 찌짐을 해와서는 같이 묵자고 하면서 평소 자기에게 잘해줘서 고맙다고 하고 자기가 만약 없을 때는 아들 은수를 잘 좀 돌봐주라고 하는 거야."

사람들이 갈대밭 여기저기를 중복해서 찾아봤지만 찾지를 못하고 밀물이 밀려오자 돌아오기 시작한다.

"인자 또 다른 방법은 동네에 있는 배들을 총동원해서 진상이나 옥곡으로 물길이 올라가는 곳까지 확인해 보는 수밖에 없어."

삽시간에 밀물이 들어오고 강에는 노 젓는 배들로 가득 차서 '은수 엄마'를 찾기 시작한다.

여러 시간이 지나도 찾았다는 소식이 없고 처음 들어갔던 곳을 중심으로 해서 반대 방향으로 수색해 가는데 "찾았다!"하고 큰 고함 소리가 들린다.

"아이고, 이를 어쩔 거나. 저 인생이 불쌍해서 어찌할꼬."

"죽은 사람도 죽은 사람이지만 저 어린 은수를 어떡하나."

여기저기서 동정 어린 말과 울음소리가 그칠 줄을 모른다. 그렇게 가족을 떠난 은수 엄마 망덕댁은 죽어서도 '객사'라고 해서 시신도 자기 방에 들어가지 못하고 마당가 한쪽에 임시로 만든 천막에서 이틀 만에 장례가 치러졌다.

"은수 아부지, 오늘은 남의 일도 없응께 은수랑 추억도 쌓고 사이좋게 좀 놀아봐요. 선개 강에 가서 깔꽃 좀 빼올게."

"아이고, 이 극성인 사람아. 날씨도 더운데 하루 쉬지 그래."

"아니 놀고 있으면 누가 밥 준다요? 한 푼이라도 벌어야지. 참, 그리고 날씨가 더운께 은수 묵을 것 신경 쓰고, 당신도 부석(부엌)에 계란찜 해놨응께 제때 잘 챙겨 묵어요."

"별 걱정을 다 하네. 걱정 말라고."

"어이 진주댁. 시간이 늦었응께 빨리 가자고."

은수 엄마는 진주댁과 함께 선개 강 입구에 도착해서 바삐 움직이기 시작하는데 벌써 온 많은 사람들의 갈대꽃 뽑는 손길이 바쁘다.

"은수 엄마, 난 해 걸음에 볼일이 있어서 좀 일찍 나갈게."

"알았어. 나는 조금 늦더라도 많이 뽑을 거야."

"조심해. 오늘은 한씨(사리)라서 물이 빠르게 들어오니까."

행주치마처럼 생긴 갈대꽃 보따리를 차고 큰 바구니까지 든 은수 엄마는 남들보다 늦은 관계로 조금이라도 더 많은 양을 뽑을 욕심으로 부지런히 움직이기 시작한다.

"여기엔 사람들이 수구렁(뻘이 물렁한 늪)이라 많이 들어오지 않았나 보네."

은수 엄마는 수구렁이라 힘들고 불편하지만 사람들의 발길이 덜 닿은 곳에 갈대꽃이 많고 유난히 탐스러워 보여 콧노래까지 부른다.

"해당화 피고 지~는 섬마을에 철새 따라 찾아온 총각 선생님 … 서울엘랑 가지를 마오. 가지~를 마오."

실로 오랜만에 느껴보는 풍성함에 한껏 신이 난다. 이 상태로 가면 얼마 가지 않아 오늘 목표는 달성할 것 같다.

한참 열심히 갈대꽃을 뽑아가고 있는데 '깔깔깔'하고 갈대새가 놀라 자지러지는 소리가 난다. 앞을 쳐다보니 갈대 서너 개를 뭉쳐서 정교하게 만들어진 둥지에는 네 마리의 갓 태어난 새끼 새가 눈도 제대로 뜨지 못하고 바둥거리고 있다.

"해치지 않을게. 걱정 마라. 나도 어린 아들이 있다."

일부러 어미 새와 새끼들이 놀라지 않도록 둘러서 움직이며 불현듯 하늘을 쳐다보니 맑은 하늘에 작은 구름 몇 조각만 움직일 뿐 영롱하고 화창하다.

"곧 해가 기울고 물이 들어올 듯하다. 더 빨리 노력하자."

한 걸음 더 앞으로 나가자 자신 앞에 펼쳐진 최상품의 꽃들이 반갑다고 흐느적거린다.

"야! 정말 오늘은 운수 대통이다."

흥분 속에 정신없이 갈대꽃을 뽑아 가득 찬 바구니를 챙겨서 돌아가려는데 '아뿔싸!' 밀물이 세차게 들어오기 시작한다.

"큰일 났구나. 이를 어쩌지."

수구렁이라 움직이는 것도 쉽지 않고 둑이 터진 듯 들어오는 물살은 거침이 없다.

"혹시 사람 있으면 좀 도와줘요. 제발요!"

아무리 큰 소리를 쳐봐도 정적만 맴돈다. 고작 들려오는 소리라고는 물살이 갈대에 부딪혀 일어나는 '딸딸딸' 소리고, 아까보다 더 불안한 갈대새의 '깔깔깔' 소리뿐이다. 정신이 없이 급하면서도 지금까지 수고했던 아까운 짐들을 놓지 못하고 사력을 다해서 움직이는데 야속한 강물은 턱 밑까지 차오른다. 하늘이 노랗고 온몸에 솜털이 돋아난다.

"아! 하느님! 어찌하리오. 이를 어찌하리오. 도저히 살아갈 방법이 없는 이 상황을 어떡하면 좋겠습니까."

왈칵 눈물이 쏟아지고 지나온 세월들이 뇌리를 스쳐간다. 그 순간 눈앞에 사진처럼 나타나는 아들 은수의 눈물 어린 얼굴에 애간장이 녹아서 뜨거운 눈물이 되어 하염없이 흘러내린다.

"은수야! 은수야!"

야속한 강물은 기어이 어린 갈대마저도 잔인하게 삼켜 버린다. 그리고 언제 그랬냐는 듯 평온을 찾는다.

은수 엄마 일로 인해 강을 끼고 있는 진월, 진상, 옥곡면 등 면 소속의 마을들도 엄청난 충격과 함께 생활의 교훈을 얻었다. 강에서 일을 할 때 물이 들어오는 것을 먼저 보는 사람이 큰 소리로 알려주면 이를 들은 사람들이 다시 또 알려주는 방법을 논의했고 심지어는 더위에 멱 감으며 놀던 우리들에게도 주의령이 떨어졌으니까.

바람으로 오는 풍금 소리

"오늘이 은수 엄마 49재라네."

"벌써 그리됐는가. 남의 일이라 그런지 시간도 빠르고 잊히기도 쉽네."

정오 무렵, 마을 앞 강가에는 많은 사람들이 몰려들고 배를 이용한 '당골래'의 굿판이 벌어진다. 죽은 사람의 영혼을 강에서 건져서 저승으로 인도하고 극락왕생을 빌어주는 '씻김굿'이다. 여러 사람들이 한 조가 되어 장구며 북, 징으로 장단을 맞추고 하얀 소복을 입은 무당은 시신을 찾았던 장소에서 하얀 무명천에 하얀 쌀그릇을 묶어 달고 망자의 혼을 달랜다.

"슬프다. 슬프다. 비록 죽더라도 남들처럼 바른 곳에서 죽지 못하고 물에서 죽었구나. 오늘 이 정성스러운 의식으로 원혼을 건져 올리노니 이 쌀그릇 무명필에 올라앉아 극락왕생의 길로 갑시다."

오랜 시간 동안 물에서 의식을 행하던 무당은 마침내 육지로 나온다. 그때 아들 은수의 손을 잡은 남편이 보이자 갑자기 두 다리를 뻗고 땅을 치며 통곡을 하더니 와락 은수와 남편을 끌어안는다.

"내 아들 은수야! 오늘에야 너를 만져 보는구나. 이 사랑스러운 내 새끼야. 그리도 보고 싶어 애간장을 태우던 내 육신을 녹여 낸 아들아!"

무당의 통곡이 이어질 때마다 보고 있던 많은 구경꾼들이 울음바다가 되고 전율스러운 심금이 울린다.

"은수 아부지, 은수 아부지. 미안해서 어떡하우. 내 부질없는 욕심으로 당신한테 큰 짐을 안겨놓고 이렇게 허망하게 떠나버렸으니 원망스럽소. 원통하오."

은수 아빠도 더 이상 고통을 참기가 어려웠던지 닭똥 같은 눈물을 쏟아내기 시작한다.

"그래. 왜 그리 무정하게 떠났는가. 이 사람아. 은수와 난 어떡하라고…

이제 자네가 편히 쉴 곳으로 걱정 말고 떠나가소. 우리 함께 살아올 때 잘 해주지 못한 날 용서하고 근심 걱정 없는 평화로운 하늘나라에서 내가 찾아 가는 그날까지 잘 있게나. 우리 아들 은수는 지극 정성 큰 사랑으로 잘 키워볼게."

원혼과의 이별이 얼마나 가슴 아프고 슬펐는지 땅도 울고 하늘마저 이별의 눈물을 뿌린다. 무당은 은수 엄마의 생전 옷을 입힌 허수아비를 잡고 빗자루에 물을 묻혀 이승에서의 한 많은 인생의 끈을 씻어 내린다. 그리고 망인의 가슴에 맺힌 한을 풀어내는 '고풀이' 의식으로 극락왕생 천도의 막을 내린다.

바람으로 오는 풍금 소리

28
무당(1)

　온종일 내내 울어버릴 것만 같던 하늘이 작은 한 뼘의 여유를 남기고 있다. 걸음조차 버거워 보이는 꼬마의 손을 잡는 한 여인이 깊게 도랑이 패인 황토 구릉을 쫓기듯이 오르고 있다.

　"어여 가자. 바삐 가자."

　"엄마. 무서워. 왜 자꾸 무서운 데로 가는 거야."

　"응. 비가 오면 셍이가 무서워 울까 봐서."

　"어떤 셍이야. 큰 셍이야? 작은 셍이야?"

　"네가 보지 못한 둘째 셍이야."

　"둘째 셍이는 집에 있잖아."

　"…"

　"근데 엄마 왜 울어?"

　"불쌍한 네 셍이 생각에 그래."

"그래도 울지 마. 엄마가 우니까 무섭단 말이야."

이미 저만치 떨어진 동네에서는 두 사람을 보기 어렵고, 그런 만큼 긴장해서 애를 끌다시피 가는 여인은 더 많이 초조해 보인다. 어둠으로 채색되어 가는 늦여름의 날씨는 가을의 고삐를 바짝 채근하며 연신 차가운 냉기를 뿜어낸다. 약간의 추위에 여기저기서 개구리, 찌르레기, 풀벌레 소리가 푸르르 장단을 맞춰 떨어대고 졸졸 흘러내리던 물줄기 소리도 부르르 몸을 추스르며 잠시 숨을 고른다.

"엄마 아직도 더 가야 돼?"

"이제 거의 다 왔어."

"여기는 바구만 있고 셍이는 없잖아."

    …

"길윤아! 엄마 왔다. 이제 아픈 곳은 없지? 네가 그렇게 좋아하던 엿가락하나 못 가져와서 미안해."

여인의 말소리와 함께 큰 바위, 작은 바위 흰 바위 검은 바위 등 끝없는 돌무덤들이 돌연 두 사람을 살피려는 듯 불쑥불쑥 고개를 내민다. 그중 약간 정돈된 돌무덤 사이를 애원하듯 쓰다듬으며 중얼거리기를 반복하던 여인이 갑자기 조용해지며 벌떡 일어선다. 돌 사이로 흘러내리는 물빛 속에 선명히 얼굴을 드러낸 아들 길윤이 섬뜩하고 무섭게 보였기 때문이다.

"인자 안 올란다. 네 갈 길을 찾아가거라. 채윤아, 엄마 손잡아라. 빨리 집에 가자."

"엄마 셍이 안 보고가? 셍이 무섭다고 왔잖아."

"그래. 못 온단다. 보지 말고 그만 가자."

왈칵 무섭단 생각이 들자 여인의 행동이 빨라지고 올라올 땐 느끼지 못했던 바위들이 불쑥불쑥 튀어나와 발길을 방해한다. 심한 재촉에 바삐 움직이다 바위에 걸려 넘어지려는 꼬마를 낚아채듯 끌어당기는 여인의 힘이 억세다. 그렇게 찌푸린 하늘이 이제야 문이 열리고 후련하게 빗줄기를 쏟아낸다.

후드득

후드득

"채윤아, 안 되겠다. 엄마 등에 업혀라."

마음이 급한지 뛰듯이 걷던 여인은 급하게 아들을 업고 산 아랫마을로 내달린다. 벌써 어둠은 발끝도 볼 수 없는 암흑으로 심술을 부린다.

우르르 쾅

우르르릉 쾅쾅

봄기운이 느슨해지자 일찍 돌아온 제비들이 짝짓기, 집짓기에 연신 바쁘다.

"계절은 속이지 못한다니까. 또 봄이 가고 여름이 온다고 제각기 바쁘네."

"벌써부터 더위에 더위를 더하는 풀매기가 걱정이 되네. 제발 올여름은 좀 수월했으면 좋겠소. 즈그 아버지 쟤 좀 보소."

진흙을 쪼아 나르던 제비 한 쌍이 힘에 겨운지 잠시 쉬려고 장독대에 앉아있다. 이를 보고 혼자 놀고 있던 길윤이 고개를 잔뜩 숙이고 숨죽인 채 살금살금 기어가다 잽싸게 제비 한 마리를 낚아챈다.

째재잭 째재잭

"아니 길윤아. 네 어찌 저 날렵한 제비를 잡는단 말이고."

"아부지. 지난번도 한 마리 잡았다가 놓아 줬는데."

"그래. 참 놀랍다."

"쟤가 스님 말씀대로 큰 인물은 큰 인물인 것 같소. 하는 짓마다 우리를 놀라게 하는 걸 보니."

"이 사람 보게. 부정 탈라고. 우리 입 조심 하세."

며칠 후, 저녁 준비가 한창일 때 동생들과 잘 놀고 있던 길윤이 몹시 괴롭다고 칭얼대기 시작한다.

"엄마. 배도 아프고 머리도 아프고 춥기도 하고..."

"어디 보자... 야가 왜 이리 열이 많다냐."

"가윤아. 아부지 빨리 좀 오라 해라. 급하다."

오후 일을 마무리하던 길윤이 아버지가 급히 돌아오고 급기야 온갖 민간 요법이 다 동원되지만 별반 나아지는 기미가 없다.

"이를 어찌할꼬. 조금이라도 차도가 있어야 하는데."

"애가 심상치 않네. 병원은 멀고 무당이라도 불러보세."

길윤 어머니는 동서를 불러 부리나케 무당을 찾는다. 이내 무당을 대동하고 돌아온 동서는 고개만 숙이고 있다.

"어디 보자... 이 어리석은 중생들아. 모든 조상들이 이렇게 힘들어하는데 몽매하게 그냥 있었다니!"

"당골래. 그럼 좋은 방도를 좀 찾아주소."

"조상님들이 많은 선몽을 해줬을 텐데 그걸 모르고 방치하다니... 모두 등을 돌려 앉아버렸네."

"아무리 그래도 급 처방이 있을 테니 그거라도 좀 해주시오."

"음식 차릴 시간도 없다. 물 한 사발이면 족하니 상 위에 물 한 사발 크게 떠와라."

당골래의 약식 의식이 빠르게 시작된다.

"하지 말아야 할 조상 묘를 이장했으면 당분간 조심해야 하거늘 상갓집에 갔었구나. 어허이~ 어찌할꼬."

당골래의 구슬픈 표정이 역력하다.

"조상님네. 미련한 자손이 큰 불경죄를 겼습니다. 저 어린 자손을 지켜 주소서."

모여든 집안사람들이 고개를 조아리고 두 손을 비벼댄다. 마침내 무당은 길윤이 부모님을 크게 꾸짖더니 잡고 있던 대나무 가지를 흔들어대며 사정없이 때리기 시작한다.

"이제 내가 할 수 있는 모든 방도와 비방을 다했소. 오늘 밤을 넘기거든 일어날 것이고 그렇지 못하면 제갈공명이 와도 소용없소."

의식이 끝나고 밤이 찾아왔다. 심리적인 위안이었을까. 길윤이는 한결 나은지 동생들과 이야기까지 한다. 날이 밝고 해가 미처 집에도 오기 전에

"셍이야. 이제 안 아파?"

"응. 좀 덜 아파."

"그러면 우리랑 놀까?"

"…"

"엄마. 셍이가 이상해."

조금 나은 듯해 다소간 안심을 했던 가족들이 다시 비상이 걸린다. 갑자기 두 눈을 부릅뜬 길윤이 경련을 일으키고 고통스러워하는데 상태가 심상찮다.

"길윤아!"

"길윤아!"

"즈그 아버지 좀 어찌해 봐요. 이를 어찌할까."

"큰애야. 동생들 데리고 작은집에 가 있어라. 작은집에도 알리고."

"아이고. 길윤아! 길윤아!"

소담소담 돋아나던 봄볕 새싹 같았던 길윤이 끝내 깨어나지 못하고 눈을 감고 만다.

"저 어린 것이 불쌍해서 어쩌나."

"그러게. 나중에 큰 인물이 될 줄 알았는데. 하늘의 뜻인가."

"나는 길윤이보다 나이가 많은 동네형이라도 길윤이가 대통령이 되면 부하까지 하려고 했는데."

가족들은 이미 넋을 잃고 작은아버지 내외가 급한 대로 여러 준비를 대충해서 대나무 망태를 둘러 감고 지게로 뒷산을 오른다.

"불쌍한 길윤아. 가자꾸나. 네가 영생할 곳으로."

작은아버지 지게를 따라 작은어머니가 큰 옹기를 이고 이어가고 그 뒤를 몇몇 사람들이 따른다. 산 중턱까지 오른 사람들이 수백 미터로 연결된 돌덤이의 중간쯤에 자리를 잡고 무덤 준비를 한다.

"좀 힘들어도 깊이 파세. 어린애라 여시가 파헤칠까 무섭네."

"걱정일랑 하지 마소. 다 자식 같은 마음인데."

마침내 자리가 정리되자 가져왔던 옹기를 중앙에 넣고 그 속으로 길윤이를 조심스럽게 밀어 넣는다. 그리고 크고 둥그렇게 돌무덤을 만들더니 마지막에 독을 깨트려버린다.

"길윤아. 잘 가거래이. 거기선 아프지 말고."

"아니 이 사람이 이 비를 맞고 애를 데리고..."

바람으로 오는 풍금 소리

여인은 굳은 표정으로 아무 말 없이 업고 있던 막내 채윤이를 내려놓는다.

"즈그 아버지. 이제 거기는 가지 맙시다. 절대로 길윤이한테는 가지 맙시다. 나무를 하더라도 그곳을 피해 다니시오."

"내가 그토록 가지 말라고 했거늘 거긴 또 왜 가서 속이 아파하는고."

깊어가는 밤과 함께 요란하고 후련한 빗줄기는 더욱 거세지고 가족들은 또 상처를 치유하느라 아무 말이 없다.

29
무당(2)

'사후에도 누군가 기억하고 회상하면 그는 죽은 게 아니다.'

길윤 어머니는 자식을 보낸 단장의 고통에서 진하게 머물다 최근 담우락(돌무덤)에 다녀온 후로는 말수도 적어지고 표정까지 어두워져 더 이상 산에 오르지 않는다. 자식을 먼저 보낸 슬픔의 참척에서 쉽게 벗어나기 어려운 고통의 생활상이다. 오히려 고만고만 남아있는 어린 자식들의 건강과 안녕에 지나치리만큼 걱정이 많아진다. 그때마다 새벽 일찍 일어나 머리를 감고 옷매무새를 단정히 한 후 장독대에 정한수를 올려놓고 천지신명과 조상님께 간절히 치성을 올린다.

"천지신명 조상님! 몽매한 이 중생을 살피시어 죄를 짓거든 사하여주시고 어두운 길을 가거들랑 밝은 눈으로 보게 하시어 모든 자손이 무탈하게 도와주시옵소서."

"자네는 걱정이 많아서 큰일이네. 너무 그러면 애들도 자유롭지 못하니 남들처럼 정도껏 하소."

"나도 그렇게 생각하면서도 이샌 집에 왔던 무당이 선산 바람이 불었다고 하는데 어찌 걱정이 없겠소."

"그러다 병나네."

"선산 바람도 달랠 겸 우리 굿 한 번 합시다."

"굿은 무슨 굿. 다 미신에 젖은 사람들의 얘기지."

한 번 시작된 채윤 어머니의 치성은 날로 정성이 깊다. 치성 덕분이지 아님 천지신명과 조상님 덕분인지 따스한 봄볕에 아지랑이 나른하고 노란 물결 유채꽃이 놀러 온 벌 나비와 한가롭다.

"어무이 뒷집 진환이랑 나무 한 짐 해올게."

"가윤아. 어젯밤 꿈자리가 뒤숭숭했다. 산에 가지 마라."

"이미 약속을 했는디 걱정 마소."

"즈그 아부지요. 쟤 좀 말려보소."

"그냥 두소. 자네 걱정이 날로 심해지네. 쟤 나이 열다섯이 넘었는데 뭘 그리 걱정인가."

가윤은 아버지의 후원과 인정에 새삼 어깨에 힘이 들어간다. 기분 좋은 마음으로 점심을 먹는 둥 마는 둥하고 다급히 지게를 둘러매고 부리나케 집을 나선다. 친구 진환이 미리 와서 기다리고 있었기에 둘은 어느새 대밭 골을 지나 장씨 집 밭을 오른다. 가쁜 숨을 몰아쉬며 아재뻘 촌수 진환이와 이런저런 얘기를 하는데 진환이 갑자기 '에~취!'하고 재채기를 한다.

'푸드득 꿩꿩'

찰나적으로 풀숲에서 꿩 한 마리가 기겁을 하고 요란스럽게 날아오른다.

"아이고, 깜짝이야. 간 떨어지겠다."

"하하하. 꿩이 놀라 정신없이 날면 사람들 간까지 따라 날아간다."

"가윤아. 아직 나무 시작 할 여유가 있으니 저기 바위에서 조금 놀다 하자."

"그럼 그러자."

지고 있던 지게를 내리고 바위에 걸터앉는데 겨울 끝이라 바위가 얼음 바닥이다.

"바위가 차다. 지게를 거꾸로 중심 잡아 놓고 지게 위에 앉자."

"지당한 말씀."

둘은 지게를 거꾸로 돌려 안전한지 확인하고서 편하게 앉아 하늘까지 쳐다보는 여유를 부린다.

"올해는 예쁜 여자를 만나서 연애 좀 해봤으면 좋겠다."

"그것도 괜찮은데 나는 아부지랑 장어를 많이 잡아 돈이나 많이 벌었으면 좋겠다."

"넌 어쩌다가 애늙은이가 되었냐? 하기야 너처럼 잘생겼으면 가만히 있어도 여자애들이 따르니 그렇겠지만."

"뭔 소리냐. 느그 집은 부자니까 여유가 있지만 우리 집은 동생들도 많고, 또 나는 돈 때문에 공부 못한 한 때문인지 돈에 집착이 강할 수밖에 없다. 역시 돈이 최고다."

한참 이야기가 무르익어 갈 때쯤 맞은편 보리수나무 사이로 제법 큰 산돼지 한 마리가 두두두 내려온다.

"야, 가윤아! 저 봐라. 산돼지다!"

"뭐 산돼지가 어디…"

뒤를 돌아보려 고개를 돌리던 가윤이 중심을 잃고 지게와 함께 굴러 넘어진다. 한 바퀴 두 바퀴… 그리고 어느 순간 '으악'하고 가윤이 얼굴을 감싸

바람으로 오는 풍금 소리

안은 채 한참 아래 골짜기에 쓰러져 있다. 진환이 깜짝 놀라 아래 골짜기로 내달린다. 그리고 가윤을 쳐다보고 그만 '으헉'하고 뒤로 주저앉는다. 새빨간 피로 범벅이 된 가윤이 얼굴을 감싸며 정신없이 앉아 있다.

"아니 가윤이 너 얼굴이 왜 이러냐... 아~ 이를 어찌할꼬."

진환이 망연자실 서 있다가 정신을 가다듬고 옷을 벗기 시작한다. 그리고 부드러운 속옷으로 가윤의 얼굴 전체를 감싸 묶는다.

"가윤아. 정신 바짝 차리고 이 골짜기만 움직여보자."

"......"

아무 말도 못 하고 진환의 손을 잡는 가윤이 골짜기를 어렵게 오른다. 얼굴을 감싼 속옷 사이로 진한 피가 흘러내리고 두 사람을 분간하기 어려울 정도로 피로 덮인 참혹한 광경이 순식간에 내려앉는다.

"가윤아. 이제 내 등에 업혀라."

친구 진환도 침착해지려고 노력하지만 너무 긴장하고 놀란 나머지 신발이 벗겨져 발에 피가 흐르는 줄도 모른다. 족히 30분이 넘는 거리를 같은 또래를 업고 내달리는데 힘든 기색이 없고 생사를 건 대탈출을 하는 것 같다.

"형님! 큰일 났소!"

"왜 무슨 일이냐? 아니 가윤이가 왜 이러냐?"

"나무하다 넘어져서 얼굴을 크게 다쳤소."

"아니 얼마나 다쳤길래 이 피고... 이게 무슨 난리냐. 부자야! 빨리 작은아버지 불러오너라."

가족들은 어느 정도 짐작을 하면서도 침착하려 애써가며 얼굴을 가리고 있는 옷을 벗기기 시작한다. 얼굴이 점점 드러나자 지켜보던 가윤 엄마와 누나는 그만 실신을 하고 만다. 큰 정에 맞은 듯 장승처럼 서있던 가윤 아버지는 곧바로 부정할 수 없는 현실을 직시하고 가윤을 포근하게 감싸 안으며 눈물을 주르르 흘린다.

"아들아. 놀라지 마라. 여기 아버지가 있다."

"혀... 형님!"

"염려 말게. 자네는 애들 좀 달래고 주변 정리를 좀 하게. 그리고 부자를 진정시켜 선소 의원으로 보내서 의사선생님을 모셔오도록 하게."

"부자야. 정신 차려라! 네가 움직여야 동생이 산다."

"......"

멍하니 앉아있던 부자가 벌떡 일어나더니 왈칵 눈물을 쏟으며 문밖으로 내달리기 시작한다. 한 모퉁이, 두 모퉁이, 여러 모퉁이를 바람처럼 달려가는 가윤 누나는 이미 정신 줄을 놓았다. 족히 한 시간이 넘는 거리를 누구보다 빠르게, 누구보다 긴 느낌으로 달린 부자는 이미 닫힌 대문을 쪽박 깨듯 두드린다.

"보세요. 보세요. 내 동생 좀 살려주소. 내 동생 살려주소."

부자 누나의 카랑카랑한 목소리가 일찍 잠든 선소 마을의 초저녁 대문을 사정없이 깨운다.

30
무당(3)

쾅쾅쾅 쾅쾅쾅

"누구요? 웬 소란이요!"

"선생님. 급해요. 빨리 가서 동생 좀 살려주시요. 빨리요."

"무슨 일인지 알아야지요."

"수술, 수술요. 얼굴을 크게 다쳤어요."

"알았소. 빨리 준비할 테니 차분합시다."

부자 누나의 급박한 닦달에 의사선생님도 손놀림이 빨라진다. 자전거조차 타기 어려운 좁고 꼬불꼬불한 어두운 시골길을 급하게 따라가는 의사선생님의 이마에는 어느새 송골송골 땀방울이 맺혔다.

"긴장되고 어려운 길이네."

"엄마, 아부지! 의사선생님, 여기 의사선생님."

"아이고 선생님. 우리 아들 좀 살려주시요."

이미 사방은 어둠으로 내려앉았다. 바람소리 하나 없는 숨 막히는 정적 속에 의사의 출현을 목 빠지게 기다리며 마루에는 어느새 여러 등불들로 엄숙하고 정갈한 수술대가 마련되어 있다. 촌각을 다투는 위험한 상황이라 이웃 장정들을 기별하여 마루에 이불을 깔고 사방 천지에 호롱불, 촛불, 종짓불까지 동원된 여태 세상에서 보지 못한 야외 수술대다.

"이 정도면 웬만히 준비가 된 것 같으니 환자를 눕히고 상태부터 점검합시다."

"가윤아! 힘들어도 정신 바짝 차리고 이리 앉아보자."

가윤은 아무런 자기 의사도 표현하지 못한 채 옆에서 손을 잡고 이끌어주는 대로 엉거주춤 불안정하게 자리를 잡는다. 그리고는 온몸을 사시나무 떨듯 떨어대며 팔 근육에 경련을 일으킨다.

"자, 환자분. 내가 의사인데 긴장 풀고 안심해요. 그럼 얼굴 상태 좀 봅시다."

얼굴을 감쌌던 부드러운 천 조각이 다시 하나 둘 풀려가고 모든 사람들이 침조차 삼킬 수 없는 긴장 속에 가윤의 얼굴로 시선이 모인다. 어느 순간 의사선생님이 멈칫하더니 헉하고 한걸음 또 한걸음 뒷걸음질 친다.

"아~ 이럴 수가. 어떻게 이토록 크게... 내 힘으로는 이 환자를 어떻게 할 수가 없소. 난 힘들겠소."

"선생님. 압니다. 그러나 이 상황에선 선생님밖에 응급처치를 할 사람이 어디 있습니까. 의사 선생님의 얼굴만 쳐다보고, 하늘의 기적만 바라는 마음으로 이렇게 서 있는 저희들을 생각 좀 해 주시오. 또한 어떠한 책임도 묻지 않겠습니다. 제발 응급처치만이라도 해주시오."

"힘들겠소. 내 이미 긴장되어 손까지 떨리고 있지 않소."

"여기 모든 사람들이 힘을 합쳐 도울 테니 제발 좀 부탁합니다. 네?"

구세주 같던 의사선생님 마저 당황하자 상황의 위중함을 느낀 가족들의 동요가 일어나고 마침내 흐느끼는 소리가 일어난다.

"우지 마라. 모두 정신 바짝 차리고 의사선생님을 돕자. 우리 아들 가운이 가 저렇게 의연하게 버티고 있지 않느냐. 선생님. 잠시 담배 한 대 태우시고 한 번 더 생각해 주시요."

결국 의사선생님도 어쩔 수 없는 상황이라 인식하는지 주변 사람들을 둘러본다. 그리고 길게 심호흡을 한다.

"담배 한 대 주시요."

"네, 여기 있습니다."

담배를 받아든 의사는 조용히 깊고 길게 연기를 빨아들인다. 그리고 잠시 심호흡을 하더니 이내 다시 또 고개를 가로젓는다. 또 한참의 정적이 흐르고, 마침내 담배 한 대를 더 태우고 나서야 결심을 한듯 보이지도 않는 암흑의 하늘에 강한 시선을 고정시킨다.

"시작해봅시다. 대신 여기 있는 모든 사람들은 어떤 소리도 들을 수 없도록 귀를 막도록 하시오."

그렇게 긴 긴장 속에 전에도 없고 후에도 없을 시골마을 마루 수술대에서 밤이 깊도록 어려운 수술이 이루어진다.

"으으~웅. 우웅~ 으."

"환자분의 의지가 대단합니다. 조금만 더 참아봅시다. 그래도 힘들고 고통스러우면 가장 좋았던 추억이나 미래의 가족들 모습을 연상해보시오."

"우리 가운이 장하구나. 그럼 너는 할 수 있고말고."

"이제 얼마 남지 않았소. 마지막 온 힘을 다해 봅시다."

"우우웅, 우웅~."

알 수 없는 비명을 고비마다 쏟는 가윤의 처절함이 불꽃처럼 튄다. 그러나 인간의 인내도 한계가 있는지 가윤의 고통스러운 비명이 잦아지자 귀를 막고 참관하던 사람들이 저마다 닭똥 같은 눈물을 쏟아낸다.

"어흐흑."

가윤 어머니와 누나는 더 이상 머물지 못하고 대문 밖으로 뛰쳐나간다.

어느덧 새벽으로 달려온 시간이 여명을 불러오는지 아니면 가윤의 처절한 비명소리에 잠을 설쳤는지 새벽을 알리는 닭이 '꼬끼오'하고 울음을 터뜨린다. 그러자 처음부터 새벽까지 긴장 속에 함께 했던 호롱불이며 촛불, 종짓불도 눈꺼풀이 풀어지고 흐느적댄다.

"휴우, 이제 마무리되는 것 같소. 환자분을 방으로 들이고 정리를 합시다."

"선생님. 수고했습니다. 감사합니다."

"환자도 수고 많았고 가족들도 용기를 잃지 않았으면 합니다. 또한 비상 응급처치만 했으므로 곧 날이 밝거든 어떤 방법을 동원해서라도 광주의 제중병원으로 찾아가 보십시오. 거기서 재수술과 함께 치료를 해야 합니다."

"네. 알겠습니다. 가윤아 고생했다. 큰 병원에 가면 더 완전하게 치료가 될 거다. 아부지만 믿어라. 그리고 우리는 제중병원으로 가야 하니 옥곡까지 배로 움직일 수 있도록 동생이 준비를 해주게."

"형님 알았소. 여기 일은 우리 부부에게 맡겨 두시오."

"참 동서. 우리가 병원으로 떠나거든 지난번 길윤이때 우리 집에서 산바람 맥이를 했던 무당을 좀 찾아가 보게."

"알았소. 형님. 걱정 마시오."

날이 밝자 마을 앞 강가에는 아직까지도 철 따라 떠나가지 못한 오리들이 꽥꽥거리며 물질이 바쁘다. 채비를 마친 가윤네가 뱃길을 이용하는데 세차게 들어오는 물살이 가윤이 치료에 힘을 보태려는 듯 노를 저을 필요가 없도록 빠르게 이동시켜간다.

한편 집에서는 한바탕 홍역의 끝인지 망연자실한 부자와 어린 동생들이 서로의 눈치만 보며 기가 푹 죽었다.

"부자야! 이럴 때일수록 네가 정신 차려야 한다. 우리가 옆에 있으니 너무 걱정 말아라."

"네. 작은어머니. 가윤이는 이제 괜찮아지겠죠. 그리고 엄마 말대로 지금이라도 무당집에 한 번 가봐요."

"그래. 너도 같이 가보자."

서둘러 준비를 해서 부자와 작은어머니는 무당이 있는 옥곡으로 향한다. 늘상 물때에 의존해온 홍총골 삼정 앞 나룻배가 오늘도 천하태평 널리리 맘보다.

"아재요. 힘들지만 조금 더 빠르게 가면 안 될까요?"

"마음이 급해서 빨리 서두른다고 해도 물살을 거슬러 움직이면 별 차이가 없지. 괜히 힘만 빼는 법이지."

답답한 부자의 마음을 사공은 아는지 모르는지 삿대질이 질펀하다. 마침내 무당집 앞에 도착하는데 어떤 점괘가 나올지 또 긴장이 된다.

"이 집안 대주가 삼재수가 들었는데 하필이면 선산 바람이 온통 이 댁으로 불었구나. 손으로 인해 닥쳐올 재앙이 삼사오방에 가득한데 이를 어찌할꼬."

"당골래 방도를 찾아주시요."

잠시 침묵하며 눈을 감고 있던 무당이 '휘이익'하고 연신 휘파람을 불어대더니 어렵게 입을 연다.

　"칠성당, 산신당, 용왕당 어느 한곳도 막히지 않은 곳이 없구나. 빨리 풀어내지 못하면 또 다른 재앙이 닥쳐오는구나."

　"그럼 어떻게 해야 이 바람을 재울 수 있소?"

　"굿을 해야지. 그것도 큰 굿을 해야 한다. 쯧쯧쯧. 조금 참지. 뭐하러 손 걸린 쪽으로 갔을꼬."

　"알았소. 준비를 할테니 좋은 날로 택일해주시오."

　"일각이 여삼춘데 택일이 어딨는가."

　"그럼 오늘 당장 시작합시다."

　무당의 닦달에 작은 어머니와 부자는 몸과 마음이 바빠진다. 여태껏 하루 해가 이렇게 길고 애간장을 태운 적이 없었다. 봄으로 달리는 오후의 햇볕이 온기를 잃고 쌀쌀하게 흔들거린다.

　　　　　　　　　　　바람으로 오는 풍금 소리

31
무당(4)

부자누나와 작은어머니가 집으로 돌아온 지 채 30분도 지나지 않아 지난 번에 왔던 당골래가 남자 한 분과 여자 한 분을 대동하여 대문으로 들어선다.

"생닭 한 마리가 지금 바로 필요하니 준비 좀 해주고 꽃 맨들 방을 좀 마련해주시오."

"닭은 어떤 닭이 좋습니까?"

"장닭이면 더 좋고 크고 작은 건 상관없소."

방목으로 키워가는 시골 닭이라 잡기가 만만찮지만 작은아버지의 지혜가 놀랍다. 평소 같으면 한 톨도 먹기 어려운 하얀 쌀을 바가지에 넉넉하게 담아오더니 창고 문을 확 열어젖힌다. "구구구 구구구"하며 닭을 불러 모으는가 싶더니 큰 인심 쓰듯 창고 바닥으로 쌀을 뿌려댄다.

"이놈들아. 빨리 들어가서 평생 묵기 어렵던 흰쌀이니 마음껏 묵어봐라. 혹여 나에게 잡힐지라도 너희 주인을 위함이니 원망일랑 말아라."

꼬꼬꼬 꼬꼬꼬 소리를 내며 만세 삼창이라도 부르는 듯 뛰어 들어가는 어린 닭들과 달리 갑자기 베풀어진 호의에 큰 닭들은 고개만 갸웃거리고 애간장을 태우며 주변만 맴돈다.

"요놈들 보게. 내 그럴 줄 알고 넉넉하게 쌀을 준비했지. 5분 정도는 충분히 기다려 주마."

속지 않는 큰 닭들에 잔치라도 베풀어 주는 것처럼 작은아버지는 또 '구구구'하며 창고 안으로 두 주먹의 쌀을 뿌려댄다. 그러자 지금까지 뜸만 들이던 큰 닭들이 우르르 안쪽으로 쏟아져 들어간다.

"됐다. 이제 선택은 내가 한다."

마침내 선택된 닭이 당골래 손에 전달되자 어떤 주저함도 없이 닭의 목을 잘라 시뻘겋게 분출되는 핏물을 집 주변으로 뿌려댄다.

"이 집의 모든 신과 귀신들은 들을지어다. 오늘 밤 이곳에서 신을 위한 잔치를 벌일지니 그냥 지나치지 말고 객귀들까지도 허기짐을 때우도록 하소서."

얼추 간단 의식이 끝났는지 잘려나간 닭 머리와 몸뚱이 사이로 십자 모양의 선을 긋고 부엌칼을 대문 쪽으로 내치듯 던진다.

기울어가는 서산의 해가 채 한 뼘이 남지 않았을 때 이웃 아낙들의 손놀림이 빨라지고 음식들은 익어간다. 방에서 꽃을 만드는 사람들도 요리조리 창호지를 말아서 슥삭슥삭 싹둑싹둑 가위질이 바쁘더니 획하고 당기며 조물조물하자 붉고 희고 파란 노란 꽃들이 탐스럽게 피어난다.

"이제부터 부정 탈 행동을 조심하고 신 내림에 필요한 대나무를 하나 잘라다 주시요."

당골래는 부엌에 마련된 시루떡에 촛불을 꽂고 대나무 끝에 하얀 꽃을 달

바람으로 오는 풍금 소리

더니 휘이익 하고 또 휘파람을 분다.

"성주님. 조상님네 이 집안의 장손이 큰 사고를 당해서 대주가 부재중입니다. 경황이 없이 마련된 자리라 탓하지 마소서."

일순간 북과 징 소리를 울리며 신 내림의 경문을 읊어간다. 조용히 안식을 찾아가던 마을은 순식간에 무당의 춤사위에 들떠 오른다. 그러나 그것도 잠시 잠깐이다.

"어허이~ 휘이익. 왜 이리 조왕신의 응답이 없는지. 자꾸만 잠이 오고 맥이 빠지는구나. 어허이~ 어허이~"

긴장된 자세로 지켜보던 사람들도 흥이 오르지 않고 뭔가 빠진 허전함을 느낀다. 어렵게 조왕신을 찾아 달램의 제를 마치고 무당은 대나무로 울울 창창한 이장묘로 안내받는다.

"아이고 내 새끼야. 이를 어찌할꼬. 가만히 둔다고 밥을 달래더냐, 부귀영화를 달래더냐. 내 자리가 어때서 낯설고 물설고 온갖 잡신들이 우글거리는 이곳으로 데려와 이 고통을 주느냐."

"몽매한 자손들이 조상님의 평안을 헤아리지 못하고 보기 좋고 반듯하게 새집을 지어 드린다는 생각에 화를 재촉하게 되었나이다. 부디 자손들이 지은 죄를 사하여 주소서."

무당들은 어두워오는 밤에 쫓기듯 산신제를 지냈던 음식들을 여기저기로 던진다.

"이제 다시 집으로 돌아가서 성주신에 빌어보고 칠성신에 성의를 다하면 오늘 우리의 정성이 하늘에 닿을 것이요."

"당골래. 식사 먼저 하는 게 어떨까요?"

"우리야 일할 때는 시장함을 모르지만 여러 사람들의 수고를 미리 덜 겸 식사부터 합시다."

마루와 방에 식사 자리가 마련되고 몇몇 아지매들의 남편들도 함께 한다. 식사시간 간간이 당골래의 시선이 한곳에 머문다. 식사가 거의 끝나갈 무렵, 당골래의 눈이 빛을 발한다.

"저기 아저씨 댁 아내가 누구요?"

"아~ 옥룡댁!"

"나중에 그분을 좀 보게 해주시오. 얘기해줄게 좀 있어서."

휘이익 휘이익 조용히 눈을 감은 무당은 아무 말이 없이 생각에 잠긴다.

"또 시작해봅시다."

무당들의 굿판은 지칠 줄 모르고 더욱 질펀해진다. 이를 바라보는 사람들의 눈동자가 다소 초점이 흐려질 때쯤 징을 두드리는 무당 옆에 서 있던 희자가 뒤로 벌러덩 자빠지며 이상한 소리를 내면서 푸르르 경련을 일으킨다.

"아다다 사라 무카무카 사카다다 얼라리리 얼랄랄랄"

"어메. 희자가 왜 이런다요?"

"자가 왜 저러냐. 저녁 묵은 게 체했구나."

"얼랄라비 사카다라 으... 으..."

"빨리 물 좀 가져와라."

"가만히 둬라. 방언이다. 방언이 터졌다. 오늘 이 집에 기운이 통하는 것 같다."

이 소리와 더불어 무당들은 더욱 기세를 몰아 힘차게 튀어 오른다. 희자의 주문 소리와 경련이 한참 동안 이어지고 무당들의 타악기 소리가 하늘로 이어진다. 한참이나 쓰러져 있던 희자가 갑자기 일어나는데 눈은 초점을

바람으로 오는 풍금 소리

잃었고 행동은 술을 먹은 듯 휘청거린다. 그러더니 찰나적으로 무당이 들고 흔들어대던 신대를 낚아채어 떨어 대기 시작한다.

"어떤 신이 이렇게 오셨는지 신분을 알려주시오."

"나는 이 집 대주의 할미니라. 대주의 안쓰러움에 가만히 있을 수가 없구나."

"자손에 마음이 아파 할머니가 오셨구나."

"내 손주의 불상사를 더는 볼 수 없고 내가 지고 갈란다. 여기저기 불귀들이 어떤 방해를 해도 내가 지킨다."

희자가 하는 말에 작은아버지 내외와 집안 어른들이 모두 고개를 조아리고 절을 해댄다. 약간의 시간이 흐르고 희자는 멀쩡하게 평소의 모습으로 돌아온다. 밤이 흐르고 흘러가는 별들 사이로 북두칠성이 폭포수처럼 쏟아져 흐른다. 뒤뜰로 자리를 옮긴 무당들은 쉼 없이 기도를 올리며 마지막 남은 색색의 꽃들을 한 줄에 이어 붙인다.

"비나이다. 비나이다. 우주 만물의 생명을 관장하는 칠성신에 비나이다. 이 시간 이후로 이 집안의 모든 자손들에 새 생명의 끈을 이어주시어 수명 장수토록 해주소서."

휘이익 휘이익

마지막 힘을 모으는 듯 당골래의 휘파람이 절정에 이르고 신대에 붙어 있던 꽃들을 모아 불사른다.

"모든 잡신과 액운은 확실하게 물러날지어다."

많은 사람들의 바람 속에 대장정의 굿이 막을 내린다.

"저... 당골래. 의논할 게 있어요."

"그래요. 말해봐요."

"오늘 제가 이상한 소리를 하고 신이 내려서 무당이 된 것 같은데 이를 어찌할까요. 혹시 이 집에서 부정을 타서 그 액운이 나한테도 옮겨온 건 아닐까요? 무서워요."

"걱정 말아요. 처녀는 다른 사람보다 영적으로 발달돼서 그러니 염려하지 않아도 돼요."

"그래도 겁나요."

"호호. 그러면 강신무가 된다고 생각하고 이 공부를 해보든지. 또 아니면 어머니가 무당이라면 세습무는 될 수 있겠네요. 걱정 안 해도 돼요."

친절하게 여러 설명을 한 후 무당은 피곤한 기색도 없이 야릇한 미소를 띤다.

"당골래. 아까 우리 집 남편을 보고 날 찾았다더니 왜 그러시우."

"아~ 옥룡댁. 사실 댁의 대주님이 식사할 때 봤더니 좋은 풍채와는 달리 수명장수에 장애가 있는 듯하여 그 방패를 알려 주려고 불렀소."

"네?! 자나깨나 그게 내 근심인데 이를 어쩐다요."

옥룡댁 아지매는 울상이 다 되어 당골래의 얼굴만 쳐다본다. 당골래는 다시 한 번 휘이익하고 휘파람을 불더니 한참이나 천장을 응시한다. 그리고 알듯 말듯 엷은 미소로 옥룡댁을 살핀다.

바람으로 오는 풍금 소리

32
무당(5)

　무당의 알지 못할 미소에 옥룡댁은 눈만 깜짝이고 불안한 마음에 침이 마른다. 결국은 '우리도 굿을 해야 하나'하고 한숨짓는다. 굿이야 돈만 있으면 해결되지만 그 돈이 문제다. 하루 입도 풀칠하기 버거운 이때에 어떻게 그런 돈을 마련해야 할지 눈앞이 캄캄하다.

　"굿을 해야 하는가요?"

　"그것도 한 방법이긴 하지만 더 나은 방법이 있는데, 옥룡댁의 마음이 허락할지 걱정이네."

　"남편이 수명장수한다는데 못할 일이 뭐 있겠소."

　옥룡댁은 돈보다 나은 방법이 무엇일까 하는 의문이 들지만 그래도 이 어려운 때에 돈 문제가 아니라고 하니 다소간 안심이 된다.

　"그래도 이 방법은 차마 말하기가 그렇네."

　"아니요. 해볼라요."

"그러면 내 말하리다. 댁의 남편에 꼭 필요한 일은 기가 강해서 그 기운으로 액운을 막아 줄 후처를 만들어주는 일이요."

"네에? 아니 어떻게..."

"그러게 내 뭐라 했소. 어려운 방법이라고 하지 않았소."

　　......

　　......

"저... 차라리 굿을 하는 것이..."

"나도 그랬으면 좋겠소. 그러면 내 수입도 나아지고. 그러나 그것보다 사주팔자의 문제라 굿으로는 한계가 있소. 내 괜히 이 말을 해서 심기를 흔들어 놓는구려."

"당골래! 해봅시다. 단, 자주 만나지 않아도 괜찮겠지."

"그렇소. 이는 아내가 둘인 형식의 일이라 간단한 방술만 쓰면 한 방에서 잠을 자지 않아도 된다오."

"그러면 그 방법으로 해 주시오."

무당은 걱정했던 옥룡댁의 결정이 내려지자 다시 또 '휘이익'하고 연거푸 휘파람을 불어댄다.

"혹시 주변에 괜찮은 사람은 있소? 이를테면 과부 같은..."

"글쎄다. 이제 찾아봐야지다. 과부는 좀 걱정이 되고..."

"내 주위에는 이럴 때 가능한 사람이 더러 있는데... 당사자가 괜찮아할지."

"무슨 상관이겠수. 어떤 사람이요."

"우리 같은 무당은 혼자 사는 사람이 많소. 나도 그런 부류고. 괜찮다면 옥룡댁의 부담도 덜 수 있는 무당이 제격이요."

"그리만 된다면 나야 좋지만 남편이 받아들일지가 문제요."

"그건 설득하기 나름이요. 본인을 위해 충실한 기도를 해줄 수 있고 또한 남편의 마음이 탐탁지 않으니 이 부분을 살짝 건드리면 옥룡댁도 안심이 될 거고."

이 말에 옥룡댁은 어두운 밤에 불 본듯 얼굴빛이 밝아진다.

"당골래. 이런 일은 한시가 급하고 빠를수록 좋다는 생각인데 어렵겠지만 그 일을 당골래가 좀 해주오."

"네에?"

"내 이리 부탁하리다. 사사로운 우리 집 가정사를 남에게 이야기하기도 그렇고 우리 집 양반도 당골래의 미모면 충분히 이해될 것 같소."

"하이고... 그래도 흐, 어쩐다지... 음."

"당골래만 승낙하면 나머지는 내가 알아서 하겠소."

옥룡댁은 어려운 난제를 짧은 시간에 풀게 되어 다행이다. 더욱이 그 대상이 당골래이기에 크게 안심이 된다. 당골래 또한 신병으로 질곡 같은 삶을 살다 결혼 2년 만에 강신무가 되어 남편과 헤어진 뒤, 꿈에 그리던 낭군을 다시 얻게 됨에 그 기쁨이 한량없다.

"디트릭 선생님! 우리 가윤이 재수술하면 더 많이 좋아지겠죠? 크게 부어 있는 한쪽 입술도 원래처럼 좋아질까요?"

"그렇습네다. 많이 많이 좋아지는 것 맞습네다. 그러나 코 아래 이 부분 입술은 우엄한 자리라 걱정이 됩네다."

"그러면 또 수술을 한다 해도 크게 좋아지는 건 아니네요."

"우리가 많이 노력하지만 현재 기술로는 한계가 많습네다. 세월이 가고 또 한참 가면 좋아지는 건 당연합네다."

일제강점기에 폐쇄되었던 제중병원이 6.25전란 중에 재 개원해서 불과 몇 년 만에 외과 진료까지 하게 된 건 가윤에겐 큰 행운임이 틀림없다.

"저 디트릭 선생님."

"네. 디티릭입니다."

"흐, 디테릭 선생님. 고생스럽더라도 아들 가윤이만 본래처럼 수술해 주시면 그 공, 꼭 갚도록 하겠습니다."

"저도 그러고 싶습네다."

다행히 상태가 좋아진다고 하니 안심은 되지만 과연 일반인들의 시선에 가윤의 마음이 상처받지 않을지 근심이 된다. 최근 들어 가윤이 더 어른스러워진 건 사실인데 자신의 처지를 감내해서 철이 든 건지 아님 자나 깨나 근심 걱정인 부모를 위해 속내를 감춘 건지 짐작이 어렵다.

"가윤이 아부지. 이제 가윤이가 병원에 적응도 되어가니 송정리에 있는 성님집에 한 번 다녀오시오."

"그럴라네. 그전에 자네도 식사도 할 겸 밖에 바람이라도 좀 쐬고 오소."

"나는 괜찮소. 이제야 하늘이 보이요."

"아따 이제야 말할 것 같소잉. 처음에 총각 모습을 봤을 때 하이구 어떻게 저리도 많이 다칠 수 있을까 하고 걱정을 많이 했어라."

"그랬소. 우리는 하늘과 땅이 딱 맞닿아 버렸으면 했지다. 어떤 때는 사람 노릇이 어렵다면 차라리 다쳤을 때 죽어버렸으면 나았을걸 하고 원망도 했지다."

"부모 마음이 다 그렇지 않겠는가라. 다행히 많이 좋아지고 있응께 저 착한 가윤이 마음 아프지 않고 잘 살았으면 좋겠어라."

"청자 어매 고맙소."

다소 안정을 찾아가는 가윤 부모는 그간 얼마나 마음고생이 심했는지를 되짚어본다. 그리고 앞으로 가윤이를 위해 자신들이 해야 할 일과 가윤이 겪어가야 하는 가시밭길에 다시금 긴 한숨이 나온다. 혹 주변 시선에 위축되어 자신을 자책이나 하지 않을까 하는 조바심이 잠시의 위안을 또 흔들어 버린다.

"한참 외모에 민감할 나이인데…"

"뭘 그렇게 예민하게 생각하는가. 우리가 번듯하게 자리 잡고 있고 더 열심히 일해서 밥걱정 없이 해주고, 자주 수술해주면 많이 좋아질걸세."

"그것도 맞다. 그러나 생각만으로 그 고통을 이긴다는 것은 어른도 쉽지 않은데, 저 여린 애가 어떻게 이겨나갈지 걱정에 맘이 아프요."

"가윤아. 어매랑 당숙 집에 좀 다녀올랑께 참고 있어라."

가윤이 말없이 고개로 답한다. 오랜만에 편한 마음으로 병원 문을 나서는 가윤 부모는 눈을 지그시 감으며 깊고 길게 공기를 마셔본다.

"아~ 공기가 너무나 청량하고 새롭소."

"그러게 이제야 가슴이 툭 터지는 것 같군. 조금만 참고 힘내어보세."

"고향집 작은 애들은 잘 있겠지다?"

"부자가 있고, 동생 내외가 있는데 걱정할 필요가 있겠는가."

"당골래 어서 오시요."

"아이고, 성님. 이제는 말씀 낮추시고 한곳을 바라보며 우리 재미있게 살아요."

"그럴까. 그러면 편하게 하겠네. 하기야 우리의 운명이 그냥 단순하게 이루어진 것은 아니니까. 한 남자를 사이에 두고 두 여자가 섬겨가는 인연이 보통 인연이겠는가. 더구나 다른 여인을 남편에게 소개해야 하는 기구한 운명이 세상에 또 어디에 있겠는가."

"성님. 그 마음을 내 어찌 모르겠소. 내 또한 기구한 운명으로 팔자에 없는 무당이 되어 천금 같은 남편을 떠나보내고 새로운 낭군을 찾게 되는데... 정성을 다할라요."

"그러세. 하늘이 부여한 우리의 운명을 한 남자를 위해 쏟아보세."

두 사람은 의기투합하듯 자매처럼 정답게 손을 잡고 마치 나라를 구하는 심정으로 속삭인다. 그리고 서로에게 표현은 하지 않지만 '이것만은 조심해 주겠지'하는 마음이 간절하다.

"큰애야. 동생들 데리고 들어와서 인사드려라. 이 분은 오늘부로 엄마와 자매처럼 살기로 약속했다. 앞으로 이모처럼 가깝게 지냈으면 한다."

"그럼 이모라고 부를까?"

"음~ 그래라."

남편과는 사전에 교감이 된지라 달리 설명할 필요가 없다. 어정쩡한 자세인 남편을 향해 옥룡댁은 "아따. 당신은 좋겠소이, 새 장가가는 기분이." 하며 억지로 웃어본다.

"이 사람아. 무안하게 어찌 그런 소리를 하는가."

"농담이요. 흐."

"자 그럼 잠이나 잡시다. 오늘만은 자리를 피해주고 싶지만 여유 있는 방도 없고 하니, 동서 이해해줄 거지?"

"아이고. 성님은 짓궂기도 하시지."

초근목피의 살림살이 덕에 부족하고 부실한 이부자리를 나눠덮고 잠을 청하지만 잠은 자꾸만 뒷걸음친다. 오랜 침묵이 흐르고 서로의 뒤척거림을

바람으로 오는 풍금 소리

확인하다 옥룡댁이 먼저 꼬리를 내렸는지 이내 코 고는 소리가 난다. 남은 두 사람은 말하기도 부담되는 상황에 파르르 긴장을 하는데 머뭇거리던 당골래가 조심스럽게 새 낭군의 손을 잡아당긴다.

33
무당(6)

당골래의 까칠까칠한 손이 새신랑 효원 아빠의 손을 잡아당기자 그는 생각지도 못한 상황에 움찔하더니 달달 떨기까지 한다. 상황의 여건은 이해하지만 본인을 중심으로 양쪽에서 잠을 청하는 여인들이 꼭 자신을 시험하는 것 같아 걱정 반 서글픔 반이다.

"효원이 아부지 당신은 좋겠수."

"이 사람아! 뭐가?"

"아 글쎄 당신 사주팔자에 마누라가 둘은 되어야 백발이 될 때까지 오래 산다고 하니, 내 마음이 아파도 어쩌겠소."

"무슨 소리야. 그런 팔자가 세상 천지에 어디에 있어."

"참말이오. 지난번 부자네 집에서 굿을 할 때 무당이 당신을 보고 내게 귀띔을 해줘서 여러 군데에 알아보니 기운이 강한 여자가 당신 옆에 있어

줘야 한다네."

"별 씰 데 없는 소리! 당신 기운도 내게 벅차다, 이 사람아."

"농담 아니요. 그래서 내 눈 딱 감고 무당더러 그 기운 역할을 해달라고 부탁해놨소."

"……"

"그 정도 인물이면 남한테도 빠지질 않고 당신을 위해서 기도도 잘해줄 것 같고."

"…나중에 후회하지 말고 여기서 멈추지."

"나도 여자니께 이것만은 약조해주시오. 지금은 그렇지 않는다고 해도 남녀 관계가 어디 맘대로 된다요. 그래서 말인데 당신 편인 나를 적으로 맨들려지 말고 당골래를 어릴 적 소꿉친구 정도로만 생각했으면 좋겠소."

"알았어. 무신 말인지."

"어머, 당신 마음에 쏙 드는 모양이네. 흐"

"또 씰 데 없는 소리, 그러면 없었던 일로 하고."

"아니요. 농담 한 번 해봤소. 한 가지 더 있소. 노파심에 하는 말인데 혹여 실수로 둘째와 잠을 잔다고 해도 절대로 정을 주는 깊은 사랑만은 안 된다는 것 명심하시오."

기이한 이 상황에서 퍼뜩 지난번 아내와의 대화가 생각나며 긴장을 더한다. 다음 순간 신랑이 당황하며 어쩔 줄을 몰라 곤란해 하는데 새 신부의 까칠한 손이 처음에는 조심스럽게 움직이더니 이제는 둘만의 신방처럼 대놓고 노골적이다.

"으~음"

일부러 잠을 자는 것처럼 태연하게 있어보려고 하지만 밀물처럼 거침없이 들어오는 여인의 손길을 막고 거부하기 벅차다. 인내의 한계에 도달한 신랑이 새 아내 쪽으로 몸을 돌리며 살포시 안아본다. 그러자 대담한 것 같던 새 신부가 감전이라도 된 것처럼 파르르 흔들거린다. 두 사람은 어느덧 야릇 야릇한 새싹같이 바람에 흔들리며 이성에 둔감해지고, 속도를 내기 시작한다. 이때 난데없이 삐쭉 내밀어진 가냘픈 손길이 신랑의 허리춤을 사정없이 꽉 꼬집어 댄다.

"아야야!"

"왜 그러시우?"

"어 어, 꿈속에서 부드러운 찔레 순을 따려다 가시에 찔렸네."

"기나긴 밤이라지만 별 요란한 꿈을 다 꾸시오."

"코까지 골며 자던 사람을 놀라게 했구먼."

세 사람은 웃고픈 이 상황에서 마음이 몽글거린다. 밤은 그렇게 깊어가고 호시탐탐 기회를 노리는 자와 방패 방범으로 무장된 자의 대결이 여명의 눈동자에 위탁되며 무장 해제된다.

찌는 듯한 날씨가 방학으로 이어지는 매미소리와 함께 싸움꾼처럼 사납다. 여러 무리의 아이들이 줄을 지어오다 흐트러지고 바로 집으로 가는 아이와 옷을 훌훌 벗고 배수지로 뛰어드는 아이들로 넘쳐난다. 키득거리고 재잘거리며 물속으로 자맥질하고 개헤엄과 어설픈 평형의 자세는 제법 진지해진다. 한 동네 아이들이 주섬주섬 옷을 입고 나간 자리를 다른 동네 아이들이 메꾸어 가며 거의 같은 놀이로 이어가고 있다.

"이 뻘물에 놀다가 죽는 거 아닌가."

　　　　　　　　　바람으로 오는 풍금 소리

"괜찮타. 이 물이 보기보다 건강하다."

"니들 바보 아니가. 이 더위에 이렇게 시원함을 주는 최상의 이 물에 별소리를 다한다."

"그러게 말이다."

"이제 우리가 거의 마지막이니까 좀 더 오래 놀다 가자."

"그래. 우리 누가 헤엄 잘 치는지 내기나 할까."

"좋다. 저기까지 헤엄쳐 가는데 반칙은 없기다."

시작 소리와 함께 저만치 서있는 아이를 보고 각자가 사력을 다해 헤엄쳐간다. 자세는 신경도 없고 오직 승리만을 위해 치열하게 물과 싸움을 해가는 아이들 중 이미 시합을 포기한 듯 히죽거리며 유유자적하는 아이가 이채롭다.

"우리 이 놀이보다 물속에 들어가서 누가 더 오래 있는지 내기할까?"

"좋다. 그러자."

"그럼 동네 입구까지 책 보따리 들어주기 하자."

"동네까지는 너무 멀고 힘들다."

"그러면 이기면 되잖아. 질 것 같으니까 그러제?"

"뭔 소리고. 내가 질 것 같으면 왜 내기를 하냐."

"좋다. 그럼 붙어보자."

셋을 신호로 아이들이 일제히 물속으로 빨려 들어간다. 그리고 얼마 지나지 않아 한 아이가 튀어나오고 조금 더 지나자 여기저기서 아이들이 튀어오르며 가쁜 숨을 몰아쉰다.

"내가 일등이다."

"뭔 소리고. 아직도 안 나온 애도 있다."

"대단하다. 어찌 저리 오래 있을까."

"그러게. 부럽다야."

"저 봐라. 물속에서 거품이 나오는 걸 보면 늦게 들어간 거 아니가?"

"나왔다가 다시 들어갔나 보다."

이와 동시에 태헌이가 용수철처럼 물살을 뚫고 뛰어 오른다. 그리고 좌우를 살피더니 씩 웃는다.

"내가 일등 맞제."

"그래. 네가 일등인 것 같다."

"그럼 누가 내 책보 들어 줄끼고! 왜 대답이 없냐."

"꼴등이 누구인지 모른다."

"그게 말이 되냐."

"말이 된다. 심판이 없었는데 어찌 아냐."

"야, 치사하다 치사해. 내 책보 내가 든다."

한바탕 또 삐침과 웃음이 일어나고 아이들은 다시 왁자지껄 물놀이가 바쁘다. 어느덧 배수지 주변이 한산해지고 하굣길은 정적이 머문다. 물놀이에 빠졌던 아이들도 이젠 지쳤는지 동작들이 한결 느슨하다.

"너무 놀았다. 배도 고프고 집에 가자."

"그래 가자. 나는 집에 가서 소 띠끼러 가야 한다."

"좀 더 놀다가도 되는데?"

"한길이 너 집에 가서 동생 보기 싫어서 그러지."

"너도 동생 있어봐라. 그럼 내 맘 안다."

아이들은 마침내 배수지를 나와서 옷을 입기 시작한다. 시작부터 빨개 벗어 거리낌이 없는 아이들은 잽싸게 옷을 입고 나서는데, 부끄럽다며 팬티를 입은 채 놀던 아이들은 이리 두리번 저리 두리번거리며 입고 있던 팬티를 벗어 물을 짜내고 엉거주춤 옷을 입는다.

"집으로 출발!"

"다들 이상 없지?"

"아니 저 옷은 뭐냐?"

"누가 자기 옷도 모르고 그냥 집에 간 거 아닌가?"

"설마 그러면 저 신발은 뭐고?"

"장난치면 혼난다."

"장난치려고 일부러 어디 숨은 것 아닌가?"

"그럴 리 없다."

"여기저기로 찾아보자."

아이들은 혹시나 하면서도 뭔가 이상한지 이곳저곳을 기웃거리며 분주히 찾아본다. 그래도 옷의 임자가 없자 서로 당황하며 어쩔 줄을 모른다.

"잘 봐라. 누구 옷과 신발인지."

"선해 옷 같다."

"뭐, 선해?"

"선해는 아까부터 안 보였는데... 집에 간 거 아닌가?"

"아까까지 우리랑 물속에 들어가 오래 있기 놀이했는데."

"그럼 그 후로 본 사람 없냐?"

"……"

"……"

아무도 말이 없다. 단지 뭔가 크게 잘못되었음을 직감할 뿐이다. 모두들 얼굴이 굳어지고 얼굴이 파래진다.

"느그들 몇 명은 빨리 집으로 달려가 선해 집에 알려라. 그리고 우리는 선해를 다시 찾아보자."

"선해야!"

"선해야!"

"선해야!"

선해를 부르는 소리만 사방으로 요란할 뿐 대답 없는 메아리가 허공에서 겉돌며 한없이 슬프다.

바람으로 오는 풍금 소리

34
무당(7)

　사고를 직감하고 주변 동네 사람들이 줄줄이 몰려나오고 젊은 장정들은 배수지로 뛰어든다. 급박한 상황에 서로가 긴장하여 손을 맞잡은 사람들과 미리 슬픔을 예감한 사람들이 물빛에 놀라 하늘을 원망하듯 응시한다. 세상은 이미 멈춰서고 풀잎소리하나 범접하지 못한다.

　"찾았다!"

　"세상에, 이를 어찌할까나."

　"살릴 방도를 빨리 찾아야 한다. 레어카에 짚불 재를 담아와라."

　"인공호흡이 급하다. 고등학생 승현이는 알 것이다."

　"아이고 불쌍해라. 저 초롱이를 어찌 보낼까."

　"재수 없는 소리 마시요. 어떻게든 살려내야지."

　갑작스러운 호출에 부리나케 달려온 승현이가 적극적으로 인공호흡을 시도해 보지만 선해의 몸은 머리카락 한 올 움직임이 없다. 사람들은 서로에게 벌떡 일어날 회생의 묘수를 재촉한다. 그러나 그저 변죽만 울릴 뿐 시원한 해결 방도가 없다.

"빨리 레어카에 싣고 선소 병원으로 가야한다."

"몸이 따뜻해지도록 옷을 벗어 이불을 만들어보자."

"그전에 항문이 열렸는지 확인부터 해봐라."

"항문이 열려버렸는데 그럼 틀렸단 말이요?"

"마지막 방법을 찾아보자. 짚불 재로 몸을 덮고 빨리 병원으로 가야한다."

사람들은 발을 동동 구르며 온갖 지혜를 다 동원해보지만 선해는 끝내 사랑하는 부모형제의 애타는 울부짖음을 뒤로 하며 기울어가는 일몰과 함께 조부모의 산소 옆에 조용히 안장된다. 언제나 그렇듯 아침을 여는 생명의 소리는 희망차고 경쾌하나 어둠으로 사라져가는 세상사는 쓸쓸하고 고즈넉하다. 선해의 뒤안길이 짧고 한스러운 울림으로 허허하다.

"혜원 아버지, 요 며칠은 왜 얼굴 보기가 어려웠소?"

"말도 마소. 옆 동네 꼬맹이가 학교 갔다 오다 물 사고로 그만 죽어버렸지 뭔가."

"에구 그런 일이 있었소? 안 됐구려. 그런데 그런 일은 집안에 액운이 없으면 일어날 수 없는 일이다."

"아무리 그래도 말조심하게. 누가 들으면 어쩌려고."

"두 사람 이야기를 누가 듣는다요."

"모르지. 누군가가 점을 보러 오다 듣고 그 말을 잘못 전달하면 오해가 될 소지가 있네."

"요즘은 점보는 사람도 거의 없고 굿은 더 어렵소."

"아마도 시대의 변화로 예배당이 생기고 교회로 가는 것이 굿하는 것보다 편하고 낫다고 여기는 것 같네."

"나도 그렇게 생각은 하지만 그래도 이건 썰물이 빠져나가는 것 같소."

"나로 봐서는 여러모로 다행인 것 같네. 자네와 같이 있을 시간도 많아지고 심하게 고생하는 굿도 염려되고."

"호호호. 그래요. 전지전능하신 신당 앞에서 할 얘기는 아닌데 사실은 무당질도 얼마 남지 않은 것 같소. 그래서 여러 고민 끝에 영감도 만나고 영감을 위해 기도하는 시간도 늘리고자 시집을 간 것이요."

"이 사람 보소. 나를 도피 대상처로 삼다니!"

"별 소릴 다하요. 얼마 전까지만 해도 신과 인간 사이에 화해의 가교 역할로 대접 받던 우리가, 시대의 변화로 퇴물이 된 것 같은 아픔 때문이란 걸 알면서. 혜원 아버지 어여 해 넘어가기 전에 본가로 가시오. 성님 호통이 또 올까 겁나요."

"이 사람아. 우리가 어디 앤가. 본인도 그리 알면서 억지로 그럴걸세."

"아니요. 우리가 편한 관계가 되려면 말이 나지 않게 합시다."

"참 그렇고. 애가 죽었다는 집은 어떻게 되었소?"

"집안이 발칵 뒤집혀졌지. 하늘의 뜻을 어찌 인간의 힘으로 거역할 수 있겠는가. 신은 인간을 초라하게 만드는 것 같네. 어린애라 저 세상에서 조부모의 도움이 필요하다고 조부모 산소 옆 근처에 조그마한 무덤을 만들었더구만."

"네? 큰일났소. 있을 수 없는 일이 되어버렸소. 산 자와 이미 죽었던 자의 권위는 정반대임을 어찌 몰랐을까? 생장을 다른 곳에 묻었다가 이장을 해오는 것도 조심해야하는데 하물며 어른을 손자의 지배를 받으라고 해놓았으니 참, 조부모의 고통이 수반된 노여움이 클 것이요."

"설마 그럴리가."

"어찌 내말을 쉽게 생각하시오. 죽은 애의 부모에게는 이야기하기 어려우니 친척을 통해서라도 귀띔을 해줘야 돼요. 대처가 늦어 산바람이 불기 시작하면 용빼는 재주라도 막을 수 없소."

"참 곤란하네. 모른 체 할 수도 없고."

둘째 아내와 이야기를 나누던 혜원 아버지는 맘이 편치 못하다. 모처럼 기회를 봐서 작은 아내와 함께 있고 싶지만 이 상황에서 고집을 부릴 수가 없다. 굳이 눌러 있으려고 해도 체면이 서지 않고 일어서려고 하니 허전한 기운이 든다. 또 자꾸만 자신을 피하려하는 당골래가 얄밉기도 하다. 어정 쩡하게 엉덩이를 빼고 일어나 집으로 돌아오는데 옥곡뜰 하천방천을 지나는 여름바람이 토닥토닥 시원하게 하늘거린다.

"아니 이게 누구요! 성님, 형수 아니요."

"혜원 아부지 아닌가."

"왜 아니요."

"가윤아. 고생 많았다. 문병이라도 가봐야 했는데 워낙 먼 거리라 미안하게 됐구나."

"아재 안녕하시오."

"그래. 다행이다. 이렇게 좋아진 걸 보니 넌 천운을 얻은 아이구나."

"자네는 어디 갔다가 이 시간에 나룻배를 타려고 하는가."

"아, 옥곡 장동에 갔다가 그냥 오는 길이오."

"가윤이 치료는 다 끝났소?"

"이제는 돈을 많이 벌어서 수술 기술이 더 발전하게 되면 그때 해도 된다네. 다친 자리가 워낙 위험한 지라 지금 기술로는 한계가 많다네."

오랜만에 만나는 이웃 간의 따스한 정 나눔이 갯벌로 전해오는 홍총골의 갯내음과 절묘하게 어우러진다. '삐걱삐걱' 병수 아재의 노 젓는 소리는 저 혼자 바쁘고, 푸르름을 고별해 가는 갈댓잎이 밤뎅이 게의 방아 소리에 춤춘다.

"말씀대로 고생 많이 한 것 같소. 나는 이 일을 하면서 노동의 고통을 노래로 풀어야 하는데 요즘은 당최 죽을 맛이요."

"뭔 걱정이라도 있는가?"

"성님은 모르지다. 자고 나면 사고 소리라 어디 노래를 할 수 있겠소?"

"사람 사는 곳은 으레 사고가 있기 마련 아닌가."

"그렇께요. 며칠 전에 꼬맹이 죽었지요. 또 며칠 전엔 술이 취한 사람이 나룻배가 오지 않는다고 이 강을 건너다가 죽어서 한바탕 난리가 나지 않았겠소."

"당골래가 바빴겠구먼, 혼을 건져준다고."

"강에 빠져 죽은 사람은 안사람이 교회를 댕겨서 교회식으로 한다고 해, 그 집안사람들이 못마땅해서 난리요."

"집사람이 한다는데 이길 수가 있을까요. 병원에서도 보니께 많이들 교회로 나갑디다."

"나중에 조상님을 어떻게 뵐라고 교회를 나가!"

"나도 교회를 나갈까 고민해봤소. 조상님 제사가 좀 걸리지만 자식들 위해서라도 미신만은 아닌 것 같소."

"이 사람이 별소리를 다 하네. 나가 얼굴을 들고 집안사람들을 어찌 보라고 그 소리여. 농담으로라도 그리 말게. 성질이 다 날라네."

"성님! 나도 미신은 아닌 것 같소. 이젠 교회가 대세요. 굿을 하면 일 년은 효력이 있어야 하는데 신이 심술꾸러기인지 사사건건 빌어야 하는데, 원."

"일면 수긍도 하지만 열 무당이 한 사람이라도 살린다면 포기하면 안 되지."

어느새 나룻배가 삼정 동네 언덕배기 나루터에 도착한다. 인사를 마친 가윤네가 마을 입구에 이르자 소식을 들은 동네 사람들이 나와서 가윤이를 보며 자기 일처럼 기뻐한다.

35
무당(완결)

"내가 시키는 대로 덕석(멍석)으로 할아버지, 할머니 묘를 잘 가려서 덮어놓았네. 우리네 인간 세상 같으면 눈에 넣어도 아프지 않을 손자를 얼마나 소중하게 잘 보살펴줄까. 허나 죽음의 세계에서는 이와는 정반대인 것을 어찌할까."

"당골래 말대로 선해의 무덤으로 인해 조부모가 과연 고통을 받을까? 또한 살아있는 가족들까지도 나쁜 영향이 있을까?"

"아직도 내 말을 못 믿는가? 어떤 점쟁이라도 이 사실을 물어보면 무지한 사람들이 얼마나 무서운 과오를 저질렀는지 금방 알 수 있는 것을... 아직도 깨닫지 못하다니 원."

"당골래 말대로 선해의 묘가 오늘 이장으로 정리가 잘되는 걸 보니 다행이네. 정성껏 빌고 빌어 더 이상 뒤탈이나 없도록 해주시요."

천왕산 줄기의 한적하고 외딴곳에는 그 흔하디흔한 쩩새 한 마리도 보이지 않는다. 옆 사람의 거칠지 않은 숨소리도 쉽게 느껴지고 그 정적 사이로 당골래의 산신제와 살풀이굿을 보는 사람들의 심금이 질퍽하게 울린다.

"비나이다. 비나이다. 허 씨 집안 대주를 대신하여 신령님과 조상님 전에 비나이다. 불쌍하고 무지한 자손들이 조상님의 공덕을 깨닫지 못하여 큰 불손을 저질렀나이다. 이 시간 이후로 이를 말끔히 바로잡아 자손만대의 사후 세계에 안락함이 되도록 돈수백배 조아려 비나이다."

"부모님 부디 자손의 무지함을 용서해주소서."

"자. 조상님의 허락으로 용서를 구했으니 지체 없이 묘를 해지하시오."

당골래의 지시가 떨어지자 아담한 자리에서 깊고 포근한 영면에 들었던 선해의 묘가 빠르게 해체된다. 세상에 어느 누구가 불과 수일 만에 일어나는 이 광경을 꿈엔들 생각했겠는가. 다시 또 선해의 부모형제는 단장의 고통으로 지천을 울린다.

"선해야! 선해야! 미안해서 어쩌냐. 썰물처럼 빠져나가는 네 모습을 어찌 꿈엔들 잊겠느냐. 우릴랑 잊어버리고 호강 받고 호의호식하는 곳에 환생토록 하거라."

사람들의 손놀림이 빨라지고 미리 준비한 장소로 선해는 운반된다. 저 멀리 광활하게 펼쳐진 산맥들이 말을 달리고 지천으로 화사한 대자연의 푸른 물결이 넘실대는 곳, 그곳이 선해의 영생 지처이다.

"자, 부모형제들은 소중했던 매인과 영원하고 아름다운 작별 인사를 나누시오."

"선해야! 잘 가거라. 이제 너는 이별과 슬픔이 없는 저 넓고 푸른 창공의 빛나는 별이다."

"내 동생. 귀여웠던 내 동생. 우리 형제들은 네 꿈속에 있고, 넌 우리 형제

바람으로 오는 풍금 소리

들의 꿈속에서 영원히 숨 쉴 것이다. 사랑해. 엉엉”

"부모 형제여! 인간사 인연으로 이 세상에 잠시 들러 씻을 수 없는 고통과 상처를 주고 갑니다. 영원할 것만 같았던 짧은 삶이 허공에 흩날리는 거품처럼 부질없습니다. 마치 인생이 다른 사람들의 잔치에 잠시 왔다가는 부평초 신세 같습니다.”

당골래는 선해의 응축된 감성을 토해내며 하염없이 눈물을 뿌린다. 하늘도 울고 땅도 울고 스치는 바람마저도 구슬프다.

절실하면 진지해진다. 선해의 천도를 성심성의껏 돕고 돌아온 당골래는 언제나처럼 신당 앞에 정좌로 앉아 깊은 상념에 젖어있다. '나는 누구이며 무엇을 위해 사는가' 아무리 생각하고 또 생각해봐도 해답이 없다. 신은 하늘에 있고 나 자신은 땅에 있다. 그렇다면 시류에 흔들렸던 최근의 죄의식을 어떻게 씻고 달래야 할까. 밤은 야속하게 깊어가고 별들은 제각기 바쁘다.

"그래. '물 들어올 때 노 저어라'라는 말이 있다. 가만히 침몰해가는 내 인생의 부침에 너무 많은 값을 치렀다.”

뜬 눈으로 밤을 새운 당골래는 옥룡댁이 있는 큰댁으로 남편을 찾아 나선다.

"성님. 오랜만이요.”

"그래. 자네는 최근에 이 근처까지 왔다는 소식을 들었는데 왜 그때 들리지 않았는가.”

"손님과 약속으로 그렇게 되었소.”

"영감은 잠시 나갔는데 곧 올 때가 되었네.”

"영감도 영감이지만 성님하고 애들이나 한 번 보고 가려고 들렀소.”

"염병하네. 거짓말해도 정도껏 해라. 지나던 소가 하품하며 웃겠다. 허허."

"성님. 잘 있으시오. 당분간 보기가 어려울 것 같소. 깊은 산속에서 기도를 좀 하고 와야겠소."

"그러면 갔다 와서 보면 될 일을..."

"아니요. 이번엔 시간이 더 많이 걸릴 것 같소. 깊은 산으로 성찰의 기도를 갈 참이요."

"저 양반이 저기 들어오는군. 혜원 아부지. 이 사람이 어디 갔다 온다요. 당신이 좀 알아보시요."

"낸들 어떻게 저 사람 속을 알겠는가."

"맞소, 영감. 당신도 봤응께 그만 가볼라요. "

"자네는 참. 그러지 말고 저녁 묵고 내일 아침에 일찍 가게."

"아니요. 준비도 해야 하고 마음도 심란해서 그냥 갈라요."

"그러면 당신이 저만치 데리다 주던지. 아니면 하룻밤 자고 오시요."

남편과 옥룡댁의 호의를 끝내 뿌리치고 집으로 돌아오는 당골래는 만감이 교차한다. 짧고 덜 성숙한 마음으로 남편에게 혼돈을 줘서 미안하다. 더군다나 지금 상태의 변한 마음을 굳이 해명하고 변명한들 무슨 의미가 있겠는가.

"모든 것은 신께서 부여한 영혼의 힘으로 살아가야 하는 내 업보거늘... 우주의 기운이 내게 내린 선물이니 뜻하는 대로 가리라. 세상이 변하고 삶의 가치가 수없이 달라진다 해도 나는 그 길을 가야 한다. 그 길이 무당인 내가 가야할 길이다."

36

매봉산 노래 (1)

동쪽으론 섬진강과 배알도가, 남쪽은 망망대해가 이어졌다. 서쪽은 개악산이 호남정맥으로 이어지고 북쪽은 백운산 준봉이 우뚝 솟아 선경의 경지로 위용을 자랑한다. 천지의 기운이 가득한 천왕산. 그 천왕산을 기대어선 천연 요새 매봉산이 요란하다.

'케엑 케엑'

시리도록 푸른 창공을 고고하고 날렵한 날갯짓으로 비행하며 자신의 존재감을 부각시키고 잿빛 깃털을 휘날리는 날렵한 새가 사납게 운다. 얼핏 보아도 자태가 범상치 않은 조류로 가슴에는 세로줄 무늬가 선명하고 배 중앙엔 가로줄 무늬와 둥근 반점이 확연함에 매가 분명하다. 쫙 펼쳐진 양쪽 날개의 크기는 웬만한 사람의 크기와 맞먹고 부라린 눈의 초점은 단번에 주변을 주눅 들게 한다.

"형님 안 되겠소. 그냥 포기합시다."

"뭔 사람이 그렇게 새가슴인가. 나만 믿어."

"아이고 저, 저 날갯짓 좀 보이다. 오금이 다 저리요."

"그래봐야 새일뿐이여. 우리 같은 나무꾼이 많이도 스쳐갔으니 아마도 나무꾼인 줄 알걸세."

형제처럼 다정히 속삭이며 매봉산 봉우리로 사냥을 가는 뗑포수 차림을 한 두 사람의 대화가 긴장된다. 3월 초순의 봄바람이건만 아직도 살을 파고드는 한기가 날카롭다. 아무리 그래도 봄소식에 진달래까지 몽을지게 마중했는데 개발돕지로 완전히 무장된 한 남자의 모습이 흡사 겨울잠에서 깨어난 북극곰이다.

"하하하. 형님 그러고 보니 꼭 곰이 따로 없소."

"이 사람아. 내가 곰이면 자넨 여운가, 토낀가."

"나는 여우보단 귀엽고 깜찍해서 데리고 놀고 싶은 토끼가 낫소."

"그래. 토끼가 얼마나 귀엽고 좋은지 구경이나 한 번 해보세."

건강한 남자는 이때를 기다렸다는 듯 주변을 쓰윽 둘러본다. 그리고 저만치 소나무 아래에 있는 제법 큰 돌을 집어 들어 맹감나무 숲을 향해 힘껏 내던진다.

"훠이여~, 훠여~"

순간 숲속에서 '사사삭' 소리가 나는가 싶더니 흑갈색의 토끼 두 마리가 산 정상을 향해 쏜살같이 내달린다.

"병순이 형님 저거 보이다. 토끼가 두 마리나 되요."

"햐아, 그놈 빠르기도 하다. 겨우내 묵었던 먹이가 시원찮았는지 물찬 제비가 따로 없네."

"아니 형님. 어떻게 토끼가 거기 있다는 걸 알았소?"

바람으로 오는 풍금 소리

"자네는 토끼지만 나는 곰 도사가 아닌가! 하하. 여기가 어딘가? 천하의 매봉산이 아닌가. 매봉산은 주변보다 험한 지형으로 나무꾼들의 발길이 적어 숲이 비교적 잘 보존되어 산짐승의 은신처로 제격이지."

바로 이때 높푸른 하늘에서 유유자적하던 매가 산 아래로 수직낙하 한다. 마치 우주에서 유영하던 운석이 추락하듯 속절없이 땅으로 곤두박질치는가 싶더니 찰나적으로 다시 하늘로 솟구쳐 오른다. 사람의 혼을 쏙 빼놓는 대장관이 따로 없다. 일찍이 볼 수 없었던 일이기에 산 정상을 오르던 두 사람은 그저 넋을 잃고 쳐다볼 뿐이다.

"도생이 저거 보이는가. 아까 그 토끼가 아닌가?"

"왜 아니요. 괜히 돌을 던져 애꿎은 생명을 잃게 만들었소."

"왜 그랬겠는가? 첫째는 자네와 내가 한 농담의 대가이고 둘째는 지금 우리가 하고 있는 이 일에 대한 좋은 결실을 위함도 있네."

"그럼 기어이 저 험한 봉우리로 오를 작정이요?"

더 이상의 문답이 없다. 그저 앞서 오르는 병순과 조마조마하게 포기를 고대하고 뒤를 따라 오르는 도생이 있을 뿐이다. 조심 또 조심. 행운의 신을 갈망하며 한 발 한 발 오르는 두 사람의 표정이 진지하다 못해 엄숙하다.

"이제 거의 다 왔네."

"안 되겠소, 형님. 난 여기서 멈출라요. 저 험한 눈으로 우리를 지켜보고 있는 저놈을 어떤 수로 이긴다요."

"그럼 자네는 여기서 저놈의 시선이나 끌도록 하게. 나는 계속해서 가던 길로 오르려네."

"조심하시우."

도생이 매의 시선을 끌기 위해 주변을 살핀다. 그리고 무슨 생각을 했는지 발아래서 흔들거리는 제법 큰 바위를 한 발로 살짝 밀어내는데 바위는 기다렸다는 듯 덩실덩실 춤을 추며 아래로 아래로 내달린다.

두루루루 쾅쾅쾅

지축을 흔드는 요란한 소리와 함께 바위는 천 길 낭떠러지로 떨어져 내린다.

"왜? 뭔 소린가."

"아니요. 매를 꼬셔보려고 바위 굴린 소리요."

"그래? 아이고 자네 말대로, 긴장되고 위험해서 한 발짝이 저승길 같네."

"그러니까 저놈의 매가 거기다 자리를 틀었지. 쉬운 자리라면 저 영물이 어림도 없지."

"이제 다 왔네. 아까 그 토끼하고 숭어가 한 마리씩 보이고 알이 서 너 개 보이네."

"앗! 형님 조심하쇼."

도생의 다급한 외침과 함께 사납게 두 사람을 감시하던 매가 병순의 등쪽을 덮친 것이다. '어이쿠'하고 뜻밖의 일격을 당한 병순이 휘청하며 옆으로 넘어진다.

"형님 괜찮소?"

"……"

"형님!"

"…으음. 괜찮네. 그놈 되게 세네."

병순이 급하게 자세를 추스르며 일어나는가 싶더니 뭔가를 아래로 휙 하고 집어던진다. 그리고 반사적으로 아슬아슬한 절벽 비탈길을 신들린 곡예사처럼 잽싸게 벗어난다.

바람으로 오는 풍금 소리

"아이고 큰일 날뻔했네. 오늘 우리가 너무 무모한 짓을 했소."

"그러게 말이네. 제 놈이 아무리 영물이라 해도 설마 사람까지... 하고 했는데 동물의 본능을 너무 몰랐어. 휴. 간담이 서늘했네."

"아니 형님 등 좀 봅시다."

"왜 그러나."

"개발돕지가 마치 칼을 댄 것처럼 쫙 찢어져서 피까지 나고 있소."

실로 놀랍다. 나무에 약간 긁힌 듯한 통증은 있었지만 저 두꺼운 목화솜 개발돕지가 일자로 정교하게 찢어진 것이다.

"혹시나 하고 한 겨울 외투를 입었는데 이 옷을 입지 않았다면 큰일 날 뻔했네."

"그러게 말이요. 참, 좀 전에 아래로 집어던진 건 뭣이요."

"아~ 몰랐는가. 아까 매란 놈이 낚아챘던 그 토끼 아닌가. 집에 가서 애들이랑 잘 해묵게.

"아니 그 위험천만한 위기 상황에서 그것까지 챙겼단 말이요. 참 대단하요."

두 사람은 토끼를 찾아들고 유유자적 집으로 돌아온다. 집으로 돌아온 도생은 모험의 결과로 애들과 따뜻한 고깃국을 먹을 생각에 흐뭇한 미소가 인다.

"그런데 애들은 어딜 갔지?"

잠시 시간을 비운 사이 걸음조차 시원찮은 막내까지 보이지 않는다.

"점숙아~ 종식아!"

제법 쌀쌀한 날씨임에도 집 근처에 있어야 할 애 네 명이 보이지 않는다. 이곳 저곳을 한참이나 찾아보는데 큰 딸 점숙이 조그마한 광주리를 옆에 끼고 집으로 들어선다.

"이 추위에 어딜 갔다 오냐. 동생들은 어딨고."

"저녁에 아부지 무쳐줄라고 달롱개 캐왔어이다. 애들은 종식이가 데리고 송쿠해준다고 뒷산에 데리고 갔어이다."

"뭐, 낫이 얼마나 위험한데... 그리고 이 추운데 밖에 나가라고 그냥 뒀냐."

"철이가 배고프다고 징징 대며 조르니까 송쿠해준다고 데리고 나갔죠."

도생은 기가 막힌다. 아직은 송쿠를 해먹기는 이른 때인데 애들이 잘 몰랐다 생각하며 뒷산을 급히 오른다.

"종식아!"

"……"

"종식아! 어딨냐?"

"아부지 여기요!"

도생이 소리 나는 곳으로 급히 뛰어가자 콧물 눈물이 범벅이 된 막내가 뛰어와서 안긴다.

"아부지 송쿠가 맛있어."

"그래. 얼른 집에 가자. 다음에 아부지가 많이 해줄게."

도생은 애들을 쳐다보다 설움에 왈칵 눈물이 난다. 아내가 세상을 떠난 후 굳게 참아왔던 슬픈 눈물이다. 가슴 깊이 심해에서 우러나는 초봄의 소낙비로 애들까지 덩달아 찡한 아픔으로 소복이 적셔낸다.

바람으로 오는 풍금 소리

37
매봉산 노래 (2)

    모진 북풍한설도 봄이 오는 길목에서 꼬리를 내리고 투박한 외투는 스스로를 벗어낸다. 봄기운에 몽롱하게 취해있을 즘, 마을 앞 강가에는 갈대숲이 배시시 눈을 뜬다. 도생의 집 근처 안산 멧부리에도 코흘리개 꼬마들이 쫄망쫄망 모여 앉아 노래 배우기가 열심이다.

    "코카콜라 칠성사이다~ 롯데 청바지 범벅이 사탕~"

    "코카콜라 칠성사이다~ 롯데 청바지 범벅이 사탕~"

    "근데 코카콜라가 뭐야?"

    "콜라도 모르냐?"

    "묵는 건데, 묵으면 톡 쏘고 기똥차다!"

    "그러면 한 번 묵어보자!"

    "야아~ 돈도 없지만 콜라를 사려면 선소까지는 가야 된다."

    "씰 데 없는 소리 그만하고 노래나 더 배우자."

"요구르트 야구르트~ 당신의 비누 다이알~"

"요구르트 야구르트~ 당신의 비누 다이알~"

군침을 삼켜가며 열심히 따라 배우는 아이들이 참 재미있다. 더군다나 잔디까지 제법 자라서 푹신하게 몸을 받쳐주는데, 이때다 싶은 머스마들이 힘자랑에 빠진다.

"야~ 노래 더 안 배우고 장난칠래?"

"너무 길다. 다음에 또 배우자."

"그러면 씨름이나 한 번 해봐라."

"나하고 씨름해 볼 사람 있냐?"

"철이 네가 한 번 붙어봐라."

"싫다. 난 그런 거 안 한다."

"질 것 같으니까 빼는 거가?"

"아이다."

"그러면 왜 안 한다고 하나?"

"...그러면 붙어보자."

마침내 종철이와 상칠이가 한바탕 기싸움을 시작한다.

"상칠이 이겨라!"

"종철이 이겨라!"

이리 뒤치락 저리 뒤치락 넘어갈 듯 넘어질 듯 팽팽히 기싸움을 하는데, 양손으로 부여잡은 바지춤이 두 아이의 사타구니를 사정없이 조여 온다. 얼굴을 찡그리며 꾹 참았던 종철이 "그만하자. 안 할란다"하고 손을 놓고 만다. 순간 거칠어진 숨을 토해내던 상칠이 살짝 다리를 걸며 밀어버린다. 얼떨결에 손을 놓고 방심했던 종철이 그만 뒤로 넘어진다.

바람으로 오는 풍금 소리

"야! 반칙이다!"

"반칙 아니다. 씨름을 시작했으면 중간에 포기하는 사람이 지는 것이다."

"내가 그만하자고 손을 놓았는데 네가 공격해 부렀다. 그러면 다시 또 붙자."

"됐다. 그만해라. 싸울라."

종철이는 어느새 기분이 나빠졌다. 이를 보고 있던 그의 형 종식이가 "반칙이 맞다"하고 한마디 거들며 "산으로 삐비나 뽑으러 가자"라고 시선을 돌린다. 다시 평온이 찾아오고 여러 아이들은 뒷산을 향해 쪼르르 올라간다. 양지바른 쪽엔 새파랗고 탐스러운 삐비가 키 자랑을 하고, 속성으로 자라나는 찔레나무는 접근금지 표정으로 엄한 울타리를 쳤다.

"삐비가 진짜 많다. 오늘 횡재했다. 그치?"

"그러게. 욕심부리지 말고 나래비를 서서 사이좋게 뽑자."

"야아~ 오늘 삐비는 맛있고 부드러워서 껌 만들기는 최고다."

아이들은 어느새 한 줌 가득히 삐비를 뽑아들고 웃음이 만연하다. 그 사이 종철도 기분이 풀렸으면 좋으련만 여전히 말이 없다. 이를 눈치챈 종식이가 상칠이를 조용히 불러 자기 삐비를 나누어 준다.

"다음에 씨름할 때 철이한테 살짝 지는 척해주라."

그렇게 봄날은 조금씩 익어간다.

"운동 전후에 현대 물파스~ 영양가 많은 뉴 뽀빠이~

새로 나온 인디안 밥~ 비너스 화운데이션~"

"어이 도생이~. 밤뎅이는 많이 잡았는가?"

"많이 못 잡았소. 요놈들이 어찌나 재빠른지 막 잡으려면 순식간에 제 구멍으로 들어가 버려 한 마리를 더 잡으려면 키가 일 센치나 더 작아지는 것 같소"

"하하하. 그래서 자네 키가 작아져 버렸구먼. 어떤가, 우리 반디그물이나 끌어 보세."

"그거 좋지다."

썰물이면 갯벌이 드러난 홍총골은 말 그대로 밤뎅이게가 천지고 살쪄가는 문절구의 왕국이다. 두 사람은 반디그물을 펼쳐서 양쪽으로 서로 당겨가며 일정 거리를 끌고 간다.

"묵직한 걸 보니 저쯤 가서 그물을 거둬보세."

"그럽시다. 많이도 잡힌 것 같소."

"내가 보폭을 줄일 테니 자네는 총총걸음으로 돌아오게."

도생이 있는 힘을 다해 반원을 그리며 병순이 있는 방향으로 그물을 끌고 나온다. 팽팽하게 당겨진 반디그물은 평소의 물을 머금은 무게에다 큰 돌이 들어있는 것처럼 무겁고 벅차다. 있는 힘을 다하던 도생의 얼굴이 갑자기 일그러진다.

"너무 늦어서 고기가 다 달아나네."

"……"

"왜 그런가, 동생?"

"으... 아니요. 담이 걸리려는지 통증으로 숨을 못 쉴 것 같소."

"그럼 천천히 하게. 설령 고기를 놓친다 해도 다시 끌면 그대로 잡을 수 있으니까."

도생은 아무 말이 없다. 그리고 잠시 호흡을 가다듬더니 서서히 물 밖으로 빠져나온다. 그물이 물 밖으로 당겨져 나오자 진귀한 광경에 두 사람의 표정이 금세 밝아진다. 갈대밭에 있던 모든 밤뎅이 게는 다 모였고 맛깔스러운 은빛 새우는 햇빛에 반사되어 광채를 내며 팔딱 팔딱 튀어 오른다.

"문절이, 쌔비, 징게미, 깔다구새끼 까지 없는 게 없네."

"그러게요. 최고의 잔칫상이오."

"짧은 시간에 많이도 잡혔네."

"이 정도면 동네잔치도 벌이겠소."

"그러면 사람들을 불러서 회 무침 잔치라도 해보세."

실로 오랜만에 여러 사람들이 모여서 회갑잔치라도 여는 듯 흥겨운 시간이고 풍요로운 기쁨이다. 열기를 더하던 한 더위도 십 리 밖으로 물러났다.

해까지 서산으로 말 달리기를 하는데 모기떼도 덩달아 신바람이 났다.

"삼촌, 잃어버렸던 도열이 삼촌이 왔다고 집에 오래이다."

"뭐어? 그게 정말이냐?"

"예. 밋감도 사 오고 까자도 많이 가져왔어이다."

흥분한 도생이 아이들을 챙겨서 조카와 함께 형님댁으로 급히 향한다. 멀리서 이 광경을 보고 있던 도열이 맨발로 뛰어나온다.

"형님! 형님 아니요!"

"네가 도열이가! 살아와서 고맙네."

두 형제는 더 이상 말이 없다. 그저 멍하게 서로를 확인할 뿐이다.

        ……

        ……

"결혼은 했는가?"

"그럼요. 이번에는 혼자 왔지만 다음에는 애들과 모두 함께 올게요."

"함께 왔으면 좋았을 것을."

"조카들은 다 똘똘하게 생겼네요. 혼자서 이 애들을 키우느라 얼마나 고생이 많았소."

수 십 년 만에 만나보는 혈육 지정이다.

10대 초반에 기술을 배운다고 서울로 떠난 도열이 얼마 지나지 않아 소식이 두절되었다. 가족들은 생사를 알지 못해 모진 애간장을 태웠다. 백방으로 수소문하고 노력을 다했지만 흔적도 없는 도열의 자취에 망연자실 했었다. 그리고 그렇게 애타던 세월도 흘러가는 구름 속에 잠시 숨어 있는 듯했으나 군 입영 통지서가 나오자 다시금 절망이 온다.

"이제는 도열이를 잊고 정리를 해야 되요. 그렇지 않으면 군 기피자가 되어 평생 전과자의 오명이 됩니다."

"그러면 어떻게 해야 한다냐?"

"사망신고를 해야지다."

"그건 못하겠다. 두 눈 멀쩡히 살아나간 아들을 어찌 보이지 않는다고 그런단 말이냐."

이랬던 도열이 반듯하게 성장해서 자신들 앞에 늠름하게 서있다. 백옥 같은 피부, 포동포동한 얼굴에 배까지 살짝 나와 영락없는 사장이다. 더 없는 경사 속에 웃음꽃이 피는데 아까부터 조마조마하던 종철이 또 칭얼거린다.

"왜 철아?"

"어디 아픈갑네."

"네가 날 보고 웃었잖아."

"아이고, 우리 철이가 또 예민해지네."

도생이 아들 종철이를 달래려고 막 손을 잡으려다 또 얼굴빛이 흑색이 되더니 가슴을 감싸 안으며 고통스러워한다.

38
매봉산 노래 (3)

    화려하게 세상을 수놓았던 가을 단풍도 겨울의 길목에서 고개를 숙인다. 도생의 건강은 날로 악화일로다. 이제는 막내아들 종윤의 보살핌도 힘들어서 귀찮아할 상태까지 왔다. 설달그믐이 코앞인데 거동도 불편한 도생의 상심이 가득하다.

    "숙아! 어린 네가 감당하기 어려운 이 추위에, 나무며 끼니를 맡기는 아부지가 원망스럽다."

    "아부지. 나는 괜찮아이다. 아부지만 일어난다면 못할 일이 없고 식모 살이라도 할 수 있어이다."

    "네가 집안 사정 때문에 너무 일찍 철이 드는 것 같아 미안하고 아무 할 말이 없구나."

    작은 아이들은 이미 깊은 꿀잠에 빠져있다. 밤은 낮에도 볕을 보기 힘든 음달 집이기에 한 겨울의 한기가 더욱 뼈를 파고든다. 잔뜩 웅크려 자는 아이들을 보며 도생과 맏딸 점숙은 기약하지 않은 운명을 직감한다. 밤은 깊어 가고 철없는 문풍지만 딸딸거리며 자기도취에 빠지고 도생의 고통스러운 신음소리는 더욱 처절하다. 거의 뜬 눈으로 밤을 지새웠지만 얄미운 아침 날씨는 화려한 빛으로 하루를 반긴다. 동네 앞강에서는 얼음덩이 개성애가 물결 따라 흐르고 희뿌연 강 안개가 신비롭게 피어오른다.

"셍이야, 얼음 타러 가자."

"춥다. 발도 시려서 나중에 해가 많이 올라오면 그때 가자."

"알았다. 누야야, 빨리 밥 줘라."

애들은 이미 몸이 달아 밥을 먹는 둥 마는 둥 부산을 떤다.

"종식아, 양말 신어라."

"나는 안 신어도 된다."

"네 양말이 없어서 그러지?"

"아니다. 아꼈다가 설에 신으려고 그런다."

자식들의 대화를 듣고 있던 도생이 멀뚱히 천장만 응시하고 이를 눈치챈 점숙이 안절부절 한다. 그 사이 준비를 하던 철이가 평소와 다르게 점잖게 말한다.

"마음이 변했다. 그냥 집에서 놀자."

"왜 바람을 넣어놓고 변덕이냐?"

"추운데 그리 안 해도 놀 게 있다. 딱지치기나 하자."

애들이 밖으로 나가자 도생이 조용히 점숙을 부른다.

"숙아. 설이 낼 모렌데 설 옷도 못 사주는구나. 이 돈으로 큰엄마를 따라 옥곡장에 가서 따뜻한 양말이라도 한 켤레씩 사가지고 오이라."

"아부지 괜찮아이다. 아부지 약도 못 사 먹는디."

"아부지는 괜찮다. 걱정 마라."

마당에서는 딱지 소리가 투박하게 턱턱 거린다. 이 소리를 듣고 옆집 재화까지 합류를 하는데, 종식이는 철이가 딱지를 잃을까 봐 불안해진다. 그렇게 낮은 할 일 없이 돌아가는 시곗바늘처럼 또 밤으로 이어진다. 한 집, 또 한 집 초롱불이 꺼져갈 때쯤 뒷집에서 부산한 발걸음 소리와 함께 요란한 개 짖는 소리와 우는소리가 심상치 않다.

"아이고, 어찌할꼬."

"오메... 큰일 났다."

"아부지, 상칠이 집에서 우는소리가 나요."

"그래. 가만히 있어봐라. 큰일이 났구나."

건강하기로 천하 호걸인 병순이 집을 짓기 위해 자재를 사러 갔다가 사고가 난 것이다. 도생은 친형처럼 지냈던 병순의 사고와 죽음으로 큰 충격을 받는다.

"세상은 바뀌어도 운명은 바꾸기 어려운 모양이다. 나 또한 이것이 운명인가."

도생은 조용히 종식이와 점숙이를 부른다.

"잘 들어라. 느그들에게 이런 말을 하는 아부지가 한스럽구나."

"아부지. 편하게 말하시이다."

"느그 둘은 어느 정도 컸으니 걱정이 덜하다만 철이와 윤이를 어떻게 해야 할지 모르겠구나."

점숙이와 종식이는 도생의 심각해지는 말소리에 잔뜩 긴장이 된다. 이야기를 이어가던 도생이 또 깊은 신음 소리를 토해내고 잠시 침묵이 흐른다.

"……"

"약해지지 마라. 마음이 풀리고 약해지면 작은 애들을 챙길 힘이 작아진
다. 나가 일어나지 못하고 죽게 되면 큰아부지와 삼촌이 시키는 대로 할 수
밖에 없겠지만 이 집에서 일 년 만이라도 더 살게 되면 또 다른 방도가 있을
것이다. … 그리고 언제 어디서 무엇을 하더라도 동생들 소식 챙기는 걸 한
시도 잊어서는 안 된다."

도생은 길게 한숨을 쉬며 조용히 천장을 응시한다. 아버지 입만 쳐다보던
두 아이는 하늘이 내려앉는 중압감과 슬픈 긴장감이 든다.

"숙아! 이게 마지막 재산이다. 잘 간직하거라."

급기야 점숙이 흐느껴 울기 시작하고 종식이는 조용히 눈만 껌뻑거린다.

도생의 건강은 하루하루가 달라진다. 얼굴이 수척해지고 눈은 움푹 패어
들어가서 병색이 완연하다. 오늘도 도생의 생각은 복잡하게 엉켜있다. 아
이들에게 의타심을 줄이기 위해 냉정하게 대할 것인가 아니면 부족한 정
을 듬뿍 주고 떠나야 할 것인가 하는 생각이 하루에도 수십 번을 교차한다.

"점숙아, 느그 아부지 아침은 좀 묵었냐?"

"할매! 아니요. 인자 잘 안 묵어이다."

"큰일이데이. 이 할미도 늙어서 어떻게 해줄 수가 없는데 이를 어쩔 거나.
눈만 뜨면 아침저녁으로 천지신명께 눈물로써 기도를 해본다만 내 죄가 커
서인지 응답이 없다."

도생의 어머니는 깊은 탄식을 한다. 어머니의 걱정 소리에 조용히 눈을
뜨던 도생이 어울리지도 않는 미소를 띤다.

"아~ 어무니 왔소. 뭐 하러 시원찮은 걸음으로 여길 왔소."

"나가 죽고 애비가 살아야 할 텐데 이를 어쩔 거나. 묵기 싫고 심들어도 네 새끼를 생각해서라도 묵어야 한다. 그래야 일어난다."

"그래야지다... 음."

"참 무심도 하다. 네 이름 때문이라도 수명장수 할 거이라 생각했는데 아무 소용 없는 일이 되었다... 네 이름이 왜 도생이가 되었는지 생각이나 해봤냐?"

"......."

"네를 낳았을 때 유난히 여름이 길고 더 벗다. 더군다나 험한 숭년이 크게 들었던 때라 입에 풀칠도 어려벗다. 밥 굶는 일이 부잣집 밥 묵 듯이 했으니 짐작하고도 남을 거이다. 나는 애기를 배고도 밴 사실조차 몰랐다. 본래 홀쭉해서 그런지 배도 불러오지 않았고 항상 어지러움 증상을 안고 살았기에 더욱 그랬다. 네를 낳기 몇 달 전쯤에야 이상한 움직임이 있어 풀죽 때문에 배탈이 난 것으로 착각할 정도였으니까. 자연히 산달도 몰랐고 준비 또한 되지 않았다. 그러던 어느 날 쬐께이 태동으로 양수까지 터지더니 지독한 난산이더구나. 엎친 데 덮친 격으로 네가 거꾸로 나온다는 말에 하늘이 노랗기도 했다. 이미 우리 둘은 죽은 목심이나 다름없었는데 다행히도 경험이 있던 소질네의 고상으로 생명을 건졌다. 그러나 너무 쬐끄매서 살기도 어려불 것 같던 네가 차츰 살아나는 걸 봄서 삼신 할매의 신통에 얼마나 고맙던지 "

도생은 자신의 출생에 대해 대충은 알고 있었지만 차라리 그때 죽어버렸다면 지금의 아이들에게 이 고통을 주지 않았을 것이라고 원망 아닌 원망을 해본다.

"그렇게 어렵게 태어났다면 호의호식은 어렵더라도 수명장수라도 해서 불효막심한 자식은 되지 않았을 텐데..."

"내 말이 그 말이다. 그래서 꼭 살아나기를 바랜다는 맴으로 도생이라 지은 거이다."

"어무이 이제는 어쩔 수 없고 형님한테 대충 이야기는 해놨는데 나가 죽거든 우린 땅이 없응께 매봉산 병순이 형님 밭이나 그 근처의 길가 옆에 묻어주면 좋겠소. 병순이 형님이 살았다면 내 부탁은 들어줄 건데... 그 형수라면 내 말을 들어줄 것이요."

"네가 죽긴 왜 죽어. 저 어린 것들을 두고 어떻게 죽는단 말이고, 악착같이 살아야 한다."

"할매 죽는다는 게 뭐야?"

두 사람의 표정을 살펴 가며 이야기를 듣고 있던 막내 종윤이 눈망울을 굴려가며 묻는다.

"응. 윤아. 죽으면 꽃상구를 타고 땅속에 꽁꽁 묻히는 것이다."

"아~ 그러면 조기를 들어주면 돈도 벌겠네."

기가 막힐 일이다. 아무것도 모르는 저 어린 것을 앞에 두고 이 무슨 벼락 맞을 이야기를 하고 있는가. 할머니는 조용히 밖으로 나온다. 그리고 하염없이 흘러내리는 눈물을 훔쳐 낸다.

청소년기의 시골 풍경은 민화투 놀이 아니면 서리가 대부분이었다. 그런데 오늘 뜻밖의 상황에서 특별한 일이 벌어진다. 아직은 수박을 수확하기는 좀 이른 때지만 정성으로 키워 잘 자란 희한이네 수박밭에선 몽글몽글한 결과물이 조롱조롱 달려 사람들을 유혹한다.

"반딧불이다."

"저걸 10마리쯤 잡아서 묶으면 참 밝겠지."

"후라시 한 개 정도의 밝기는 되겠지."

"지금 이 상황에 그런 얘기가 왜 필요하냐."

조용히 그것도 잠자리 잡는 자세로 살금살금 산밭을 오르는 사람들은 내 바로 위 형과 친구들이다. 중산과 우리 동네 사이에 있는 작은집 밭을 빌려서 태권도를 배워왔는데 늦게까지 운동을 하다 우리들을 먼저 억지로 보낸 후 자기들만의 잔치를 벌인 것이다.

우리들은 뭔가를 눈치 채고 숨어서 지켜보는데 마치 하느님이 높은 하늘에서 어리석은 사람을 지켜보는 마음이다.

"이 냄새는 똥 냄새 아닌가?"

"그래, 정말 고약하다. 요즘엔 거름으로도 잘 사용하지 않을 때인데."

"그쪽은 길이 아니다. 이쪽으로 와라."

형 친구들은 수박서리 특별훈련까지 받은 것처럼 능숙하게 목적을 달성해간다. 아직 수박 맛이 다 차지는 않았지만 운동 후의 간식으로는 최상의 맛으로, 늦게까지 놀다가 집으로 돌아온 형 얼굴은 밝다.

"이게 무슨 냄새고. 니 바지에 실례했나?"

"아이고, 구린내야. 빨리 바지 벗고 신발은 물에 담가 놔라 개 물어 갈라."

뒷날 아침 큰 동네 우물에서는 약속이나 한 듯이 냄새나는 옷을 빨러온 엄마들이 서로를 의아해한다.

"아니, 그 집도 똥 묻은 옷 빨러 왔는가? 어제 무슨 일을 했길래 다 이럴까?"

어젯밤 역사적인 현장에 있던 형들 친구들의 결과물이 오늘 아침 공동우물에서 똑같이 나타나고 있다.

"조심해라. 오물이 샘에 들어갈라."

"그런데 어찌 희한이 할매는 집 근처 샘을 두고 여기까지 왔는가?"

생전 처음 자기 집 근처의 갯샘 우물을 두고 큰 동네까지 원정을 온 희한이 할매는 얼굴이 붉으락푸르락 난리다.

"희한이 할매, 어디 아픈가? 얼굴이 화난 것 같네."

"화가 안 나겠는가? 오늘 이렇게 수박밭 서리 증거를 잡았는데. 수박이 묵고 싶으면 큰 것 몇 개만 따지 이리저리 다니면서 새순을 죄다 밟아서 1년 농사를 망쳐버렸다 아닌가!"

시골의 특성상 자주 서리가 일어나던 때라 희한이 할매는 미리부터 수박 밭 둘레에다가 만약을 대비해 자기 집 화장실을 비워둔 것이다.

뛰는 놈 위에 나는 양반이 있는 격이다. 희한이 할매의 돋보이는 생활 방식이 지금 생각해봐도 놀랄만하고, 추리까지 하는 지혜는 수사반장을 능가한다.

희한이 할매 화이팅!

　　　　　　　　　　　　　　바람으로 오는 풍금 소리

39

매봉산 노래 (4)

"그만 떠들고 조용히 좀 해라. 아부지 힘들라. 아부지 일어나이다. 어젯밤에는 아프지 않던지 잘 자던데이다."

"......"

"밥 묵기 전에 낮부터 닦아줄까이다."

"......"

역시나 아무 대답이 없다. 상을 차리다 퍼뜩 이상한 생각에 점숙이 방으로 들어온다.

"아부지, 아부지!"

큰소리로 불러보고 흔들어 깨워봐도 도생은 아무 대답이 없고 편안히 잠자는 자세로 누워있을 뿐이다. 너무나 당황한 마음에 더욱 억세게 흔들어 깨워보지만 표정 하나 바뀌지 않고 미동도 없다.

"아~ 어떡해. 아부지. 엉엉"

놀란 점숙이가 포효하듯 쏟아내는 울음소리에 동생들도 영문도 모른 채 따라 울기 시작한다.

"아부지~"

"아부지!"

도생은 끝내 대답이 없다. 그렇게 애달파하던 아이들에게 어떤 전하는 말도 없이 편안히 누운 채로 과거의 시간과 긴 추억 속에 싸여있을 뿐이다. 영원한 타인처럼.

둥둥둥둥 둥둥둥둥

"오늘 우리 열두 담애군들! 정성을 다해서 힘써 보세. 어~ 노. 어~ 노. 어~ 어~ 노."

상여꾼들을 이끄는 소리꾼 종구쟁이가 선창을 하고 합창을 하듯 일사불란하게 후렴구를 따라 하는 상여꾼들의 표정에 슬픔이 배어있다. 영정 사진도 없는 초라한 꽃상여가 마을 앞 강가에서 흐느적거리며 이동을 하고 뒤를 따르는 사람들도 이를 지켜보는 사람들도 울지 않는 이가 없다. 아직 어려서 삼베 도롱이를 입은 네 아이들은 눈물과 콧물로 상여를 따라 걸으며 영면한 아버지를 배웅한다.

"세상에나. 저 어린 것들을 두고 어떻게 눈을 감았을꼬."

"삶과 죽음을 사람이 어디 마음대로 할 수 있는가. 염라대왕도 무심하지."

"그러게나. 죽은 본인인들 이 아픔이 얼마나 슬프고 고통스러웠겠는가."

"저기 스님도 안 됐는지 기도 염불을 하네."

여러 인파들 중 마을에 시주 동냥을 나왔다가 이 광경을 보던 스님이 연신 '나무 관세음보살'을 되뇐다. 인간으로 올 때는 큰 빛을 안고 왕실의 행

바람으로 오는 풍금 소리

차처럼 장엄한 풍악을 울리고 오는데 요단강으로 가는 길은 조용하고 쓸쓸하며 아침 이슬처럼 허무하다. 일정을 재촉하던 종구쟁이는 마을을 벗어날 때쯤 다시 북소리를 드높인다.

둥둥둥둥 둥둥둥둥

"함께 살았던 동네 사람들! 나는 이제 이 마을을 떠납니다. 이 길이 내가 가는 마지막 길이기에 하직 인사를 드립니다. 허무한 인생길에 큰 욕심일랑 접어두고 지혜롭게 사소서. 어~ 노. 어~ 노. 어~ 어~ 노."

"어~ 노. 어~ 노. 어~ 어~ 노."

"어~ 허. 어~ 허허 노~ 야. 어디가리 넘자~ 어~ 하요."

"어~ 허. 어~ 허허 노~ 야. 어디가리 넘자~ 어~ 하요."

심곡을 찌르는 구슬픈 상여소리를 토해내며 꽃상여는 마을을 향해 큰절을 한다. 하직 인사가 끝나자 상여는 바람처럼 매봉산 자락을 찾아가는데 인생의 허무한 뒤안길이 애처롭다. 드디어 병순이의 밭 근처에 이르자 사람들이 웅성거린다.

"아니 밭주인이 허락까지 했다는데 왜 엉뚱한 곳에다 묘를 쓰려고 하지?"

"형제처럼 살았기에 허락을 받았는데... 저기 가는 스님이 '금시 발복'자리라 하면서 저곳을 이야기했다네."

"별 소릴 다하지. 저까짓 땡중이 뭘 안다고 앉을 자리도 없는 엉뚱한 곳에다 묘를 쓴단 말인가."

"자기 형님도 조카들에게 좋다고 하니까 승낙을 했다네."

"금시 발복이 무신 뜻이랑가?"

"아마도 빠른 시간에 큰 복이 오는 자리라는 것 같은디 저 어린 새끼들을 생각헌다면 스님 말대로 그리되믄 얼매나 좋겠는가."

다소 좁은 공간으로 묏자리가 정해지자 쉽게 일이 진척된다. 좌측은 본인이 그렇게 넘나들던 매봉산 봉우리가 웅장하게 솟아있고 북서쪽은 호남 정맥 개악산과 백운산 준봉이 선녀처럼 포근히 바라보고 안아준다. 남쪽은 재봉틀 암벽 위로 창망 대해가 손짓을 하는데 조금만 떨어져서 보면 필부필부라 하더라도 어느 누가 이 자리를 탓하랴. 단지 협소한 장소라는 게 보는 이로 하여금 아쉬움이 남는다. 도생은 아쉬움과 안타까움 속에 꿈에도 잊지 못할 아이들을 두고 매봉산 아래에 영원히 잠이 든다.

"누야야! 무서버 죽겠다."

"왜 또 그러냐?"

"꼭 아부지가 집에 들어오는 것 같고, 어떤 때는 저기 아랫목에 누버있는 것 같애."

"괜한 소리 하지 말고 가슴을 펴고 크게 숨을 쉬어봐라. 그러면 괜찮타."

도생이 죽은 후로 여러 변화가 있었지만 그래도 참고 견딜만했다. 그러나 동생들처럼 점숙 또한 시시각각으로 불어오는 불안함과 무서움으로 긴장이 크다. 아부지 부탁대로 조그만 참고 견뎌보면 동생들과 헤어짐 없는 좋은 방도가 있을 것 같은데 가뜩이나 조여 오는 현실과 무서움에 앞날이 깜깜하다.

"종식아. 아부지 말씀대로 무섭고 힘들어도 이 집에서 살아야 되는데 네 생각은 어때?"

"나도 그렇게 생각하는데 솔직히 무서버 죽겠네."

"어찌하면 좋을까. 자꾸만 눈물부터 먼저 나와. 큰아부지 집에 가서 이야기 한 번 해볼까."

　　　　　　　　　바람으로 오는 풍금 소리

남매들은 한참이나 떨어진 큰집으로 향한다. 아버지랑 함께 갈 때는 장난을 치기도 하고 달리기 놀이도 해서 웃고 울기도 했는데 오늘 가는 이 길은 전과 다르게 어색하고 침울해 보이기까지 하다.

"내 새끼들 오는가."

"큰어매."

"오야. 어서들 오이라. 집에는 있을만 하드냐?"

"집이 무서버서 왔어이다."

　전보다 새롭게 느껴지는 큰댁의 정성에 작은 애들이 살포시 안긴다. 생전 느껴보지 못했던 포근함과 안락함에 아무 말도 못 하고 눈물만 주룩주룩 흘린다. 더군다나 민감한 성격에 낯가림까지 심했던 종철이 큰엄마 품에 안기는 것이 더 안쓰럽다.

"배고풍께 얼릉 밥 묵어라."

　좀처럼 눈물이 마르지 않는 점숙과는 달리 동생들은 허겁지겁 밥 먹기에 정신이 없다. 이 광경을 물끄러미 보고 있던 큰아버지는 '으음'하고 깊은 탄식을 한다.

"종철이하고 종윤이는 누나들이랑 작은방에 가서 좀 놀고 있어라. 착하지?"

　아이들이 나가자 잠시 동안 침묵이 흐른다. 차마 말하기 어려운 단장의 고통이 따르기에 또 긴 침묵이 흐른다.

"점숙아. 종식아. 느그들 생각을 좀 들어보자."

"큰아부지. 아부지 당부대로 어떤 일이 있어도 함께 살아야 하는데 집이 너무 무서버이다."

"참 걱정이다. 이러지도 못하고 저러지도 못하고."

"……"

"야들은 컸웅게 바른 이야기를 해줍시다. 실은 서울 삼촌이랑 느그들 의논을 좀 해봤다. 점숙이하고 종식이는 돈 벌러 나가고 종철이는 삼촌이 서울에 데려가서 국민학교를 졸업시키고, 종윤이는 우리 집에서 함께 사는 걸로."

"큰어매. 우리는 같이 살거라이다. 엉엉"

"그리되믄 얼매나 좋겠냐. 그러나 어린 느그들을 그냥 그대로 살게 한다는 것은 말이 안 되고 그렇다고 우리 형편도 그렇고."

"……"

"오늘은 여기서 자고 낼 다시 생각해보자."

종식이는 편하게 큰집에서 잔다는 말에 안도의 마음이 인다. 그러나 점숙이는 혹시나 내일 형제들 간 이별이란 결론이 날까 봐 생각이 떨린다.

"그냥 집에 가서 잘래이다."

"누야야. 네도 집이 무섭다고 해놓고… 오늘은 여기서 자자. 웅?"

"그래. 여기서 자라. 아무 말도 안 할게."

점숙이는 자신도 모르게 또 눈물이 흐른다. 그리고 동생들을 재촉해서 집으로 돌아온다. 점숙이가 집으로 가버리자 큰아버지 내외는 상심이 깊어진다.

"아무래도 안 되겠어. 마음이 아파도 현실대로 살아야지."

"저 어린 것들을 어떻게…"

"서울 동생한테 편지를 보내서 다시 의논해보세."

철없는 밤은 속 타는 사람의 마음도 모르고 별들의 잔치로 바쁘다. 그러나 새벽녘이 되어가자 무슨 변덕인지 후드득후드득 비로 바뀐다.

"누야야. 배 아프다. 통시에 가야겠다."

"종식아. 네가 좀 데리고 가라."

깊은 잠에 빠진 종식이 대답이 없자 점숙이가 데리고 나선다.

"누야. 꼭 거기서 기다려야 해."

"알았다. 걱정 마라."

소슬비로 젖어가던 점숙이가 무의식중에 뒤를 돌아보는데 사람 같은 시커먼 물체가 집 모퉁이에서 둘을 무섭게 훔쳐보고 있다.

"누고."

40

매봉산 노래 (5)

황망하다.

꼭 실체 없는 그림자 싸움을 하고 있는 것 같다. 점숙이가 종철이를 데리고 방으로 들어오는데 무서움에 따른 긴장보다는 왠지 모를 엉켜진 실타래를 보는 느낌이다.

"종철아. 걱정 말고 자라. 누야가 옆에 있을게."

다시 잠을 청하려고 눈을 감아 보지만 눈망울만 말똥말똥 해진다. 혼잣말로 "나중에 커지면 같이 살면 된다"하고 중얼거려본다.

"누야. 뭔 소리고."

"네는 자지도 않으면서 자는 척했냐."

"아니다. 느그가 찬바람을 몰고 오는 바람에 깨부렀다."

"종식아. 누야가 생각해봤는데 우리 이리 살지 말고 어제 큰아부지 말대로 해보자. 돈 많이 벌어서 그때 아부지 말처럼 살면 안 되겠냐?"

바람으로 오는 풍금 소리

"나도 생각해봤는데 동생들만 생각하믄 자꾸 걱정이 돼."

"우리가 걱정하면 쟤들이 약해진다. 이젠 울지 말자."

"……"

큰 울타리를 잃은 건 사실이다. 그렇지만 전부를 잃은 건 아니다. 두 남매는 서로를 생각하며 약해지지 않겠다고 다짐을 해본다.

약속된 날짜는 왜 이다지도 빠른지. 이제 형제들은 작은 고통이 수반되더라도 빛나는 별이 되기로 다짐한다.

"우리 당분간 헤어져 살아도 울지 않고 씩씩하게 지내기. 알았제?"

"심들어도 울지 않을게."

"종철이, 종윤이 손 걸고 약속!"

"응, 누야야."

"나 꿈속에는 언제나 느그가 있고 느그들 꿈속에는 항상 누야가 있다는 걸 잊지 마라."

막내 종윤이만 큰댁에 남고 종철이는 도열이 삼촌을 따라 서울로 간다. 이들이 떠난다는 소식에 동네 사람들이 집 앞까지 나와서 눈시울을 적신다.

하늘이 붉다.

점숙이도 동네 언니를 따라 인천으로 떠나가고 마지막 남은 종식은 부산으로 가기 위해 면 소재지 선소로 나가는데 눈앞이 깜깜하다. 한 걸음 한 걸음 나갈 때마다 부모님에 대한 그리움, 형제들에 대한 미안함에 눈물이 절로 난다. 왜 이다지도 참담하게 살아가야 하는지 이해가 어렵고 원망이 된다.

생전 처음으로 고향을 벗어나 만리타향 부산으로 가야 하는 현실이 너무 무섭다.

산아 산아 천왕산아
너를 두고 가야 한다
이제 가면 언제 올까
그리우면 어찌할까

산아산아 매봉산아
우리 부모님 계신 곳에
진달래 개나리 만발하게 피워주고
소쩍새 슬피 울면
우리 소식 전해다오

종철이가 도열 삼촌을 따라 서울에 도착하니 또 걱정이 앞선다. 시골과 별반 차이가 없는 허름한 집에다 자기가 지내야 할 공간이 거의 없어 보인다. 다행히 따뜻하게 맞아주는 작은엄마의 사랑에 안심을 해보지만 그럴수록 더 미안해진다.

"종철아. 곧 학교에 가야 하는 것 알지? 내일은 준비물 좀 챙겨 보자."

"예."

밤은 또 잔인하게 찾아오고 사촌동생들과 함께 비좁은 공간에 누워보지만 잠은 오지 않고 형제들의 얼굴만 눈앞에 와있다.

'누나와 형은 잘 있겠지? 내 생각도 많이 할까?'

꼬리에 꼬리를 무는 근심 덩어리가 온통 머릿속에 가득하다.

"당신은 우리 형편에 갑자기 조카를 데려오면 어떡해요."

"낸들 답답지 않았겠어? 그래도 함께 할 수밖에."

"애들도 불편하다고 하는데 걱정이에요."

"조금만 참으면 곧 적응이 되겠지."

"이 생각은 좀 어때요? 우리가 집을 좀 넓힐 때까지 고아원에 잠시 맡겼다가 데려오는 거."

"그건 안 돼. 저 어린 것의 상처도 그렇고 나중에 어떻게 형님 얼굴을 보려고."

잠이 든 줄 알고 전해오는 대화 소리에 종철은 하늘이 노랗다. 그저 작은아버지의 주장이 더 강해지기만 바라고 또 바라본다.

"다 일어나세요. 씻고 밥 먹자."

작은어머니의 깨우는 소리에 종철이가 후다닥 일어난다.

"종철아. 잘 잤어?"

"예."

종철이가 빠르게 잠자리를 정리하고 비몽사몽하는 동생들도 조용히 도와준다.

"종철이는 참 부지런하네."

"작은아버지는요?"

"응. 출근했어. 빨리 밥 먹자."

조심스럽게 밥을 먹던 종철이가 뭔가를 결심한 듯 조용히 입을 연다.

"작은엄마. 곰곰이 생각해봤는데 이렇게 하고 싶어이다."

"그래. 천천히 이야기해봐라."

"다 고맙지만 동생들도 불편하고 나도 그런데 고아원으로 가고 싶어이다.”

“아냐. 그게 무슨 소리고. 불편해도 같이 살아야지.”

“어차피 새로 시작인데 그렇게 하고 싶어이다.”

서로가 아무 말이 없다. 작은엄마는 어젯밤 남편과 나눈 대화 때문이란 걸 직감한다. 어린 조카라고 대충 치부해 넘기기엔 생각하는 게 너무 놀랍고 대범하다. 그래서 더 부끄럽고 난감하다.

며칠이 더 지났다. 여느 때와 마찬가지로 아무 말이 없자 종철이가 가족들이 다 함께 한자리에서 다시 한 번 자신의 의사를 밝힌다.

“작은아부지. 공부도 해야 하지만 기술도 배우고 돈도 벌고 싶어이다.”

“안 된다. 아직은 공부에 전념해야지.”

“고아원에 가서 공부 열심히 해가지고 돈 많이 벌어 형제들과 함께 살고 싶어이다. 그렇게 해주시다.”

“……”

“종철아. 미안하구나. 우리도 빨리 돈 벌어서 너를 데리러 가마.”

그렇게 종철은 작은 집에서 나와 천애원이라는 고아원으로 입소한다. 보내는 사람도 마음 아프고 또 새로운 길을 가야 하는 종철의 마음은 갈기갈기 찢어진다.

인천에 도착한 점숙은 어린 나이에 취직을 하다 보니 월급도 적고 특히 숙식 문제가 크게 대두된다. 적은 수입으로 자신의 생활도 빠듯하고 동생들과의 미래를 생각하기는 더더욱 한계가 있다.

“언니. 이 월급으로 저축을 해서 언제 돈을 모을까 조바심이 나.”

“어쩔 수 없는 일이지. 좀 더 나은 식모살이는 또 몰라도.”

“그러면 식모살이라도 해볼래.”

"말이 식모살이지. 밤낮이 없는 고된 일도 있을 텐데."

"아무려면 어때. 좀 알아봐 줘."

점숙이는 언니의 도움으로 소규모 가내 수공업을 하는 집으로 식모살이를 들어간다. 주인댁은 평범하고 온화한 가정이지만 약간의 흠이라면 치매 증상이 있는 할아버지가 걱정이고 조금씩 그 증상이 심해진다는 게 문제다. 그래도 약간의 잔심부름이나 청소, 그리고 할아버지의 수발을 드는 게 거의 전부라 참고 해볼 만하다.

"애야~ 밥 안 주냐. 배고프다."

"할아버지 조금 전에 드셨잖아요."

"내가 언제 밥을 먹었냐. 거짓말하면 못 쓴다."

"아~ 알았어요. 밥 챙겨드릴게요."

점숙이는 처음엔 이런 증상이 별 게 아니라고 생각했는데 자주 반복되다 보니 딱 오해를 부르기 좋을 만하다.

"할아버지. 심부름할 거 없어요?"

"응. 없다."

"제가 필요하면 불러 주세요."

오늘은 날씨가 좋아서인지 할아버지의 기분이 좋아 보인다. 마침 잘 됐다는 생각에 막냇동생과 큰아버지 댁에 편지를 쓴다.

큰아버지께 드립니다.

큰아버지 큰어머니 안녕하세요.

늦게 편지 드리게 되어 죄송해요.

저는 두 분 덕분에 열심히 잘 생활하고 있어요.

고맙습니다. 감사합니다.

더 많이 노력하고 돈 벌어서 두 분께 효도하겠습니다.

어제는 꿈속에서 동생들을 만났어요. 어찌나 반갑고 고맙고 대견스럽던지 많은 눈물을 흘렸답니다.

제 울음소리에 놀라 잠까지 깼으니까요.

막내 종윤이는 말썽 부리지 않고 건강하게 잘 있겠지요.

두 분이 계셔서 크게 안심하고 있습니다.

내내 건강하시고 행복하세요.

종윤아! 건강하게 잘 있어. 안녕

"밥 안 주냐! 배고파 숨넘어가겠다."

"네. 할아버지 지금 가요."

콰당탕

무언가 물건 던지는 소리가 요란하다.

41
매봉산 노래 (6)

   종철은 장승처럼 고정된 자세로, 자신을 천애원에 맡기고 돌아가는 작은 아버지의 뒷모습만 하염없이 바라본다.

   불안하고 무섭다. 그리고 한없이 원망스럽다. 피할 수 없는 현실 앞에 자신의 운신을 위탁하기로 다짐해보지만 자꾸만 흘러내리는 눈물이 생각대로 멈추지 않는다.

   "종철아. 울지 마라. 걱정도 놀라지도 마라. 여기 있는 모든 친구들도 처음엔 너처럼 그랬단다. 지금은 어떻게 보이니? 저렇게 장난도 치고 웃으며 놀고 있잖니."

   "... 엉엉엉"

   "자, 안으로 들어가서 옷부터 갈아입자."

   모든 사물이 낯설고 어색하다. 적응되지 않는 이 세상이 없어졌으면 좋겠고, 깨어날 꿈이라면 퍼뜩 깨고 싶다.

여러 친구들을 소개받고 인사도 나눠보지만 닫힌 마음이 쉽게 열리지 않는다. 지난날 고향 산천에서 씨름하고 삐비 뽑고 침까지 삼켜가며 송쿠 해 먹던 때를 잊을 수가 없다. 상칠이, 충렬이, 현이, 선호 모두가 보고 싶고 그립다. 과연 이들을 또 만날 수나 있을까.

"부채 사이소. 모자도 있어예."

"어이 모자 하나 줘봐라."

"아저씨 감사합니다. 멋지게 잘 어울리네예."

한 여름의 날씨라지만 지독한 더위다. 이런 날은 저 시원한 해운대 바다 속으로 툼벙 뛰어들고 싶지만 메뚜기도 한철이다. 물 들어올 때 노 저어야 한다. 종식이 연신 흘러내리는 땀방울을 훔쳐 가며 피서객들 사이로 바람개비처럼 날렵하게 움직여 간다.

"혹시 너 종식이 아니가?"

"나요? 사람 잘못 봤어예."

"아닌데?... 너 점숙이 동생 종식이 맞네. 어찌 한 동네 살던 나를 모른단 말이고."

"……"

"이리 와봐라. 내가 다 사줄게."

"... 형 미안해요. 모른 체해서."

"괜찮다. 네가 사정이 있어서 그러는데."

어쩔 수 없이 종식은 동네형 일행과 자리에 앉는다. 어색한 시간이 약간 지나가자 이런저런 고향 소식도 전해 듣고 오랜만에 느껴보는 그리운 고향 정에 마음이 울컥해진다.

"객지에 나와서 고생이 많구나. 전해 듣기로는 회사에 다닌다고 하더니…"

"처음에는 회사도 다녀봤어이다. 그런데 나이가 에리고 심도 약허다고 자꾸만 욕을 얻어 묵다 보니 견딜 수가 없었어이다. 그래서 어쩔 수 없이 이곳저곳을 알아보다 포기를 허고 이 일을 하게 됐어이다."

"그랬구나. 진직 알았더라면 나라도 좀 도왔을 텐데. 그러면 나랑 같이 우리 회사에 다녀볼래?"

"말은 고마븐데, 제 땜에 형까지 욕 묵는 거 하기 싫어이다. 그만 가볼게이다."

"종식아. 연락처라도 주고 가야지."

"형 연락처만 주면 다음에 나가 연락할게이다."

종식이 다시 짐을 챙겨 쏜살같이 자리를 벗어난다. 빠른 동작으로 서둘러 자리를 뜨는 종식의 뒷모습이 흐느적거리고 연약하게 우는 것 같다. 종식을 보낸 동네 형은 종식이 보이지 않을 때까지 지켜보다 연거푸 맥주잔만 비워낸다.

둔탁한 소리에 놀란 점숙이가 빠르게 할아버지 방으로 뛰어들어간다.

"할아버지 왜 그러세요."

"아이고 허리야."

"많이 다쳤어요? 아저씨 불러올게요."

"배고프다. 빨리 밥 줘라."

"알았어요. 밥 먼저 드릴게요."

점숙은 얼마나 놀라고 긴장을 했는지 어찌할 바를 모른다. 넘어진 의자를 빠르게 정리하고 식사를 준비해서 방으로 들어온다.

"할아버지 여기 밥 드세요."

"……"

허겁지겁 식사를 하는 할아버지 모습이 며칠을 굶은 사람 같다. 안 된 마음에 여러 가지 음식을 챙겨드리는데도 항상 먹는 음식에만 손이 간다.

"천천히 드세요. 또 챙겨드릴게요."

"……"

"좀 전에 넘어져서 다치진 않았어요? 아프면 파스라도 붙여드릴까요?"

"내가 언제 넘어져?"

"아! 그러면 다행이구요."

점숙은 넘어진 할아버지가 혹시나 아프면 어떡하나 걱정이 되어 저녁시간에 오늘 있었던 일들을 낱낱이 이야기한다. 주인댁은 깜짝 놀라면서도 이미 익숙한 일인 듯 대수롭지 않다고 생각하는 것 같다.

"아버지는 건강하시기 때문에 별 걱정 마라. 네가 고생해줘서 고맙다. 만약 할아버지가 갑자기 화를 낼 때는 같이 있지 말고 꼭 자리를 피해야 한다."

놀랍다. 어떻게 할아버지 얘기를 듣고도 저렇게 차분하게 이야기할 수 있는지. 이미 경험한 학습효과 때문인가. 점숙은 아버지 도생의 고통을 볼 때마다 온몸이 상처 난 듯 아프고 괴로워했던 것과 이 상황이 너무 비교가 된다. 주인댁도 언젠가는 할아버지가 생각날 땐 후회하지 않고 그냥 지나쳐가는 아름다운 과정이라 생각했으면 좋겠다. 아무 부질없는 내용이지만 아버지가 지금 자신의 손길을 필요로 한다면 손발이 닳도록 정성을 다해서 모시고 싶다. 오늘따라 가족사진 한 장 없는 부모형제가 너무나 보고 싶다.

"여러분! 씩씩하게 자라서 우리 원을 나가게 되었음을 축하해요. 오늘을 또 새로운 출발이라고 여기고 어딜 가든 건강하게 어른이 되어가길 바라요."

"엉엉엉"

고갈된 눈물이라고 생각했던 아이들의 울음소리가 애처롭다. 눈이 오고 비가 오고 계절이 바뀜을 거듭했었고 의지할 곳이 있어 큰 걱정 없이 미래를 꿈꿀 수 있었다. 열심히 노력하고 정성을 다하면 지인들을 다시 만날 수 있다는 용기도 있었다. 그러던 품 안의 시간이 흐르고 흘러 허허벌판으로 나갈 수밖에 없다. 종철은 다시 또 불안한 나락으로 떨어지는 느낌이다. 이곳을 나가면 당장 어떻게 보내야 할지 깜깜하다. 다시 또 정처 없이 길거리를 헤매고 버려지는 것 같다. 조그만 손가방을 안고 천애원을 나서는 종철이는 근처 공원에 앉아 이런저런 생각에 시간 가는 줄 모른다. 그러다 무작정 차를 타고 누나가 살고 있다는 인천으로 향한다.

멀찍이 수평선 너머로 석양빛이 타오르고, 한 무리의 갈매기가 어둠을 물고 온다. 석양에 취했던 종철이가 어둠의 장막에서 저녁식사를 하기 위해 작은 골목으로 들어선다. 드문드문 가게들이 문을 닫았고 눈앞의 조그마한 부품 가게에서 장년의 아저씨가 바쁘게 하루를 정리하고 있다.

"제가 좀 도와드려도 될까요?"

"아니 괜찮아. 젊은 사람이 기특한 마음씨를 가지고 있네. 그러면 이것만 좀 거들어주겠나?"

이미 정리가 잘 된 가게에 크게 도울 일은 없지만 종철에게는 시장기도 잊은 채 보람찬 일도 해보고 근심을 덜어버리는 소중한 시간이 된다.

"젊은이. 저녁은 먹었나."

"아니요. 저녁을 먹으러 가던 중이었어요."

"그럼 나랑 같이 밥 먹세."

처음 만난 두 사람은 격의 없이 친해지고 서로에게 관심을 갖는다. 샤프한 얼굴에 예의까지 갖춘 보기 드문 젊은이, 장년의 아저씨도 인품이 온화하고 기품 있어 보인다.

"학생은 아닌 것 같고... 어떻게 여길 왔는가?"

"... 아 네. 지금까지 고아원에서 자랐는데 청소년이 되었다고 해서 어쩔 수 없이 나와야 했습니다."

"그런가. 상처를 건드린 것 같아 미안하네. 내 잠시 자네를 지켜봤지만 자네는 꼭 성공할걸세. 용기를 내게."

"큰 용기 주셔서 감사합니다."

종철은 감사의 인사를 나눈 후 식당을 나선다. 이제는 어디로 또 가야 할지 머릿속이 흐릿해진다. 무의식으로 하늘을 한 번 올려다보는데 도회의 불빛 사이로 희미하게 보이는 별들이 자신의 심경을 읽어주는 것 같다.

"어이~ 젊은이. 이름도 알아두지 않았네. 마음이 안정되면 꼭 놀러 와. 꼭이네."

아저씨의 배려가 가슴에 파고든다. 아버지 도생이 살아있었다면 하는 생각에 멀리 어두워진 고향 하늘을 달려본다.

42

매봉산 노래 (완결)

"사장님! 안녕하세요."

"아니, 지난번 그 젊은 친구 아닌가?"

"네. 맞습니다. 이종철입니다."

"어서 오게. 오랫동안 소식이 없어서 안 오는 줄 알았지."

"죄송합니다. 찾아뵙기가 좀 어색했습니다."

오랜만에 다시 만난 두 사람은 반갑게 악수를 한다. 사장 주연은 지난번 종철을 만났을 때 자신에게 꼭 필요한 사람이라고 생각했지만 처음 만난 사람을 자신의 의도대로 권유하기는 부담이 되었었다.

"그래. 일자리나 다른 필요했던 건 다 해결했나?"

"웬걸요. 여기저기 알아는 봤지만 역부족이었습니다."

"그러면 이곳에서 일을 배워보는 거는 어떤가? 물론 월급은 섭섭하지 않도록 하겠네."

"정말요? 감사합니다. 아버지처럼 모시면서 열심히 배워보도록 하겠습니다."

"그러면 당분간 기거할 곳이 마땅찮으니 불편은 하겠지만 여기서 지내보도록 하게."

걱정했던 일이 생각보다 잘 풀렸다. 종철에게는 행운의 날로 주인아저씨를 위하는 일이라면 어떤 일도 이루어내고 싶다.

사장 주연은 종철이가 합류한 이후로 좀 더 안정을 찾는다. 출근을 하면 주변 청소뿐만 아니라 정리 정돈까지 깔끔하게 되어있고 거래처 관리까지 부족함이 없다.

"종철아. 너무 무리하게 일하지 마라. 난 집안 어른 때문에 자리를 비울 때가 많으니 차분하게 내 역할을 해다오."

어느덧 종철이는 은행 업무, 가계 잡무까지도 소홀함이 없이 안정감 있게 해내는 단계에 와있다.

"사장님. 요즘 사장님 얼굴이 편치 않아 보이는데 제가 실수라도 해서 그런가요?"

"아니야. 우리 집 어른 건강이 많이 악화되어 그 고민 때문이겠지."

"걱정이네요. 혹시 제가 도울 일이 없을까요?"

"괜찮아. 곁에서 수발을 돕는 아이가 있는데 힘이 부쳐서 우리가 돕다 보니 그래."

"네. 가게 일은 제가 배운 대로 노력할 테니 조금이라도 걱정이 덜어졌으면 합니다."

"알았어. 이 일만 아니더라도 진작 집으로 초대해서 함께 식사라도 했을 텐데 이해해. 그래도 아버지 문제가 없었다면 자네와 같이 일하기가 쉽지

바람으로 오는 풍금 소리

않았을 수 도 있었는데 그나마 위안이지."

주인집에는 안된 일이지만 그 할아버지 건강 때문에 사장님과 함께 일할 수 있는 기회가 되어 고맙기까지 하다.

"여기 있던 시계가 없어졌다. 네가 가져갔냐?"

"할아버지. 제가 왜 필요도 없는 남자 시계를 가져가요! 잘 찾아보세요."

"너희 아버지 주려고 가져갔겠지."

"억울해요."

점숙은 할아버지의 생트집이 지병 때문이라는 걸 알면서도 그립고 불쌍한 아버지를 탓하는 말에 눈물이 쏟아진다. 마침내 점숙이의 울음소리가 할아버지를 더욱 화나게 했는지 점점 감당이 어려워져 주인댁 아저씨 내외에게 연락을 한다. 급하게 집으로 돌아온 주인댁 내외는 두 사람을 안정시키며 조용히 이곳저곳을 찾아본다.

"아이고. 이게 뭐지? 아버지 시계가 여기에 있네요."

"뭐라고? 시계를 찾았다고?"

"네. 이불 속 사이에다 넣어뒀네요."

비닐 속에 싸인 시계는 곰팡이가 생기고 냄새까지 나는 음식물과 함께 단단히 숨겨져 있다. 전형적인 치매 증상의 하나다. 이걸로 점숙이의 억울함은 해소되었지만 갈수록 심해지는 할아버지의 증상에 모두가 걱정이다.

"점숙아. 미안하다. 원래 치매라는 게 저런 증상이 나타나는데 너무 너에게 고생을 시키는 것 같다."

가게로 돌아온 주연은 연신 근심의 한숨을 쉬어댄다. 그래도 종철의 야무진 일처리에 다소간 마음이 풀린다.

"종철이 너에게 가게를 맡겨도 될 만큼 잘하고 있구나. 지금처럼만 하면 된다."

"네. 열심히 노력하겠습니다."

밤이 되고 주인댁에서는 걱정과 우려로 의논 시간이 길어진다.

"곰곰이 생각해봤는데 심해지는 아버지 병세를 방치해서는 안 될 것 같네. 아버지를 모시고 고향으로 가야겠어."

"그런 생각을 안 해본 건 아닌데 가게는 어떡하고요."

"여러모로 이 군을 관찰해봤는데 조금씩 점검만 해주면 큰 무리 없이 잘 해낼 것 같네."

"그래도 그건 좀… 되도록이면 파는 걸로 해봅시다."

"나도 그렇게 생각해봤어. 이 군이나 점숙이에게 우리가 좀 더 어른스럽게 배려를 해야지."

두 사람의 대화는 이 궁리 저 궁리로 밤이슬을 헤인다.

"이 군. 오늘은 좀 일찍 가게 문을 닫고 우리 집에 가서 식사나 하자."

"아직은 좀 이른 시간인데요."

"오늘만은 특별한 날로 생각하고 가자. 집에서 기다릴 거야."

종철이는 사장 주연을 따라 처음으로 주인댁을 방문한다. 약간 오래된 건물이지만 크지 않은 마당에는 여러 가지 화초들이 고개를 내밀어 환영을 하고 잘 다듬어진 관상수는 안정감을 주기에 부족함이 없다.

"준비하느라 고생했네. 이군 어서 들어와."

"안녕하세요. 이종… 헉!"

"아니 이군 왜 그래?"

주인아주머니를 따라 분주히 음식을 준비하던 점숙이도 뜻밖의 상황에 눈만 크게 뜬 채 얼음이 되어버린다.

"너, 너는! 네가 어떻게..."

"누야야!"

모든 사람들이 갑자기 일어난 벼락같은 상황에서 할 말을 잊었다.

"두 사람이...? 세상에 어떻게 이런 일이 있단 말이고?"

"......."

"이 기적스러운 일은 조상의 음덕이 아니라면 뭘로 설명하겠나."

서로를 맞잡은 두 남매의 손은 떨어질 줄 모르고 훌쩍 성장해서 많이 달라진 여러 모습에 감격한다.

"종철아. 사장님의 배려대로 우리가 벌어가면서 해결해보는 게 좋겠다. 노력을 해도 마련되지 않는 돈을 어떡하겠냐."

"누나. 최대한 성의를 다해보자. 고작 은행 몇 군데 방문해보고 포기한다는 건 좀 그렇지 않아?"

천우신조인지 가게는 주인댁에서 시골로 급히 내려감에 따라 두 남매가 운영하게 된다. 남매는 주인아저씨의 인생이 고스란히 녹아있는 가게이기에 큰 어려움은 없지만 그렇기 때문에 더 정확하게 인수를 하고 자신의 꿈을 실현하고 싶다.

"손님. 무엇을 도와드릴까요?"

"대출을 받고 싶습니다."

"그러시면 준비하실 서류가 있는데요."

"저는 신용대출을 하고 싶은데요."

"글쎄요. 그건 우리 요건에 합당해야 합니다."

"그건 알고 있어요. 그게 안 되기 때문에 협의차 온 게 아닙니까?"

"죄송합니다. 제 영역 밖이라서."

"사과를 도둑질하면 도둑이 됩니다. 그러나 왕궁을 도둑질하면 왕이 됩니다. 내가 비록 여건이 안 되지만 왕궁을 도둑질할만한 담대한 꿈이 있습니다. 그 꿈으로 신용대출을 받고 싶은데요."

"거듭 죄송합니다."

"괜찮습니다. 아쉽지만 가까운 날에 인간 승리의 이종철로 텔레비전에서 보게 되면 좀 달라지겠지요."

어린 나이지만 한치의 흐트러짐이 없이 자신의 의지를 밝히는 종철에게로 많은 시선이 꽂힌다.

"연희씨. 이종철씨를 내 방으로 안내해주세요."

"네. 지점장님."

종철은 지점장방으로 안내되고 약간의 시간이 흐른 후 밝은 표정으로 밖으로 나온다. 이제는 꿈대로 열심히 일만 하면 된다. 뜻밖의 상황에서 의도치 않게 가게를 인수받고 차근차근 미래로 정진해간다.

10년 후,

"이사장! 좋은 골프장이 경매 매물로 있는데 이번에도 인수해보는 게 어때?"

"행장님께서 주시는 정보를 어찌 마다하겠습니까?"

"자네는 이래서 좋아. 솔직히 나는 이사장의 이런 점들이 오늘에 성공의 밑거름이라고 보거든."

바람으로 오는 풍금 소리

"별말씀을 다하십니다. 지금까지 행장님의 조언이 없었다면 오늘의 제가 있었겠습니까?"

"아무튼 고마운 일이요. 내가 있던 그 지점도 이사장의 승승장구로 한때는 우리 은행의 최고의 지점이되었지."

종철이는 만감이 교차한다. 허허벌판과 같은 인생의 여정에서 오늘이 있게 한 건 주인어른 주연을 만난 것이며 지금의 행장님을 만난 것이다.

'짧은 인생 시시하게 굴지 말자'라고 다짐했던 것도 자신의 발전에 밑거름이 되었다. '자신이 가기 전에 길이 없었지만 자신이 걷고 난 뒤에 길이 생겼다'라고 감히 자위도 해본다. 아버지 도생이 마지막까지 염려했던 형제들 간의 조우도 부족함이 없고 나름의 도움을 받았던 지인들에게도 감사의 인사를 놓치지 않았다. 더구나 첨단 기기로 글로벌화된 대기업에 자신의 부품을 여러 종류나 납품하는 영광도 얻었다. 이제는 자신을 다듬고 완충하는 두 가지 과제에 전력을 쏟고 싶다. 하나는 자신의 혼이 담긴 회사를 전문 경영인 체제로 전환하는 것이요, 다른 하나는 그토록 형 종식이 원하는 부모님 묘지에 관한 것이다.

"동생! 거듭 말하거니와 우리 형제들의 숙원인 부모님 묘지를 큰 절이라도 올릴 수 있도록 단장했으면 좋겠어."

"형님 말씀 충분히 공감하고 있어요. 그러나 솔직한 내 심정은 부모님 묘에 정성은 다하되 그대로 보존하는 것을 원칙으로 했으면 좋겠어요. 다만 주변 부지를 충분히 확보해서 우리 손으로 직접 가꾸고 싶습니다. 또 금시 발복의 명당이라고 하잖아요."

"동생들, 너무 고맙고 감사해. 부모님은 언제나 우리의 가슴속에 꽃으로 남아있기에 아름다운 중심이 되는 것 같아."

"이제야 후련하게 정리가 되는 것 같네. 금시발복 아버지의 보살핌이 매봉산의 기억 속에 살아있는 것처럼 큰형의 기억 속에 자리한 고향산 연가나 합창해봅시다."

산아 산아 천왕산아
너를 두고 가야 한다
이제 가면 언제 올까
그리우면 어찌할까

산아산아 매봉산아
우리 부모님 계신 곳에
진달래꽃 활짝 피워
어느 좋은 날 소쩍새 슬피 울거든
우리 소식 전해다오

43
서리 문화에 대한
고찰

늦가을 해 질 녘 하늘에는 기러기 떼가 한 줄의 군무로 장관을 이루어 날고 동네 앞강에서는 겨울의 축제를 기다리는 들뜬 오리 떼가 찔룩게(칠게) 사냥에 분주하다.

고즈넉하고 한가한 일상에 감사하며 저녁을 먹고 나온 우리들은 연신 싱글벙글 이다.

"드디어 오늘이 계획했던 날이다."

"아직은 이른 시간이라 위험부담이 있다. 모닥불이라도 피우고 기다리자."

쌀쌀한 늦가을 강가에서 모닥불이 이글거리며 따뜻해지자 누가 먼저랄 것도 없이 '모닥불 피워 놓고 마주 앉아서 우리들의 이야기는 끝이 없어라~' 노래로 흥겹다. 하나둘 마을의 불빛이 어둠 속으로 잠들어 갈 때쯤 성수와 태영이를 비롯한 우리들 다섯 명은 행동에 나선다.

"정말 이 늦은 가을에 수박이 있을까?"

"걱정 말고 가기만 하면 된다. 오늘 낮에도 확인해 뒀다."

"그런데, 왜 이리 춥냐. 긴장을 해서 그런지 되게 춥네."

이때다 싶어 슬그머니 장난기가 발동되는데

"저 봐라, 우리를 감시하는 사람 아니가?"라고 내 말이 떨어지기가 무섭게 태영이가 후다닥 도망을 가는데 저렇게 빨리 달리는 것은 처음 본다. 한바탕 웃음으로 긴장을 달래고 서리 현장에 도착한 우리들은 조심스럽게 수박을 찾는데 끝물로 열린 수박이 참 굵고 탐스럽다.

"세 개만 따서 가자."

"아이다, 어차피 왔으니까 한 사람당 하나씩 따자."

의견이 나뉘자 절충안으로 세 개를 따는데 한 개는 맛이 어떤지 그 자리에서 깨 먹어보자고 합의했다.

"캬, 꿀맛이다. 이렇게 기분이 좋은데 카메라도 가져올걸."

태영이의 낭만적이고 여유 있는 말에 진심이 담겨있다. 서리 후 물이 불어 가득 찬 강가에서 수박을 먹는데 세상을 얻은 듯 푸근하다. 마침내 배가 불러오자 장난기 많은 성수가 먹던 수박 알맹이를 내 얼굴에다 갑자기 문지른다. 우리들은 또 한 번 장난이 발동하고 서로를 문지르는 장난으로 웃음꽃이 핀다. 그렇게 우리들의 추억을 담은 늦가을 수박 서리는 완벽하게 끝난 듯했다.

뒷날 학교에서 돌아오자 동네에 사는 작은 집 누나가 집에 들러서 하는 말이 "어제 어떤 놈들이 산에 있는 수박을 서리해 갔는지 찾아야 한다"라고 난리다.

"종손집이라 조상님 제사에 쓸려고 아무도 모르는 산에다 부탁 부탁해서 가꾸어 놨는데 어떻게 알고 따갔는지 부아가 나서 죽겠다."

분명히 우리들은 정씨 집 산이어서 주인이 그 집으로만 알았다. 하지만 또 한편으로는 성수가 주인을 알면서도 모른척하며 우리를 꼬드긴 게 아닌가 하는 의구심도 든다.

"성수야, 너 이리 좀 와봐라. 네가 산에 있는 수박 서리해 간 게 아니냐?"

"아니요. 누나. 집에 가서 물어봐요. 어제 난 일찍 잤어요."

결국 누나는 포기하는 듯하면서 "성수 점마 아니면 누가 그런 짓 할까?" 하고 말하는데 내 얼굴이 붉어지고 마음이 찔려서 이실직고할 뻔했다. 왜 나에겐 의심을 안 하는지 모르겠지만 마음 한 편에는 신뢰라는 편견으로 평가마저 달리한다 싶다.

누나 미안해요. 흐흐흐.

"겨울에도 새싹 보리가 있는 걸 보면 생명력이 대단해."

추운 겨울의 긴긴밤을 친구들과 놀다가 치형이 친구가 묘안을 내서 방죽까지 닭서리를 나섰다. 어두운 밤이라 길을 밝힐 후라시(손전등)를 들고 걸으면서 보리 새싹이 자라는 묘한 겨울과, 조락의 계절로 식물 환경이 변하는 가을 사이가 참 아이러니함을 느낀다.

여러 해를 살 것 같던 그 싱싱했던 잎들이 낙엽되어 지는데 솜털 같은 저 부드러운 새싹은 추위도 아랑곳없이 세상을 향해 살포시 고개를 내밀고 호기심으로 인사한다. 오늘 처음으로 닭서리를 따라나서는 나는 그동안 여러 사람들의 서리에 대한 영웅담을 상상 속에서 그려만 왔지만 오늘에야 실천의 기회를 얻어 흥분돼 있다. 마당가 닭장까지 접근해서 가는데 어쩐 일인지 석태 친구가 양 겨드랑이 밑으로 손을 넣고 있다.

"왜 겨드랑이에 손을 넣고 불편하게 있나?"

"겨울엔 닭이 추위를 이기기 위해 잔뜩 움츠려 있다. 이때 차가운 손이 들어가면 닭이 놀라 들킬 위험이 있다. 그래서 따뜻한 손을 날개 밑으로 넣기 위해 사전에 준비를 하는데 손이 따뜻하면 닭이 소리 없이 꼭 품어준다. 이때 잡는 거지."

이런 것까지 아는 걸 보니 영웅담이 아닌 고수의 노하우로 인정해줘야겠다. 닭장 문을 열려고 아무리 노력해도 철저하게 자물쇠까지 채워놓아 방법이 없다. 비상수단으로 지붕을 어렵게 뜯어내니 닭장에는 닭이 없고 생각지 않았던 토끼 두 마리가 졸고 있다.

그중 커 보이는 한 마리를 끄집어내는데 필사적으로 발버둥 친다.

"조심해라. 들킬라."

잔뜩 긴장된 나는 입술이 바싹바싹 타고, 급기야 "닭이 아니니까 그냥 가자"하고 말려본다.

"뭔 소리야. 우리가 고기 때문에 서리 온 게 아니고 괘씸한 영태 아버지 골탕 먹이려는 게 목적이잖아."

그건 맞는 말이다.

영태 아부지는 자식도 많고 부인도 있는데 남의 자식들과 다른 여자와 살고 있어서 우리 친구들의 공적 아닌 공적이 되어 그 화풀이를 위해 온 것이다. 토끼를 잡아서 나오는데 방에서는 테레비전 소리만 날뿐 전혀 눈치를 채지 못한 것 같다. 석태 집으로 걸어오는 도중 축 늘어진 토끼 뒷발이 땅에 닿을 듯 커져있고 무겁기까지 하다.

늦게 들은 얘기지만 토끼는 죽은 뒤, 귀를 잡고 들게 되면 사람 키만큼 커

바람으로 오는 풍금 소리

지는 희한한 동물이라고 한다. 영태 아부지에 대한 우리들의 부질없는 복수는 실감 나고 화끈했지만 죽은 토끼에겐 정말 미안하다.

미안하다, 토끼야.

"올해는 모기도 극성인데 더군다나 풀밭이라 죽을 지경이다."
"좀 조용히 해라. 지나가는 사람 들을라."

44
청춘 별곡

삶에 있어서 물 한 모금, 풀 한 포기, 작은 조약돌 하나라도 소중하지 않은 것이 어디 있을까. 동산을 올라도 첫걸음부터 수많은 사물과 다른 생명체와 조우하며 도움을 주고받는다. 하물며 태산 같은 큰 삶을 오르는데 이러한 사물에 대한 상호관계를 어찌 쉽게 여길 수 있을까.

동장군이 맹위를 떨치고 삼라만상을 겨울 왕국으로 마술 걸었던 엄동설한이 서서히 풀리고 세상은 소리 소문 없이 대자연의 꽃과 잎을 만들기 위해 푸르름의 신을 동원한다.

"한규야, 일어나라. 오늘도 할 일이 태산이다."

중학교를 마친 한규는 불평 한 번 없이 기지개를 켜더니 벌떡 일어난다. 그렇게 한규의 하루는 시작되고 있다.

현재 시간 새벽 4시.

특별한 경우를 제외하고 다들 행복한 꿈나라에 있겠지만 반농반어로 겨울이 접어들면 시작되는 김 만드는 작업은 이 시간을 넘기면 엉망이 되어 버린다. 수작업으로 만들어지는 김은 건조대에 올리기까지 소요시간이 만만치 않고 과정 또한 태양이 있어야 가능한 작업이다.

"오늘은 물이 불어 예측하기 어려운 해구(김)라 전체 수량에 착오가 생겼다. 빨리 아침을 묵고 다시 해구를 씻으러 가야겠다."

그렇게 또 2차 작업이 시작된다. 아직도 추위 때문에 투박하게 옷을 입고 레어카에 무거운 짐을 싣고 집으로 올라가는 비탈길은 거칠어지는 숨소리와 땀으로 고통을 요구한다.

"힘들어도 조심해서 짐이 엎질러지지 않도록 올라가자."

따르릉 따르릉

힘든 와중에도 맑은 자전거 종소리에 뒤를 돌아본다. 동갑인 육촌 성수가 고등학교에 가기 위해 한껏 폼을 내며 자신의 존재를 알리는 청아한 소리다.

"성수가 저리도 늠름하고 멋있었는가?"

같은 교복이지만 중학교 때의 성수 모습과 고등학생이 된 성수의 이미지는 비교가 되지 않는다. 새 자전거, 새 교복 그리고 그에 맞춰진 늠름한 자세. 저 멋진 모습과 지금의 초라한 내 모습이 상충되자 나도 모르게 뜨거운 눈물이 흘러내린다.

"난 지금 뭣을 하고 있지?"

이 생각으로 잠시 행동이 멈춰지자 큰형님도 내 마음을 알아차렸는지

"너도 올해는 더 열심히 해서 내년에는 더 좋은 고등학교에 멋지게 가면 된다."

마음의 동요를 느낀 나에겐 따뜻한 형님의 얘기도 귓밖에서 앵앵거린다.

"지금으로 봐선 일 년을 더 공부한다고 해도 보장이 어렵고 공부에 별 흥미가 없는 난, 내년 이맘때도 오늘 이 자리에 있을 줄 모른다."

2차 작업까지 마무리가 되자 나는 결연히 '진상종고'에라도 가겠다고 부모님과 형님 부부에게 전한다.

4월 3일, 드디어 진상 고등학교 학생으로 성수처럼 새 자전거에 새 교복을 입고 산뜻한 마음으로 진학한다. 교문에 들어서는 순간, 단정하고 엄격하게 완장을 찬 선도부 선배들의 절도에 나도 모르게 기가 꺾인다. 1학년 2반 유인수 담임선생님을 따라 교실로 들어서자 진월 남중 친구들의 눈이 휘둥그레진다.

간단한 소개를 하고 임시 자리를 배당받아 앉으려고 하는데 치형이, 석태 친구가 이미 자리를 마련했다. 뜻밖에 나의 등장으로 쉬는 시간에 친구들은 무척 기쁜 듯 주변으로 몰려든다. 심지어 1반 친구들까지.

"야! 너희들 너무 떠든다. 조심해라."

키가 훤칠하게 크고, 당당하고 아주 잘생긴 친구다.

"쟤가 반장이가?"

"아니다. 정원표라고 하는 저 친구는 진상중학교를 나왔는데 우리보다 1년 선배였단다."

"되게 설치네. 느그들 혹시 꿀리는 거 아니가? 야! 넌 말이 많고 왜 이리 설쳐?"

나의 기습적인 발언으로 교탁 앞에서 자기주장을 하던 그 친구는 갑자기 얼굴이 붉어지나 싶더니 굳어진다.

"이 자식 봐라? 너 이리 나와봐라."

"그래! 나간다."

주변 분위기가 싸늘하게 식어가고 두 사람의 행동에 잔뜩 긴장한다.

'저 친구 당당한데? 혹시 잘못 건드린 거 아니야? 그렇지만 엎질러진 물인데 당당하게 붙어보자.'

서로 밀고 당기고 기싸움을 하는데 이 친구 역시 보통이 아니다. 왜 이리 쉬는 시간 10분이 긴지 모르겠다. 그러나 여기서 확실히 기선을 제압하자는 결론에 도달하자 나는 지체 없이 의자 하나를 집어 든다. 흠칫 놀라던 그 친구 역시 의자를 집어 드는데 둘이 던진 의자는 허공에서 불꽃이 튄다. 본격적으로 엉겨 붙으려 하는데 친구들이 말리기 시작한다.

'신고식은 확실하게 했네.'

2교시를 알리는 종소리와 함께 주변을 살짝 둘러보던 나는 슬며시 웃음이 난다. 종례시간이 끝나고 밖으로 나오는데 1년 선배였던 병갑이가 웃으면서 나를 반겨준다.

"한규야, 반갑다. 너도 이리로 왔네."

"선배, 잘 있었는가. 그런데 공부 잘하는 선배도 여길 오다니."

병갑이는 빙그레 웃더니 "너나 나나 피장파장 아니가." 둘은 반갑게 포옹을 했다.

"한규야, 지금 나랑 갈 데가 있는데 어쩔래?"

"당연히 가야지."

병갑이를 따라 진상 장터 튀김집으로 들어서는데 불현듯 옛날 생각이 난다.

"어무이 운동화 하나만 사주면 심부름도 잘하고 공부도 열심히 할게."

어머니는 그저 웃을 뿐 아무 대답이 없다.

"엿 하나 사줄까?"

"아이요. 운동화요."

초등학교 4학년부터 축구선수가 됐던 나는 제법 인정을 받았고 이를 계기로 더 열심히 인정받고 싶어 운동화가 필요했다. 1시간 30분을 넘게 오일장에 가는 엄마를 따라가면서 이쁜 짓은 골라서 다했다. 신발가게를 몇 번이나 지나쳤지만 끝까지 어머니는 운동화에 관심이 없다. 다른 물건을 사도 3번, 4번 가격 싼 집을 확인하고서야 하나를 사는 신중함이다. 나는 작전을 바꿨다. 그리고 투덜투덜 울기 시작했다.

사람들이 왜 우냐고 어머니에게 묻자 운동화 문제를 이야기하는데,

"저리 우는데 그만 하나 사주소."

어머니는 아무 대답이 없다. 나중에 안 일이지만 시장에 올 때 아버지와 예산을 잡고 왔기 때문에 추가 지출이 불가했던 것이다.

"아~ 다시 오기 싫었던 진상 장에 몇 년 만에 오는 건가."

튀김집 방으로 병갑이를 따라 들어가니 먼저 온 사람들이 막걸리 주전자에 잡채 튀김으로 잔치가 벌어졌다.

"어서 와라. 네 이름이 한규라고?"

쭈뼛쭈뼛 머뭇거리는 나를 보고 자리를 권한다.

"난 박광순이고 나이가 좀 쎄다."

"난 신홍재. 너 초등학교 1년 선배고 집은 구덕이다."

"그리고 두 사람은 서로 신고식 했지? 하하하. 서로 인사해라."

겸연쩍고 난처하지만 도리가 없다.

　　　　　　　　　바람으로 오는 풍금 소리

"아까는 미안했수. 나 김한규요."

"나도 미안했수. 나 정원표요."

내 인생에서 가장 값지고 멋있는 인연들이다. 신의 축복이 없었으면 과연 이런 추억이 내 인생에 존재했을까. 화기애애한 막걸리 주전자는 끊임없이 이어지고 서로의 마음은 저녁노을처럼 붉게 타오른다.

여느 때와 마찬가지로 새벽부터 김 뜨는 작업은 고통스럽지만 그래도 학교라는 도피처가 있어서 다행이다. 아직도 쌀쌀한 기운이 얼굴을 때리지만 등교를 하는 기분은 활짝 핀 꽃들에게 희망을 전해줄 나비를 찾는 기분이다.

"애벌레가 험난한 여정 끝에 나비가 되어 광활한 창공을 유유자적하듯, 나도 나비가 되어보자."

마지막 시간이 끝나고 이런저런 얘기로 유리창을 닦고 있다. 의미 없이 그저 수동적으로 움직이는데 삼삼오오 한 무리의 여학생들이 호미를 들고 지나간다. 그리고 무심히 다가오는 여학생들을 힐끗 쳐다보다 그만 심장이 멎어버리는 듯한 강한 감전으로 정신이 혼미해진다.

"아~ 나에게 꿈을 줄 여학생이 여기에 있다니."

뜨거워야 움직이고 미쳐야 내 것이 된다는 교훈이 심장을 때린다.

45
청춘은
격랑 속으로

　고등학교는 새로움의 연속이다. 배우고 익히며 독립된 별과 같이 자신만의 소우주를 탄생시킨다. 열정만큼 또 변동이 커서 사랑하는 마음이 여러 대상으로 불타오르다 식었다를 반복한다.

　광순이 형과 원표, 홍재, 병갑이 그리고 치형이, 철희, 민식이, 육섭이 등 인연들은 새로 맺어지고 이어진다. 특히 부담임으로 교생실습을 온 김영현 선생님은 내게 많은 생각과 감동 그리고 격려까지 아끼지 않았고 가슴 한가득 자리 잡은 청춘의 심장이 됐다.

　교련 시간이 끝난 후,

　"너 요즘 내한테 많이 거슬리는데 우리 한 번 붙자."

　"허참, 후회는 하지 마라."

키와 덩치가 나보다 작은 태권도 유단자로 학교 근처 섬거 마을에 사는 친구다. 대꾸는 웃으면서 했지만 긴장을 속일 수 없다. 자신의 영역이라고 의기양양하던 곳에, 느닷없이 나타나서 개선장군처럼 행동하는 내 모습이 거슬렸던 모양이다.

청소시간에 화장실 앞 공터에서 만나 붙기로 약속하고 이기기 위해 사전 점검을 하는데 내게 장점이 많은 장소다. 공간이 좁은 데다 내 체격이 크기 때문이다. 그리고 이 방법이면 될 것 같다.

사전에 장소까지 탐색한 후 조용히 청소 시간을 기다린다. 드디어 오후 2교시가 끝나고 청소시간이 되자 조용히 화장실 앞 공터에 두 사람이 만난다.

"지금도 늦지 않았다. 화해를 청하든지, 아니면 후회는 하지 마라."

얼굴을 거의 맞대고 서로 기싸움을 하는데 이 친구가 "넌 내 상대가 못된다"하면서 공격 자세를 취한다. 순간 전광석화처럼 내 덩치를 이용해 벽 쪽으로 그를 밀쳐내자 그는 뜻밖의 강한 힘에 밀려서 건물 벽으로 튕겨진다. 당황한 기색이 역력한 그가 반격할 틈을 주지 않고 잽싸게 얼굴을 가격한다. 퍽소리와 함께 쓰러져 코피를 쏟은 그는 더 이상 반격의 기운을 상실한 것 같다.

'그래, 사전 점검과 계획이 이렇게 중요하구나.'

스스로를 흐뭇해하며 하교를 하는데 단짝들과 함께하는 잡채 튀김과 막걸리가 그립다.

두 번의 싸움으로 학교에선 나도 모르는 사이 꽤나 알려진 인사가 됐다. 굳이 여러 번 싸우지 않아도 동급생들 중엔 나와 맞서려는 친구가 거의 없다.

세상은 일일이 수고로울 필요가 없다. 하나의 흐름을 타면 그 흐름으로 인해 주변이 스스로 정리된다.

변함없이 청소시간이 찾아오고 창문에만 고정된 청소 행위는 어느덧 일과 중의 꽃이 되었다.

오늘도 호미를 들고 이리로 지나가겠지.

아무리 기다려도 그 여학생은 지나가지 않는다. 나중에야 안 일이지만 본관 교무실 앞 잡풀 뽑기는 단 한 번으로 끝났기 때문이다. 특히나 우리와 다른 건물을 쓰는 농과는 좀처럼 만나기가 쉽지 않은데 간혹 우리 근처를 지나칠 때도 여러 학생들이 삼삼오오 짝을 이루어 다니기 때문에 헷갈리기 일쑤고 말을 걸기가 어색하고 어렵다.

왜 여학생들은 짝을 이루어 다닐까?

화장실을 가더라도 혼자서 다니는 법이 없는 것 같다. 조바심이 나도 도리가 없다.

언젠가는 기회가 오겠지.

오늘도 면 소재지의 학교 앞 등굣길은 언제나처럼 붐빈다. 몇백 명의 학생들이 같은 시간대에 똑같은 교복으로 등교하기 때문에 구분이 어렵다. 밝은 기운과 희망으로 교문 앞에서 복장을 살피는데 앞서가는 여학생들 중에 분명 내가 그렇게 찾았던 그 여학생이 다른 친구들과 웃는 얼굴로 얘기가 한창이다. 입에 침이 마르고 가슴이 두근거린다.

'언제 저 여학생과 대화를 해볼까? 제발 혼자서 걸어가면 안 될까?'

그저 내 안타까운 바람일 뿐 오늘도 기회는 오지 않았다. 어느덧 꿈이 되어버린 그 여학생. 슬쩍 지나쳐갔지만 그래도 긴 여운이 남는다.

점심시간이 끝나갈 쯤, 막연히 운동장을 보고 있는데 농과 여학생들이 실습을 위해 운동장으로 집합하고 있다.

"원우야! 저기 여학생들 가운데 혹시 예쁜 쟤 아냐?"

"쟤 말이가? 어, 우리 동네 애다."

"정말이가? 야, 나 좀 소개해주면 좋겠다."

드디어 기회를 찾았다. 이 순간 하늘을 날고 신세계를 찾아 부푼 꿈을 꾸는 기분이다. 원우가 제발 역할을 잘해줬으면 좋겠다.

"쟤 이름은 윤오다. 내가 다리 한 번 놔볼게."

날마다 흐려지던 고교 생활에서의 꿈이, 둥근 달 같이 알차게 차오른다.

어떻게 하면 저 여학생과 고교 생활을 보람되게 보낼 수 있을까?

다음날 등교를 하는데 동신교통 버스에서 내리는 원우의 답이 기다려진다. 혹시나 친구들 앞에서 원우가 윤오 얘기를 하면 민망해질까 봐 모른 체하고 걷는다. 1교시가 끝나고 화장실로 가는 원우를 뒤따라가는데 원우가 내 마음을 알아챈 듯 "윤오가 얼굴만 붉어지더라. 다음에 자연스럽게 부딪혀보자" 하며 미소 짓는다. 기대만큼 실망도 크지만 그래도 거부하지 않는 것에 위안을 삼자.

점심시간에 원우가 운동장에나 나가보자고 해서 기분 좋게 나가는데 여학생 두 명이 소나무 그늘 아래 서 있다.

"윤오야! 우리 아이스크림이나 묵으러 가자."

대답 없이 고개를 끄덕이는 그 여학생을 보는 순간 난 어찌할 바를 모르고 얼음이 되어버렸다.

'아니 이럴 수가, 내 앞에 저 여학생은 내가 그토록 기다렸던 그녀가 아닌 것 같다.'

또 한편으론 오매불망하던 그 여학생인지 아닌지 이젠 헷갈릴 지경이다. 예쁘고 귀엽게 생긴 것은 확실한데 키가 조금 작은 것 같다. 지난번 여학생들이 운동장에 집합할 때 원우한테 물어본 내 의사전달이 잘못된 모양이다. 이를 어떻게 해야 할까, 짧은 순간 혼돈이 일어난다.

차라리 이 여학생이랑 사귀어볼까, 아니면 원점으로 다시 돌아갈까? 이 여학생을 먼저 봤더라면 분명 생각할 필요도 없었을 것이다. 아이스크림을 먹으면서도 마음은 수없이 변덕을 부린다. 가장 행복하고 아름답게 꽃 피어야 할 시간이 새로운 상황의 꽃샘추위에 떨리고 있다.

"1반에 종덕이라는 애가 가까운 도시에서 전학을 왔는데 장난이 아니다. 나이는 우리보다 많다고 하는데 온몸에 흉터고 사고를 쳐서 불가피하게 전학 왔단다."

"그런 사람을 뭐하려고 학교에서 받아주냐?"

"그 사람 집안이 보통이 아니라나?"

나름 어깨에 힘을 주던 우리에게 비상이 떨어졌다. 그렇다고 그냥 모른 채 하기는 자존심이 허락지 않는다.

"어떻게 하는지 지켜보자. 그리고 중지를 모아보자."

하루 이틀 그리고 한 달쯤 지나자 그에 대한 동급생들의 불만이 터져 나온다.

"종덕이 이 친구는 이제 안하무인이다. 지각과 분위기 망치는 것은 보통이고 심지어 반 애들을 때리기까지 한다."

"그럼 우리가 한 번 손을 봐줘야 하는 것 아니가?"

"문제는 걔가 정정당당하지 않게 무기를 가지고 다니는데 있다."

무기라는 말에 우리들은 긴장한다. 사실 간단한 물건은 위협용으로 사용한다 해도 흉기 같은 것은 비겁하다고 느꼈기 때문이다.

바람으로 오는 풍금 소리

"방법이 없는 것도 아니다."

홍재의 말에 우리는 눈과 귀가 쫑긋해진다.

"종덕이와 붙을 사람을 먼저 정하고 그다음엔 그가 마음껏 싸울 수 있도록 주변에서 지켜주면 된다."

정말 비책 중 비책이다.

"그렇다면 내가 나가서 붙는 것이 맞는 것 같네."

나의 결정에 다들 이의 없이 동조한다.

"속전속결로 하자. 오늘 청소시간에 학교 뒷동산 맷동(묘지)에서 붙는 걸로 하자. 내일로 하면 애가 무슨 조화를 부릴지 모르니까."

결정을 해놓고 조금 긴장이 되지만 어쩔 수 없는 선택이기에 기꺼이 응할 수밖에 없다고 거듭 다짐한다.

홍재, 병갑이, 원표, 동제가 먼저 종덕이를 만나서 조율을 했고 일사천리로 붙기로 결정됐다. 청소시간을 알리는 종소리가 울리고 우리는 학교 뒷산 묘지에서 만났다. 북동쪽을 바라보는 학교 뒷산은 갑작스러운 우리들의 등장에 새소리만 들려줄 뿐 조용한 침묵으로 오늘의 결과를 기다리며 숨을 죽인다.

"오늘 두 사람은 개인감정을 떠나서 정정당당하게 임해야 한다."

사전 계획대로 규칙을 정하는데 막힘이 없다.

"혹시 모르니 두 사람은 팬티만 입고 겨룬다. 시간은 두 사람이 정하는데 만약 무기를 사용하면 여기서 지켜보는 우리 네 사람이 공동으로 개입한다."

우리 두 사람의 동의하에 시간은 3분으로 정하고 팬티 차림으로 싸움을 시작한다.

짧은 순간 탐색전이 시작되고 종덕이의 선제공격이 매섭다. 그러나 그 공격을 피하고 방어하는 것은 어렵지 않았다. 그는 외적 분위기만으로 기선

제압에 강할지 모르지만 싸움은 나보다 약했다. 쌍방의 숨소리가 거칠어지고 온몸이 땀으로 범벅된다. 치고받기를 수십 번. 마침내 3분이 종료됐다.

"그만! 3분이 지났다."

3분은 길고 험난한 길이었다. 서로가 인정하는 학교생활을 하기로 약속하고 옷을 입는데, 청소를 하던 많은 학생들이 뜻밖의 싸움 광경에 응원과 함성으로 체육관 관중들의 열기처럼 난리가 났다. 멀지 않은 뒷산에서 벌어지는 팬티 차림의 기괴한 싸움을 생생하게 지켜본 것이다.

"종덕이한테 우리의 존재를 알린 것은 맞는데 싸움하는 모습을 그 여학생이 보지 않았다면 좋겠다."

얼굴이 달아오르고 후회가 막급하다.

교실로 돌아온 우리들은 담임선생님의 호출에 불려나간다.

"뒷산에 올라간 놈들은 모두 나오고, 싸운 놈은 누구냐!"

"저와 1반 종덕이가 붙었습니다."

"그럼 이겼냐, 졌냐?"

"한규가 본때를 보여줬습니다."

"그럼 됐다. 모두 집으로 기분 좋게 돌아가라."

담임선생님의 호탕함에 감동하며 긴장 속 보람된 하루에 감사한다.

바람으로 오는 풍금 소리

46

방황은
뒤돌아보고

'두둥실 두리둥실 배 떠나간다. 서산에 해 지면은 달 떠온단다…'

아버지와 큰형님이 장어 잡이에 나갔다가 순풍에 돛을 달고 뒷바람을 날
개 삼아 집 앞 강가에 도착한다.

"오늘 어장은 어땠소?"

"뭐, 평년작은 된 것 같네."

"그래도 오늘 밤에 용왕님께 제를 올려야겠소."

큰형님이 닻줄을 길게 풀어 저녁에 있을 용왕제에 대비를 하는데 다들 흡
족한 표정이다.

특별한 행사가 없으면 사시사철 경제 활동을 하는 우리 집은 이제는 제
법 형편이 나아졌다. 한 해가 지나고 나면 서너 마지기씩 논이 늘어나고, 늦
가을이 되면 나락 두지(마당에 한시적으로 만든 나락 창고)가 현저하게 커

지거나 늘어난다.

초저녁이 되는가 싶더니 하늘에는 수많은 별들이 고개를 들어 품평회를 열고 어머니가 용왕제를 시작하자 호기심이 가득 찬 빛으로 고개를 내민다.

"비나이다. 비나이다. 용왕님 전에 비나이다. 많은 성찬은 아니지만 정성으로 마련한 이 음식을 흠향하시고 우리 배가 고기를 잡거들랑 항상 만선이 되도록 살펴주소서."

두 손을 비벼가며 제를 올리는 어머니의 정성에 별들도 감동한 듯 구름 속에 갇혀있던 달님까지 보내는데, 하물며 용왕님이 어떤 수로 이 정성을 외면할까. 아마도 우리 집 형편이 조금씩 나아지는 것은 어머니의 지극정성 때문인 것 같다.

"하이고, 오늘 용왕제는 잘 되어부렀다. 용왕님이 얼마나 흡족해하셨는지 여기 좀 봐라."

어머니가 가리키는 쌀그릇의 촛불 밑을 보자 누군가가 그림을 그려놓은 듯, 쌀그릇에는 제법 형태를 갖춘 그림이 아른거린다. 집으로 돌아온 어머니를 본 아버지도 왠지 모를 뿌듯한 확신에 가족회의를 연다.

"다들 고생해줘서 고맙다. 앞으로 우리 집은 더욱 잘 될 것이다. 내일은 둘째와 사위한테 연락해서 집으로 좀 내려오라고 해라."

드디어 큰누나 부부와 둘째 형이 도착하자 아버지는 "첫째는 너희 매형과 둘째와 함께 부산 사상에 가서 땅을 좀 보고 와라. 사람들이 자꾸만 부산으로 가는 것을 보니 땅을 좀 사두면 좋겠다"라고 한다.

사상을 경유해서 돌아온 형제들은 각자의 생각을 밝힌다.

"사상에는 엄청나게 큰 땅들이 야채 밭으로 끝이 없고, 듬성듬성 있는 집들도 가격이 낮아 사두면 괜찮을 것 같던디다."

"제가 보기엔 거기까지 발전하려면 언제가 될지 상상이 안 가던데, 차라리 서울에다 집을 사두는 것이 나을 것 같던데요."

결국 서울에다 집을 사는 것으로 결정을 했는데, 이때부터 서서히 집안 분위기가 갈등으로 변해갔다. 나는 오롯이 갈등 속에서 질풍노도의 시기를 보내며 집안 문제, 학교생활, 그리고 이성문제로 차츰차츰 통제가 어렵게 되어 간다.

개울물은 연속적으로 흘러가지만 늘 거기에 있다. 그러나 바닷물은 끊임없이 출렁거리며 노도가 되기도 하고 잔잔해지기도 한다. 어느새 난 개울물에서 바닷물로 떠내려 와 인생이라는 긴 수평선 안에서 사나운 파도에 불안하게 출렁인다. 빛을 발하지만 눈부시지 않고 그 빛이 여러 대상과 조화를 이루는 삶. 나는 이런 빛으로 동경하는 여학생과 그림자 같은 조화를 이루고 싶었다. 그 이름 모를 여학생을 백방으로 노력한 끝에 어렵게 알아냈다.

"쟤, 혜영이 말이가."

혜영이는 수업이 끝나면 통학버스 타는 것이 바쁘다. 그래서 좀처럼 만날 기회가 적어 애만 태운다. 그를 향해 삼백 예순 날 마냥 울었던 내 슬픈 가얏고가 드디어 선율을 골라 심금을 울리려 하는데, 허술한 가얏고 줄이 끊어질듯 해 더 이상 다가갈 수 없다.

"더 이상 혜영이 앞에 내 존재를 알리기 어려울 것 같다."

"왜? 그래도 네 맘이 변함이 없으니 용기를 내라."

절친들의 격려도 힘이 되지 못한다. 그렇게 갈망하면서도 학생으로서 절제하지 못한 행동과 술로 이미 나만의 벽을 쌓고 말았다.

"우리 막걸리나 묵으러 가세."

오늘도 교복 차림이지만 생각과 행동이 비뚤한 신세타령의 주정뱅이다.

'그래도 내일은 한 번 더 용기를 내보자.'

수 없이 또 다짐하지만 친구들과 예쁜 담소로 지나가는 그녀를 보면 나도 모르게 작아지고 만다.

철희, 병갑이와 오늘도 막걸리로 위로를 삼고 터덜터덜 청암 마을쯤 걸어오자, 사방은 어두워지고 이름 없는 풀벌레 소리와 개구리 소리가 합주를 한다. 이때 철희가 농로 근처 파란 대문 집으로 달려가는가 싶더니 "영숙아, 영숙아"하면서 대문을 사정없이 '꽝꽝'차고 난리다.

갑작스러운 철희의 행동으로 여기저기서 개 짖는 소리가 '왕왕'거리고 난리가 났다. 우리는 당황해서 부리나케 도망을 하는데 옆집과 앞집에서 청년과 어른들이 뛰어나온다. 막 엉겨 붙어 싸우려는 찰나 나도 모르게 윗옷을 벗어던지고 싸움 태세로 전환한다.

"안 된다. 절대 싸우면 안 돼."

가까스로 병갑이의 호소를 담은 중재로 싸움이 중지되고 각자의 집으로 돌아왔다.

다음날, 어제 입었던 교복 속의 티를 찾는데 그 아꼈던 옷이 아무리 찾아도 보이지 않는다. 아뿔싸, 어제 시비가 붙었을 때 벗어던졌던 기억이 흐릿하게 생각난다. 자전거로 서둘러 그 장소로 달려가 봤지만 옷이 보이지 않는다. 두리번 두리번 몇 번이고 왔던 길을 샅샅이 뒤져보지만 찾을 길이 없다. 멀쩡한 새 옷이기에 누군가가 주워 간 모양이다.

문득 짹짹짹 참새 지저귀는 곳을 쳐다보니 세상에 이런 일이 다 있을까. 버려진 내 옷을 못자리의 허수아비가 단정하게 입고서는 천연덕스럽게 "고맙다. 이제 이 옷은 내 것이다"하고 웃는다. 난처하지만 못자리 안의 옷이

바람으로 오는 풍금 소리

라 포기하기로 마음먹고 자전거를 타는데

"안 돼! 새똥은 싫어. 그리고 내 몸에 새들이 앉아서 시끄럽고 간지럽히는 것은 더 참기 어려워" 하고 내 옷이 또한 간절하게 호소한다. 혹시나 하고 보는 사람이 없는 것을 확인하고 논으로 들어가 허수아비가 입은 내 옷을 벗기는데 허수아비는 빼앗기지 않으려고 필사적으로 버틴다. 두 팔을 활짝 펴고 눈을 부라리고 무언으로 저항하는 허수아비를 겨우 어르고 달래서 옷을 가지고 나오는데 묘한 안도감과 슬픔이 교차한다.

하루의 학교 시간이 소리 없이 흐르고 하교 시간이 되자 원표 친구의 생일이라고 축하 자리가 마련된다.

"생일 축하해."

"다들 고맙다. 자, 우리들의 미래와 찬란한 우정을 위해 건배!"

오늘따라 막걸리 맛이 유별나다.

한참 기분이 좋아지는데

"한규야. 홀에 나가봐라. 손님이 찾아왔다."

"날 찾는 손님이 누굴까?"

들뜬 마음에 약간 비틀거리는 걸음으로 가게 안으로 들어선다.

"한규야, 나야."

순간 난 아무 말도 하지 못하고 그 자리에 선 채로 장승이 되고 만다. 중학교 동창인 은희 친구가 그렇게도 오매불망하던 혜영이와 함께 앉아 있다.

"어... 어."

뜻밖에 일어난 일이라 둔기에 맞은 듯 멍해진다.

"소개할게. 내 친구 혜영이"

"아, 반갑네요. 김한규입니다."

"네, 이혜영입니다."

상상 속에만 있었던 상황인지라 머리가 하얗게 되더니 새까맣게 타버린다. 하필이면 이렇게 낮술이 된 모습을 저 친구에게 보이고 말다니. 얼굴이 붉어지고 긴장이 되어 어찌할 바를 모르겠다. 왜 이리도 용기가 나지 않는지 무슨 말을 해야 할지 도저히 모르겠다.

"저, 은희야. 두 사람한테 미안한데 지금 중요한 이야기를 하던 중이라 내가 다음에 자리를 마련하면 안 될까?"

"그래도 그러면 안 되지."

"아냐, 은희야. 그렇게 해."

그들의 묘한 표정을 뒤로하고 밖으로 나온 내 모습이 이해되지 않고 용서할 수 없다. 우리 두 사람의 다리를 놔주기 위해 일부러 원표 친구의 생일이라 둘러대고 사전에 준비했던 기회를 이렇게 허망하게 놓치고 만다.

"미리 귀띔이라도 해주지."

"우리는 극적인 서프라이즈를 해주려고 했는데."

앞으로 낮에는 절대로 술을 먹지 않으리라고 다짐하며 스스로를 원망한다. 내가 갈망했던 운명 같은 상황에서 덜 준비된 행동으로 어렵게 연결된 행운을 스스로 멀리하고 말았다.

운명은 우연한 기회와 선택으로 자신을 결코 쉽게 허락하지 않는다는 걸 실감한다. 이렇게 순간적인 선택이 내 자존감에 얽히어 오랜 시간 질곡이 될 줄은 꿈에도 몰랐다. 시각 장애인에게 등불을 켜준들 무슨 큰 의미가 있으랴. 낮이 어둡다.

47
그땐 그랬지

오랜 가뭄 끝에 비가 오려는지 오늘따라 유난히 찌는 더위다. 더위가 오기를 부리자 깔딱 모기가 더욱 기승을 부리고, 이에 방어를 하다 실수로 한 방 쏘이면 벌에 쏘인 듯 아프고 부어오른다.

"엄마, 오늘은 콩죽이네. 제발 밀가루 죽이나 갱조개는 일주일에 한 번만 묵자!"

"이 더위에 힘들게 묵기 좋은 저녁을 해주는데 웬 음식 투정이고."

"투정이 아니다. 물려서 그런다. 아이고."

이런 이야기는 비단 우리 집만이 아니다. 앞집, 옆집, 뒷집 제법 잘 사는 집이 아니면 대부분 공통된 대화 내용이다. 특히 죽으로 끼니를 때우는 날은 많은 양을 준비하기 때문에 상하지 않으면 뒷날 아침, 심지어 점심때까지 연속적인 메뉴가 된다.

저녁을 먹은 후 모깻불도 피할 겸 큰 동네로 마실을 나선다. 정이네 집 근처인 큰 샘을 지나가려는데 "한규야, 여기로 오면 안 된다. 너무 더워서 여자들 목욕 중이다"한다.

"아이고, 미안해라."

사실 미안할 것까지 없는 일이다. 여자들이 목욕하는 걸 알고 지나간다면 바보가 아닌가. 또 사전에 알았다면 몰래 숨어서 지켜보거나 지나가지 않겠지만 말이다.

"그런데 누나는 왜 목욕을 안 하고 있어?"

"난 교대로 할 거다. 잠시 보초 서는 거다."

오늘밤은 이곳을 지나는 동네 사람들이 가까운 지름길을 두고 멀리 삥 둘러서 다녀야 하는 수고로운 날이자 여자들만의 특권이 있는 날이다.

"살짝 눈을 감고 고개를 돌리고 그냥 지나가면 안 될까?"

"안 된다. 그걸 말이라고 하냐? 엉큼 시리."

그렇게 될 일도 없지만 농담 반 진담 반으로 마음을 실어 억지소리를 해본다.

"여자들은 참 이상하지. 우리들도 팬티를 입고하는데 옷을 입고하면 될 걸."

"바보야! 남자와 여자는 다르다. 넌 그것도 모르냐?"

무심코 지나가다 똥 밟는 것보다 낫다는 생각으로 뒤로 돌아 강가 길을 둘러서 방파제 앞으로 나간다.

여기는 또 남자들만의 세계가 펼쳐졌다.

밀물이 되어 물이 꽉 차있는 강은 기연이, 복만이, 상옥이가 내기라도 하는 듯 빠르게 헤엄치고 있다. 나도 생각할 틈도 없이 옷을 훌훌 벗어던지고 팬티만 입은 채로 강물로 '첨벙' 뛰어드는데 이곳이 천국이다.

또 하루의 고단한 시골 밤은 젊은이들의 에너지와 함께 은하수가 밤하늘의 신세계를 유영하듯 그렇게 흘러간다. 수영으로 더위를 식혔던 모든 사람들도 이제는 젖은 팬티를 입은 채로 각자의 집으로 돌아가고 마을은 평온을 찾는다.

크리스토퍼 앳킨스, 브룩 실즈가 주연한 '푸른 산호초'라는 영화가 있다. 홀아비 아서는 아들 리처드와 고아인 조카 에믈린을 데리고 샌프란시스코로 가고 있다. 가는 도중에 배에서 불이 나고 요리사 패디가 리처드와 에믈린을 데리고 작은 보트로 피신을 한다. 그리고 다른 일행과는 영영 만나지 못한다. 오랜 표류 끝에 작고 아름다운 산호초에 닿아 적응해 가고 그 와중에 요리사 패디는 독이 있는 벌레에 물려 죽어 어린 리처드와 에믈린만 남는다. 문명의 세계와 단절된 채 성년이 된 리처드와 에믈린은 성숙해져 가는 신체의 변화와 감정의 변화로 갈등을 겪는다.
"내 몸이 왜 이렇지? 혹시나..."
둘 사이엔 어느덧 아기가 생기고...

중학교 2학년 때 부터 내 몸에 이상한 증세가 나타난다. 목소리가 쉰 듯이 굵어지더니 다리에 털이 나기 시작한다. 그래도 이것은 참을만하다. 또 다리에 털이 나는 것도 아버지나 형을 통해서 평소 봐왔기에 그러려니 한다. 그런데 고민스럽고 부끄러운 건 겨드랑이를 비롯 온몸에 털이 나는 증상이 고등학생이 되자 더 심해진 것이다.
'내 몸이 이상하다. 혹시나 불치의 병에 걸려서 일어나는 현상이 아닐까?'
누구에게도 물어볼 수가 없다.

'이를 어쩌지? 혹시 죽으려고 나타나는 변화일까?'

더군다나 근래 들어 겨드랑이에서 흘러내리는 땀이 더 고통스럽다. 냄새가 나지 않을까? 남들이 젖어 있는 내 옷을 보면 어떻게 생각할까? 내 가슴 속 세상은 온통 걱정과 어둠으로 꽉 차있다.

'그래. 어차피 병으로 죽을 바엔 내가 하고자 했던 일이나 마무리해서 한이나 없이 죽어야 한다.'

저녁을 먹은 후, 사전에 준비한 가위를 들고 방으로 들어가 방문까지 걸어 잠근다.

조심스럽게 부담스러운 털을 잘라 나가는데 눈물이 앞을 가린다. 내가 평소 무슨 죄를 지었길래 이렇게 죽음에 직면하는 걸까?

"한규야! 이 더위에 문은 왜 꽉 닫고 있냐? 선풍기라도 가져가라."

"아니? 별로 더운지 모르겠는데?"

"쟤 목소리가 왜 저러냐? 우는 거 아니가."

"아니요. 삼촌이 요즘 변성기가 돼서 그래요."

한여름 밤의 더위도 잊었다. 오랜 시간을 재단사가 옷감을 요리하듯 정성을 들여 털을 정리하니 코앞에 닥쳤던 죽음의 그림자를 연장한 느낌이 든다.

오늘도 평소처럼 학교에서 공을 차는데, 아이고. 이 고통을 어이할꼬. 어제 깎았던 털 부위에서 벌에 쏘인 듯, 바늘에 찔린 듯 따가운 고통이 오는데 도저히 참을 수가 없다. 또 겨드랑이에선 땀이 왜 이렇게나 많이 흘러내리는지. 어젯밤에는 그래도 걱정을 조금 덜었는데 오늘은 없던 증상이 새로이 나타나는 걸 보니 부작용까지 겹치는 것 같다. 빨리 할 일을 마무리해야겠다고 마음까지 조급해진다. 이제는 그렇게 좋았던 친구들과의 막걸리

바람으로 오는 풍금 소리

맛도 모르겠다. 또 부담스러워했던 어머니의 밀가루 죽과 갱조개국도 싫은 줄 모르겠고 입맛마저 떨어졌다. 학수고대했던 하교 시간이 되자 버스 정류소로 부리나케 달려가 초조하게 기다려 본다. 두 번째로 해야 할 일을 오늘만은 해야 하기 때문이다.

저만치서 혜영이가 친구들과 짝을 지어 걸어오고 있다. 겨드랑이에 땀이 흘러 옷이 젖어도, 냄새가 나더라도 꼭 이 말은 전하자.

'많이 고민했는데 사귀고 싶었다. 그리고 보람된 학교생활과 인생을 위해 노력하고 싶었다.'

버스 시간이 다 되어가자 여기저기서 학생들이 정류소로 몰려든다. 이 많은 사람들과 친구들 앞에서 어떻게 이야기를 할까, 또 고민이 깊어진다. 그래도 해야 한다.

죽을 때 후회하는 것보다 지금이 백 번 낫다.

"저어 혜영이…"하고 막 말을 하려는데 버스가 자욱한 먼지를 일으키며 도착한다.

"애들아, 내일 보자."

내일 보자는 말을 남기고 혜영이가 탄 버스는 휑하니 떠나버린다. 정말 닭 쫓던 개 지붕 쳐다보는 격이다. 이렇게 허전하고 허탈할 수가 있을까? 원망스러운 하루다.

늦은 밤. 저녁별이 촉촉하게 내려앉아 포근하게 잠이 든다. 별들마저 졸고 있다 편안한 잠에 빠져드는데 난 깊은 고민으로 하얀 백지 위에 눈물을 흘려가며 한 자 한 자 조심스럽게 지면을 채워간다.

보건소 소장님께.

소장님 안녕하세요. 저는 고1 학생으로 오랫동안 고민을 하다가 죽을 땐 죽더라도 원인이나 알고 죽자는 각오로 이렇게 글을 씁니다. 소장님도 제 나이 때가 있었을 겁니다. 아니, 동생이 있는 줄도 모릅니다. 그런 동생이라고 생각하시고 솔직하게 도움을 주시면 감사하겠습니다. 최근 제 몸에 털이 나는 등 아주 나쁜 증후군이 있습니다. …. 이를 어찌해야 할까요? 아직도 해야 할 일이 많은데, 우주에라도 올라가 별도 달도 따고 싶은데 슬프고 고통스럽습니다.

날이 밝으면 편지를 보내기로 하고 잠을 청하는데 허전하고 자꾸만 눈물이 난다.

이 젊은 나이에 이렇게 될 줄 알았다면 좀 더 보람 있고 정의롭게 살아올걸, 부모형제에게도 정성을 다 할걸.

"한규야, 일어나라. 학교 가야지."

퍼뜩 눈을 떠보니 아직까지 베개 밑이 젖어있다. 우체국에 들러서 편지를 부치려 하는데, "아니, 보건소장이 내 질문에 답이나 줄까? 아니야, 읽지도 않고 버려버릴지도 몰라."

그래도 보내보자. 그건 내 몫이 아니고 소장님 몫이니까.

편지를 보내고 나서 답장을 기다린 것도 포기한 것도 한 달이 지났다. 같은 학교 동네 선배들과 이런저런 이야기로 진상 하천 방천을 지나 마을 언저리에 도착한다.

"한규야. 너 보건소에 편지 한 적 있지? 보건소장이 너한테 이 말을 전해달라고 했는데 너를 만나지 못해서 늦었다."

광양읍에서 교사를 하고 있는 동네 형님이다.

"네에? 아무리 그래도 어떻게?"

불편한 상황에 반문을 하면서 얼굴이 붉어지고 머리가 하얘진다.

아니 내 혼자 있는 것도 아니고 여러 남녀가 이렇게 많이 있는데…

동네 형님과 보건소장이 왜 그렇게 원망스러운지 모르겠다.

"네가 고민하고 있는 것은 큰 병이 아니라 너희만 할 때 겪어야 하는 2차 성징 때문이란다. 그리고 그중 겨드랑이에 땀이 나는 것은, 많이 심하면 수술 요법이 있기는 한데 대부분의 사람들이 그렇다고 하니 큰 고민 말라고 하더라."

약간 부끄럽지만 편지만으로 고민이 해결되는 것 같아 천만다행이다. 퍼뜩 옆에 있는 선배에 눈이 가자

'아니 여기도 그렇잖아. 왜 남을 관찰해보지 않았을까?'

목욕탕이 없던 시절. 개울가에서 멱을 감던 시절에 친구마저도 맨몸을 볼 수 없었다. 뭐가 가릴 것이 그리 많다고, 우리끼리 숨길 것이 뭐가 있다고 그렇게 기를 쓰고 아무것도 보이지 않는 어두운 밤에까지 팬티를 입고 목욕을 했는지 아득히 먼 나라 이야기 같다.

선녀도 목욕을 할 땐 옷을 벗고 나무꾼에게 옷을 가져가게 한다는데…

48
의로움도 지나치면
잔인해진다

"한규! 부탁이 있는데 좀 도와주면 안 될까?"

"필철아, 내가 할 수 있다면야."

"사실 지난번 의암마을에 놀러 갔었는데, 내가 좀 당해서..."

난처하다. '의로움도 지나치면 잔인해진다'라고 했는데 내가 무슨 이야기를 듣고 있는가. 어느새 내가 친구들에게 싸움만 하는 모습으로 비치고 있단 말인가.

"필철아, 이건 좀 아닌 것 같은데."

필철이는 평소 내게 많은 도움과 신경을 써줬던 친구다.

"그래. 이건 좀 그렇지?"

난처해하는 필철이의 얼굴을 보고 마음이 흔들린다. 삶의 눈으로, 긍정의 눈으로 그리고 필철이의 눈으로 한 번 바라봐 보자.

"그래. 그러면 같이 한 번 가 보자."

동신교통 막차로 의암마을에 도착해 보니 그 동네 친구들과 여학생들이 많이 와있다. 그들은 이런 자리가 자주 있었는지 아주 자연스러워 보인다. 특히 필철이와 운기가 더 많이 신경을 써주지만 혹시나 모를 불상사가 있을까 긴장이 되고, 어정쩡한 내 위치 또한 어색하고 부자연스럽다. 이들이 나랑 놀고자 함인가, 아니면 나의 도움이 진짜 필요해서 부른 건지 짐작이 어렵다.

만약의 사태에 대비해서 정신을 바짝 차리고 문밖으로 나오니 강 건너 맞은편에 있는 우리 동네가 참 안락하고 조용해 보인다. 지금쯤 부모형제는 내가 무슨 짓을 하고 있는지도 모르고 그저 평소의 믿음 그 자체로 조용한 꿈나라에 가 있겠지. 하루에 멍들고 지친 육체를 보상하며.

당시 시골 어디라도 동네 친구들 중 반 수 이상은 진학을 하지 못하고 객지로 나가 취업을 하거나 부모님 일손을 돕고 살았다. 그래서 자기 동네 여자애들과 다른 남자애들이 함께 노는 것을 보면 자주 시비나 싸움이 나던 때였다. 아마도 필철이가 이 동네에 와서 놀다가 작은 시비가 일어나 그때의 빚을 갚아 주고 싶어 나에게 도움을 요청한 것 같다.

제발 오늘 밤이 아무 일도 없이 조용히 넘어가 주길 바라는 수밖에 없다.

늦은 밤까지 놀았지만 소란 없이 조용히 끝났다.

"한규야, 지난번에 여기서 놀다가 동네 애들과 약간의 시비가 있었는데 오늘은 네가 있어서 그런지 다행히 조용히 끝났다. 그리고 널 소개해 달라는 여학생 부탁도 있고."

"필철아, 대충 감을 잡았다. 그런데 날 소개해 달라는 여자애가 있단 말이가."

"그래. 정말이다."

"그런데 내가 만나고 싶은 여학생이 따로 있어서 그러는데 그 학생에게 미안하다 전해라."

그 이후로 난 필철이를 조금씩 피하게 되었고 학교생활 이외에 별다른 만남도 없었다. 그의 사고사로 우리의 인연이 영원히 끝날 때까지. 다만 지금도 필철이에 대한 나의 생각은 그냥 과거의 눈으로만 보지 않고 시인 같은 눈으로 노래하는 추억의 노래가 되고 싶다.

푸르름이 넘실대는 보리며 밀밭이 어느새 황금색으로 변하는가 싶더니 수확의 계절이 되었다. 자전거로 삼정 마을을 지나치는데, 어른들이 불을 피워놓고 뭔가를 열심히 구워가며 이야기가 한창이다.

"이제 다 익은 것 같다. 묵어 보자."

나는 무엇을 굽는지를 알기 때문에 입 안 가득 침이 고인다.

"학생 이리 와서 이것 좀 묵고 가라."

"네, 감사합니다."

"역시 밀은 꾸버야 제 맛이지."

염치 불고하고 나도 일행처럼 나무 숯불에 구워진 밀을 손에 얹고 두 손바닥을 비벼보는데 말랑말랑하고 따뜻한 게 먹지 않고 가지고 놀고 싶다. 잘 비벼서 '훅훅' 불어서 입에 가볍게 털어 넣는다. 햐, 이 고소한 맛, 이게 시골의 진맛이다.

"정말 맛있네요."

"많이 묵어라. 선포 살제? 그래, 우리 진정리니까 더 정이 간다야."

어느새 옹기종기 모여 앉은 사람들의 얼굴에는 숯으로 그려진 검은 분장

꽃이 저녁노을을 배경으로 활짝 꽃 폈다. 뒷날 학교에서는 종례시간이 되자, 다들 집에 갈 생각에 들떠있다.

"내일부터 3일간 보리 베기 대민 지원을 나가게 되었다. 그러나 내일만은 2교시 수업을 마치고 나가니 책가방을 챙겨오도록 해라."

야~아하고 모두들 입이 귀에 걸렸다.

"낫은 꼭 지참하고 교련복으로 등교한다."

하교를 하는 시골 들판은 여기저기서 경운기로 논 가는 소리며 보리타작 하는 소리로 밤낮이 없다.

"아이고. 우리 쇠가 이제 새끼를 낳을 것 같다. 이 바쁜 철만 피해서 낳으면 얼마나 좋을까."

"뭔 소리요. 이웃집에 경운기도 있고, 어차피 하는 일 우리가 좀 더 힘들면 되는데."

"그렇지. 솅아지 값이 얼마인데 이번에는 제발 수놈만 낳아라."

그러고 보니 우리 집 소도 새끼를 낳을 때가 된 것 같다. 이 더운 날씨에도 소죽을 끓이는 아버지를 보면.

2교시가 끝나자 수백 명의 학생들 중에 여학생들은 하얀 바지 위에 연노랑 체육복을, 남학생들은 교련복으로 황금들판을 누벼댄다.

"우리 반은 여섯 마지기 논을 배정받았다. 다들 낫을 조심해서 작업을 시작한다."

선생님의 말씀이 떨어지기가 무섭게 친구들이 보리 베기를 시작하는데 그 실력이 천차만별이다.

어느새 새참이 나오는가 싶더니 점심때가 되자 하얀 쌀밥에 막걸리까지 푸짐하게 나오는데 매일같이 대민지원만 있었으면 좋겠다. 하루의 일과가 끝나고 선생님을 비롯 다른 친구들이 각자의 집으로 돌아가고 우리들 몇 명은 사전에 주인아저씨와 음밀한 약속으로 다시 모여 남아있던 막걸리 맛에 다시 빠졌다.

한참을 재밌게 놀다가 자전거를 끌고 책가방 속에 낫을 걸쳐 넣고 삼정 마을쯤 오는데, 서쪽 하늘의 저녁노을이 새카만 뭉텅 구름에 핏기를 잃었다.

"야, 한규야! 좀 기다려봐라."

뒤를 돌아보니 삼정에 사는 일 년 선배 3명이 나를 부른다. 가던 길을 멈추자 퍼뜩 불길한 생각이 든다. 그 뒤를 이어오는 낯모르는 사람들, 그리고 또 다른 선배들.

다음에 이야기하기로 하고 오늘은 일단 피할까? 아냐, 그러면 자존심 상하고. 다행히 미리 준비된 낫이 있으니까 괜찮겠지.

"너 요즘 선배들이 좀 우습게 보이지?"

"무슨 말인가? 나는 자네들한테 어떤 말이나 행동을 한 적이 없는데?"

서로가 긴장하며 이야기를 하고 있는데 부산서 왔다는 다소 험상궂게 생긴 사람이 앞으로 나서면서 내 얼굴을 향해 주먹을 날린다. 반사적으로 공격을 피하며 가방에 걸쳐뒀던 낫을 챙기는데 '아뿔싸' 이미 내 가방과 낫은 다른 사람에게 넘어가 있다. 이제 최후의 수단은 36계뿐이라 생각하고 도망을 가려는데 내가 가지고 왔던 낫이 도리어 내 목에 걸쳐서 당겨지고 있다.

"비겁한 새끼들. 너희들은 8명이나 되는 숫자니까 정정당당하게 한번 붙어보자."

"이 새끼가 아직도 겁이 없네. 이 친구들 부탁으로 너를 손봐주기 위해 부산에서 그냥 온 것 같나."

꼼짝없이 낫의 포로가 된 채, 여기저기서 손과 발이 무차별 공격을 해대는데 무정한 밤은 나의 낭패스러운 얼굴처럼 더욱 어두워진다.

오늘따라 왜 일하는 사람들이 없지?

속수무책으로 산속 으슥한 곳으로 끌려가는데 방법이 없어 보인다. 그들의 기선잡기는 이제 더욱 본격적이다. 들고 있던 몇 개 중의 술병을 나를 향해 날리는데 가까스로 피하는 순간 그 술병은 뒤에 있던 바위에 부딪혀 산산조각이 난다.

내가 끌려오는 걸 일부 동기들이 봤으니 사람들이 곧 올 거야.

그렇지만 아무리 기다려도 날 구해 줄 사람은 오지 않는다.

그래. 그러면 반드시 반격의 기회가 온다. 그때 까지 안심하고 때릴 수 있도록 흠뻑 맞아주자.

"이 새끼 죽어봐라."

"헉, 윽!"

내 과잉 반응에 마침내 내 목에 걸쳐서 당기고 있던 낫이 치워진다. 기회는 이때다 하고 반격의 주먹을 날려보지만 이미 너무 치명타를 입은 상태라 내 팔은 허공으로 아우성만 칠뿐이다.

"분하다. 이 새끼들. 이 치욕을 반드시 갚아 주리라."

그리고선 힘없이 푹 쓰러지고 만다.

한참 후에 나타난 친구들의 부축으로 가까스로 집으로 오는데 맞아서 분한 마음보다 비굴하지 않은 내 행동에 시원한 통쾌감이 다 든다. 그리고 동네 입구쯤에 와서 그만 정신을 잃고 만다. 깨어나서 눈을 떠보니 순천의 병실에서 링거를 꽂은 채 만신창이가 된 나를 부모님을 비롯 형님과 동네 어른들까지 걱정스럽게 지켜보고 있다.

"이제야 정신이 드는구나."

결혼식을 앞둔 서울의 둘째 형님까지 내려와서 걱정을 하는데 아무 할 말이 없다.

결국 둘째 형님 결혼식도 참석하지 못하고 한참 후에야 퇴원을 해야 했다.

그래. 너희들 처벌은 받지 않도록 합의는 해준다. 그러나 이 빚은 꼭 갚고야 말겠다.

보리 베기에서 모내기까지 끝난 농지, 푸르름이 하늘거리는 들판을 느껴 보며 삼정마을 근처로 하교를 하는데, 앞서가던 그때 그 선배들이 부리나케 나를 피해 간다. 떳떳하지 못하고 용기 없는 그들, 수십 년이 지난 이 나이에도 아직도 마음의 용서가 되지 않는다. 그래서 아직도 난 백범 선생님의 말씀을 또 되뇌어 본다.

'가지를 잡고 나무에 오르는 것은 기이하게 여길 만한 재주가 아니다. 벼랑에 매달려 있을 때 잡은 손을 놓는 것이 진정한 대장부다.'

나는 진정 대장부의 길을 가고 있는가.

49
불어라 열풍아

절제와 안정된 마음으로 푸르름을 바라보고 바람을 맞으면 쉼 없이 돌아가던 시간도 잠시 쉬어간다.

"김한규 2반, 정원표 1반, 박병갑 2반…"

"반편성이 자연스럽지 않고 억지로 만들어 놓은 것 같다."

"그러네. 좀 심한 것 같은데…"

"여러분~ 지난 1년간 여러분 담임으로서 감사한다. 2학년에서는 더욱 열심히 공부하고 여러 친구들 간에 고루 친해야 한다는 관점에서 반 편성을 했으니 이해 바란다."

친한 친구 중 나와 원표, 홍재를 갈라놓았다. 사람은 만나면 헤어지고 헤어졌다가 만나기도 하지만 이번 반 편성은 학교생활의 한 축이던 친구들과의 관계를 크게 흔들어 놨다. 난 병갑이와 같은 반이 되었고 전학 온 홍선이 형과도 새로운 인연이 되었다. 홍선이 형은 광주에서 유도 특기생으로 있다가 전학을 왔는데 나보단 2살이 더 많다. 시간은 풍찬노숙처럼 흘러서 2학년의 생활도 안정이 되어간다.

생동하는 봄기운이 활기차던 어느 날, 새로운 체육 선생님이 부임해왔다.

"여러분, 교장선생님이 소개한 이재화입니다. 내가 부임하면서 배구부가 창설되어 기쁘게 생각합니다. 따라서 앞으로 여러분의 도움이 크게 필요합니다."

재훈이, 원표, 형채, 동주 등 키가 크고 운동 신경이 발달한 친구들을 중심으로 선수들이 선발되었다. 아침과 오후 시간으로 연습 활동이 이어지는데 이곳을 지날 때마다 나는 괜한 심술보가 터진다. 나보다 작은 친구들까지 선발이 됐는데 나에겐 단 한 번의 제안도 없었다. 물론 하라고 해도 하지 않았겠지만 그래도 기분이 나쁜 건 사실이다.

몇 개월이 지난 어느 날,

"원표가 목포에 배구부가 있는 학교로 전학을 간대."

"그래. 그럼 몇 명이나 가는데?"

"원표 한 명만 간대."

아닌 밤중에 홍두깨다. 어째 이런 일이. 원표 본인을 위해서는 축하할 일이지만 나에겐 아니 친한 친구 몇 명에겐 좋은 소식이 아니다. 우리들의 축하를 받으며 원표도 떠나고, 허전한 마음에 나도 "그래. 나도 떠난다."하는 생각이 든다. 원표 친구나 혜영이의 생각이 지배하는 이 공간에서 벗어나고 싶다. 크나큰 상실감과 패배감이 나를 더욱 얽매고 있다.

나는 집으로 돌아왔다. 매일같이 통학은 했지만 가족들은 혹시나 내가 사고를 내지는 않을까 하고 항상 노심초사했었다. 시한폭탄 같은 마음이었던지 학교를 가지 않아도 일언반구도 없다. 그저 농번기 기간이라 일손 하나를 얻은 느낌이었는지도 모른다. 하긴 이렇게 바쁜 때는 죽었던 조상님도 필요한 시기니까. 저녁을 먹고 아무 생각 없이 하모니카를 들고 동네 앞 강가에 나와 '눈물 젖은 두만강'을 부르는데 "한규야, 뭐 하니" 하고 나를 찾는다.

"아니, 어찌 여기까지 다 오고."

병갑이, 철희, 치형이 등이 나를 찾아온 것이다.

"네가 없으니까 허전해서 왔다. 힘들어도 졸업은 하자."

"그냥 모든 게 싫어져서."

나를 찾아온 친구들에게 대접을 하고 싶지만 가게 하나 없는 동네라 한참이나 떨어진 막걸리 집으로 갔다. 그리고 밤은 깊어지고 하도 종용해대는 친구들의 권장에 일단은 생각해 보기로 하고 헤어졌다. 다음날 중산마을에 있는 논으로 일을 나가는데 순경들이 우리 앞으로 오더니 다짜고짜 나를 보고 '지서'로 가자고 재촉한다.

"진월 지서 안 순경입니다. 댁의 아들을 지서로 좀 데려가야겠습니다."

"아니, 우리 애를 왜 지서로 데려가요?"

"쓸데없는 말이 많소. 이유가 있으니까 데려가는 게 아니요!"

나도 무슨 영문인지 모르고 있던 터라 살짝 긴장을 하는데 부모님은 일제 강점기의 순사 이미지가 떠올랐는지 그 공포에 크게 긴장을 하는 것 같다. 그도 그럴 것이 집안 누나의 배필이 순경이라는 이유 하나만으로 결혼을 크게 반대 했을 정도니까.

"좋소. 가기는 가는데 만약에 문제가 없다면 우리 부모님께 한 당신의 태도와 말에 꼭 책임지시오, 죽여 버릴 테니까."

"야야, 무슨 그런 무서운 말을 하냐."

안 순경 얼굴에 긴장하는 빛이 역력하다. 하긴 작은 시골에서 근무하는 사람들이기에 본인의 신변이나 가족들의 생활상이 노출되어 있어 이런 상황이 되면 당시에는 보복 당할 위험이 컸기 때문이다.

"어젯밤 고속도로에서 너희들이 나무를 뽑아내어 도로에 장난을 치는 바람에 하마터면 큰 사고가 날 뻔한 것을 잘 알 것이다."

난 여전히 무슨 말을 하는지 모르겠다. 만약 친구들에게 사고가 있었다면 나에게 귀띔이라도 해줬을 텐데 전혀 내색이 없었다.

"다행히도 큰 사고가 나지 않았지만 트럭 운전사의 신고로 어쩔 수 없다."

친구들은 약간의 처벌을 피할 수 없게 됐고 나는 가족들과 함께 집으로 돌아오는데 원인 제공자가 되어 안타깝기 짝이 없다.

"안 순경요, 분명히 난 모르는 일이었다는 게 증명됐죠?"

안정이 되지 않아 상기가 된 내 얼굴을 보던 안 순경이 "어르신, 아까는 죄송하게 됐습니다"하고 먼저 사과를 한다. 나는 혹시나 친구들에게 선처가 되길 바라는 마음으로 더 이상 언급 없이 집으로 오는데 역시나 찝찝한 마음이다. 그 일로 친구들은 약간의 고초를 겪었고 병갑이는 가족이 이사 간 서울로 전학한다는 조건으로 처벌을 면했다.

내 옆에는 이제 홍재만 남았는가.

여름방학이 얼마 남지 않은 어느 노곤한 오후, 비가 오려는지 하늘이 찌푸리고 꾸물거린다.

"한규야, 따분하지?"

"정말 몸이 뻐근하고 엉덩이에 불이 나네."

"우리 하동으로 영화나 보러 갈까?"

"좋은 생각인데? 오늘은 돈 가진 게 없어서."

"걱정 마라. 부산 사는 누나가 와서 용돈 좀 받았다."

홍선이 형의 시원한 물줄기 같은 제안에 종례시간이 되기도 전에 버스를 탔다. 꾸물꾸물 비포장도로를 덜커덩거리며 달려가는데 이런 홀가분한 심리 상태가 또 어디 있을까 싶다. 작은 마을을 지나 '매팃재'를 막 돌아 오르는데 파랗게 주름 잡은 섬진강이 광활한 바다를 향해 꿈을 싣고 흘러내린다. 이렇게 아름다운 자연과 함께 하면서 나는 왜 마음의 안정이 어려울까? 분명한 생각과 의지를 가졌다고 스스로 위안을 해보지만 거대한 무지와 기질적인 광기 때문에 일어나는 혼돈이 아닌가 싶다.

차창으로 일렁이는 섬진강의 잔잔한 파도에 눈이 맞춰지고 홍선이 형과 나는 그냥 차에서 내린다. 다압으로 들어가는 길과 하동읍을 진입하는 다리에서 한참 동안 물빛에 취했다가 다리를 건너려는데 검문소에서 '학생증'을 요구한다.

"학생증을 가지고 있지 않는데요."

"그럼 학교로 연락해봐야겠네."

"무슨 소리요. 이렇게 교복까지 입고 있는데."

하마터면 또 시비가 일 뻔했다.

"홍선이 형. 우리 막걸리 한 잔 어떤가."

"내가 그 말을 하려고 했다."

동시에 하늘이 크게 울려는 듯 바람이 부는가 싶더니 곧바로 빗방울이 '후드득'거린다. 잽싸게 눈에 들어오는 선술집으로 들어서니 날씨 때문인지 가게 안에는 손님 하나 없다. 주인아주머니는 "너무 많이 마시지 마라"라며 술을 내어 주는데 그 표정이 하루를 공치지 않아서 다행이라는 듯 다소 묘한 웃음이다.

　빗방울은 더욱 거세지고 길 가던 길손들도 발걸음이 빨라진다. 흠뻑 젖은 몸으로 극장 앞에 도착하니 '고교얄개' 포스터가 환영하는 미소로 우리를 맞는다.

　"영화 표 두 장요."

　"어쩌지. 태풍이 온다고 해서 손님이 없는 것 같아 오늘 상영을 마치기로 했다."

　"그래도 우리는 이 영화를 보기 위해 진상에서 왔는데요."

　"다음에 오면 싸게 보여줄게. 미안하다."

　하는 수 없이 빗줄기를 안으며 다시 선술집으로 들어선다.

　어느덧 밤은 깊어가고 막차도 떨어지고 비바람은 더욱 사나워진다.

　"이제 가자."

　"늦어버렸는데, 도둑 화물열차라도 탈까?"

　"그것 좋은 생각이다. 빨리 움직이자."

　하동역은 이미 파장으로 비바람만 요란할 뿐 인적 하나 없다.

　"빨리 울타리 개구멍으로 들어가세."

　"잠깐 화물차가 여기는 서지만 진상역과 옥곡역을 통과해버리면 광양역이 아니가, 그러면 매한가지 아니가?"

　하늘이 노랗다. 이 비바람을 뚫고 어떻게 진상 흥선이 형 자취방까지 갈는지. 먼 거리를 둘러서 갈 수도 없고 그냥 기찻길을 따라 걷기로 하는데 벌써 첫째 장애물인 섬진강 철교가 나타난다.

　"큰일 나겠다. 다시 돌아가자."

"에이, 눈 질끈 감고 건너가 보세. 불과 몇 백 미터만 건너면 되는데 이 먼 길을 어찌 돌아가려고."

억지 객기로 큰 소리는 쳤지만 가슴은 얼어붙었고 몸은 굳었다. 더군다나 세차지는 태풍징후에다 술기 있는 몸으로 중심을 잡아가기엔 나 역시 자신이 없고 떨린다. 그러나 이미 우리는 서로를 의지하며 미끈거리는 기차 레일을 후들거리는 다리로 건너고 있다. 거의 다 왔나 싶어 목표지점을 바라보니 아직도 남은 거리가 처음과 별반 차이가 없다.

"큰일 났네. 이렇게 먼 거리인지 몰랐네."

"네 고집이 이렇게 어렵게 만들었다."

버럭 겁이 나고 불안함이 가중되자 비바람과 함께 섞인 내 몸이 구멍이 뻥 뚫린 천 길 낭떠러지 철교 아래로 곤두박질치는 것 같다. 그때 번쩍하고 번개까지 긴장을 주는가 싶더니 꽈꽈꽝 천둥소리가 천지를 뒤흔든다.

"아이쿠!"하며 홍선이 형의 몸이 휘청한다.

"괜찮은가?"

더 이상 홍선이 형의 대꾸가 없다. 우린 그렇게 온갖 난관을 극복하며 어렵게 다리를 건넜다. 철교를 건너자 온몸의 긴장이 풀리고 기력이 쇠진해져 큰 대자로 누워버린다. 그제야 "휴우~ 죽는 줄 알았다. 한규야, 오늘 우리 둘이 역사에 길이 남을 엄청난 일을 해냈다"하고 말문을 연다.

"출발하세. 비바람이 장난이 아니네."

다시 또 하염없이 철길을 따라 걷는데 이제는 터널 속으로 우리를 안내한다. 터널 속은 한 치 앞을 볼 수 없는 칠흑 같은 어두운 밤이라 서로 손을 잡고 한 사람은 벽을 짚고 걷는데 갑자기 누군가가 잡아당기는 것처럼 벽 쪽 공간으로 나뒹굴고 만다.

"아이쿠, 왜 그러는가?"

"비상대피소에 우리가 빠졌다."

"휴~하마터면 큰일 날 뻔했네. 이참에 소변이나 보고 다시 걸어가세."

"아니다. 굴을 빠져나가서 하자. 떨어지는 물방울이 차가와서 얼음이 되는 것 같다."

둘은 터널을 빠져나오고 곧바로 나란히 서서 소변을 보려는데 빠앙하고 화물열차가 지축을 흔들며 튀어나온다.

"만약 우리가 굴속에서 소변을 봤다면 어떻게 됐을까?"

"…"

다시 또 기차 터널을 지나 홍선이 형 동네인 '가길'에 들렀다 가기로 한다. 홍선이 형이 잠시 동네로 들어가고 당산나무 아래에 나만 남게 되자 추위와 온갖 상념이 괴롭힌다. '횡횡'거리며 세찬 비바람이 앉아있는 얼굴을 후려치는데 무섭고 추워서 이빨이 부서질 정도다. 기다리다 화가 나서 혼자라도 걸어갈 생각으로 기찻길을 찾는데 어디가 어딘지 분간을 할 수가 없다. 체념하듯 다시 당산나무 아래로 돌아와 앉는데 천둥번개가 또 으르렁거리더니 우지직하고 큰 나뭇가지 하나가 내 옆으로 부러져 처박힌다. 그렇게 또 자연의 힘은 내 인내심의 한계를 꺾었다. 홍선이 형이 돌아오고 지친 몸으로 진상에 도착하니 세상이 내 것 같다. 학교를 지나 섬거 마을 자취방으로 걷는데 붉게 타오르는 하느님의 선물이 우리를 기다린다.

"저기 연탄불이나 쬐고 가자. 아이고 추워라."

"아우 따뜻해. 한여름에 따스함이 이렇게 좋다니."

"여기가 학생과장 보배 선생님 댁이 아닌가?"

학생 지도가 심한 반감에 둘은 자연스럽게 바지춤으로 손이 내려가고 연

　　　　　　　　　　　바람으로 오는 풍금 소리

탄불은 심한 연기를 뿜으며 군밤이 폭발하듯 퍼드득 거린다. 그리고 불은 하직인사를 하는 것처럼 못내 아쉬워 꿈틀거리더니 이내 고개를 떨군다.

드디어 아늑한 자취방에 도착하고 춥고 배고픈 마음에 홍선이 형이 곤로에 밥을 한다.

"조금만 누웠다가 밥 묵자."

"오늘 우리가 한 이 엄청난 일을 다시는 따를 자가 없겠지."

정말로 나라를 구한 장엄한 기분이다. 그것도 충신으로서 간언을 하다 이름을 남기고 죽는 그런 충신. 물론 군주는 그런 충신을 죽인 혼군의 이름으로 남겠지만.

"이 냄새는 밥 타는 냄새 아니가?"

"앞집이가, 옆집이가 빨리 알려줘라."

"다들 이상이 없는데?"

"그럼 어디서 나는 기고?"

아니나 다를까 우리 방에서 나는 구수하고 탁한 냄새를 곤한 잠에 취한 우리만 몰랐다. 곤로의 밥은 이미 숯덩이가 되었고 기름이 부족해진 곤로는 스스로 꺼졌다.

아직도 비는 그칠 줄 모르고 밥이 타서 만들어진 검은 벽돌 같은 덩어리는 돌보다 더 단단해서 수백 년을 지탱할 것 같다.

내 추억의 기록과 함께.

50
세포이 반란

내가 살던 홍총골은 우리 진정리의 젖줄이자 생명의 안식처고 진월, 진상, 옥곡 삼 개 면을 이어주는 탯줄이다. 갯벌이 보급해주는 혜택을 찾아 많은 사람들이 몰려오고, 집으로 돌아갈 땐 하나같이 든든한 수확을 안고 가는 꿈과 희망이 넘치던 곳이다. 갈대꽃이 필 때면 찔룩게(칠게)며 밤뎅이(밤처럼 고소하고 맛있어서 이름 붙여진 게)가 풍요의 방아를 찧어 대던 곳. 일 년이 아쉬운 가을이 되면 기러기 떼들이 하늘에서 운무를 펼치고 강 안개 자욱한 이십 리 갈대밭이 사랑에 누워 풍류와 향기를 드날렸다.

"내일이면 어치 마을까지 연결된 수어천 댐이 준공식을 한다. 댐의 놀라운 위용을 축하하기 위해 대통령까지 오신다고 하니 모든 학생들이 참석해서 역사적인 현장을 빛내어 보자."

그렇게 수어천댐 준공식에 전교생이 동원되었다. 구불구불한 비포장 신작로를 따라가는데 길가에 늘어진 버드나무가 흙먼지를 둘러쓰고 신음하

　　　　　　　　　　바람으로 오는 풍금 소리

며 개발의 미래를 알려준다.

"버스가 오고 있다. 왼쪽으로 밀착해서 길을 비켜라."

뿌옇게 일어나는 먼지의 광풍에 고개를 돌리고 코를 막는다.

'빠앙'하고 버스가 지나가자 "사람들이 걸어갈 때는 속력을 낮춰서 문지가 덜 나게 좀 하지"하고 푸념이 터져 나온다.

드디어 어치골 초입에 도달하자 댐의 위용이 하늘에 닿은 듯 웅장하다.

"와. 대단하네. 어쩜 저렇게 정교하고 웅장하게 만들었을까?"

"그보다 여기 살던 사람들은 어찌 됐을까?"

"우리 집은 밤 밭이 있는 깊은 산중으로 더 올라갔는데 학교 다니기 너무 힘들다."

더위와 먼지의 고통으로부터 벗어나 어렵게 행사장에 도착해서 30여 분을 기다리자 헬리콥터 한 대가 두두두 꿍음과 광풍을 일으키며 내려앉는다.

"대통령이 오나 보다. 테레비보다 나을까?"

"대통령이 아니다! 국무총리가 왔네."

"오늘 대통령 각하께서 이 역사적인 현장을 방문코자 했으나 불가피한 일이 생겨 참석 못 하게 됐음을 안타깝게 생각합니다."

행사가 시작되고 20여 분 만에 합창을 끝으로 준공식이 허망하게 끝이 났다.

"아니 고작 20분에 박수 몇 번치고 합창 한 번을 위해 이 많은 사람들이 동원됐단 말이가!"

일 년 후,

여름방학이 끝난 토요일 오후에 수어천 댐이 있는 어치로 8명의 친구들이 1박 2일간 낚시 겸 우정을 쌓기 위해 막차를 탔다.

"하나, 하나 하나 정성이 담겨 있고, 둘, 둘이 앉아 노래하는 세이코 녹음기도 챙겼다."

"잘 됐네. 모든 준비는 완료됐다."

추억 쌓기를 위해 들뜨고 상기된 우리들의 분위기에 평소 버스를 이용했던 지역 사람들이 주눅이 들었다.

버스는 마지막 종착지에 도착하고 바리바리 짐을 든 우리들은 낚시와 야영하기 좋은 곳에 텐트를 친다. 타고 온 버스는 내일 아침 첫 차가 되어 출발할 때까지 여기서 조용히 쉬어야 한다. 운전기사와 조수도 숙소로 돌아가고 계속 달리지 못해 토라진 버스가 우리들에겐 왜 이리 든든한지 모르겠다. 이 만족한 시간, 내가 보는 시계는 돌아가야 할 방향을 잃어버린 것 같다. 그것도 영원한 축제인 텐트와의 역사 안에서.

"하늘이 이상한데 비가 올지도 모르니 배수로 준비를 잘 해야 한다."

"아이고, 텐트 한두 번 치나!"

"난 밥이나 할란다."

"수고를 하는 동안 세이코 녹음기나 틀어줄게."

'나 어떡해' 노래가 어치골 산천을 들뜨게 한다.

"한규야, 낚시하는데 이렇게 시끄러우면 고기가 오겠냐?"

"그런가? 이 가슴 울렁거리는 환상의 노래에 물고기들이 오히려 춤판을 벌리러 오지 않을까? 크."

각자의 일로 분주하던 친구들이 허접한 내 대꾸에 히히덕 거린다. 짧은 시간에 대충 차려진 밥상이 또 한 번 우리를 들뜨게 한다. 시어빠진 김치,

풋고추, 된장이 전부지만 밥그릇에 가득 부어 단숨에 들이키는 소주의 맛은 천하의 장비도 느껴보지 못한 호탕한 사내들의 맛이다.

카바이트로 불이 켜지고 낚싯대와 씨름하는 몇몇은 진지하게 최선을 다한다. 하지만 놀러 왔던 고기들이 고수레 술에 취해서 정신이 몽롱한지 도통 먹이를 보지 못하는 모양이다.

"입질 한 번이 없네."

"아니, 이거 빗방울 아니가?"

"비가 맞다. 텐트 속으로 들어가자."

갑자기 우두두두 쏟아 붓는 빗방울이 뻐근해진 몸을 안마해준다.

"비가 너무 와서 텐트가 샌다."

"이 정도는 괜찮다. 이게 재미고 멋이지!"

빗소리와 함께 밤은 계속 깊어가고 녹음기에 길들여진 우리들의 노랫소리에 천둥과 번개도 기죽은 듯 절레절레 고개를 흔든다.

"만일을 대비해서 버스에서 잠을 자자. 문이 열리더라."

소변을 보러 갔던 철희가 평소보다 더 꼼꼼해졌다.

"다 나가면 어떡하냐? 이 멋진 낭만을 두고."

"아니다. 보통 비가 아니다. 그냥 버스로 가는 게 맞는 것 같다."

별 도리 없이 버스로 따라나서는데 나도 모르게 "이야, 버스로 오길 정말 잘 했네"하고 편안함에 만족한다. '앵앵'거리는 모기가 밉기도 했지만 그래도 포근한 버스 덕에 잠은 잘 잤다.

"야! 다들 일어나 봐라. 간밤에 비가 얼마나 내렸는지 텐트가 물에 잠겨 버리고 흔적도 없다."

놀란 마음에 댐으로 눈을 돌리니 간밤의 노랫가락에 흥에 겨운 계곡물이 광기로 변했는지 성난 노도가 되어 있다. 발전이라는 명분으로 수어댐이 생기지 않고 민물이 지속적으로 공급됐다면 소담스러운 꿈을 꾸는 홍총골의 갯벌은 계속 기력을 유지하고 있을 것이다. 찔룩게며 밤뎅이, 하늘거리는 갈대의 우아한 춤과 함께.

물론, 버스에서의 하룻밤 추억은 일어나지 않았겠지만.

"너희 바보 같은 놈들에게 실망했다. 특히 고향 선배로서 말이다."

화학 선생님의 말씀이 무척 거칠어졌다.

"아니 고향 선배라도 그렇지 시골 고등학교의 현실을 인정해야 하는 것 아니가?"

"김영현 선생님도 똑같은 선배다. 그런데 김 선생님은 우리를 달래고 이끌어 주려고 얼마나 노력하는데 화학 선생님은 폄훼만 한단 말이다."

오후 수업을 마치고 오늘 화학 시간에 있었던 이야기로 여섯 명의 친구들이 토론을 벌인다.

"이번 기회에 우리들의 의사를 알릴 필요가 있다."

"나도 동의한다."

"그러면 다수의 학생들을 모으고 그 힘을 활용하는 방안을 찾아보자."

"그것 좋은 생각이다. 쇠뿔도 단김에 빼라고 내일 아침 자율 학습이 끝나고 선생님들 조회 준비 시간에 맞춰서 운동장 벤치에서 만나는 걸로 하자."

토론이 끝나고 내일 내가 해야 할 일들을 생각하며 친한 친구 3명을 선정했다. 이 친구들 세 명은 또 각자가 3명씩 동원해서 동일 시간대에 우리가 약속한 운동장 벤치로 나올 것이다. 이미 성공의 열쇠를 우리가 가진 거나 다름없다. 여섯 명이 18명으로, 그 18명이 54명으로 커질 것이다.

바람으로 오는 풍금 소리

아침 자율 학습시간이 어느 때와 마찬가지로 찾아왔다. 조회를 준비하기 위해 각 반의 선생님들이 교무실로 돌아가자 우리들 여섯 명의 눈이 빛을 발한다.

"자, 나가자!"

이 말과 함께 18명이 동시에 밖으로 빠져나가자 1, 2반 친구들이 순식간에 54명으로 불어나 운동장을 가로지른다.

"왜? 무슨 일이고?"

"벤치로 나가보면 알게 된다."

54명을 제외한 나머지 친구들은 무슨 영문인지도 모른 채 그림자처럼 뒤를 따라나선다. 순식간에 1반, 2반 학생들이 거의 다 운동장으로 나오자 우리들은 미리 준비한 약속대로 '아리랑 목동'을 제창한다. 점점 커지는 노래와 함께 태풍의 눈처럼 여학생들이며 1학년, 2학년 후배들까지 빨아들인다.

"야, 이거 너무 확대되는 거 아니가?"

"그러게. 적당히 우리들 의지를 전하고 재발방지 약속만 받으려 했는데."

이제 군중의 힘은 우리가 크게 의도하지 않아도 저절로 굴러간다. 시간이 조금 더 흐르자 설마 하고 기다려보던 선생님 몇 분이 운동장으로 나온다.

"왜, 무슨 일이고! 이야기해봐라!"

아무도 나서는 사람이 없다. 우리 여섯 명 외에는 오늘의 내용을 아무도 모르기 때문이다. 선생님들이 접근해 올수록 선생님을 피해서 그저 운동장만 돌 뿐이다. 노랫소리가 커지고 학생 수가 점점 불어나자 이제야 사태의 심각성을 알았는지 학생들이 교문 밖으로 나가지 못하도록 선생님들이 교문을 막고 나선다.

"어떤 이야기도 들어준다. 단 처벌은 없다고 약속한다."

"됐다! 이제 우리들의 의사를 전하자."

미리 준비된 내용으로 우리들 여섯 명이 동시에 나서자 선생님들은 대충 짐작을 한 듯 부드럽게 우리를 둘러싼다.

"일부 선생님들이 학생들을 대하는 막말이 도를 넘고 있습니다."

"다소 부족한 면이 있다고 하더라도 인격적인 대우를 받고 싶습니다."

"이번 기회에 재발 방지 및 사과까지 확실히 받고 싶습니다."

"너희들 마음은 충분히 알았다. 더 이상 확대는 하지 말고 교실로 들어가자."

결국 3학년은 단축 수업이 결정됐다, 교감선생님의 사과와 함께.

그날 담임 김영현 선생님을 터미널에서 만났다. 우리 여섯 명을 만나자고 다리를 놓아 달랬지만 핑계로 거절할 수밖에 없었다. 선생님 표정이 무척 서운한 느낌이었다. 그리고 며칠이 지난 후 화학 시간이 됐다.

"야! 너희들 대가리로 어떻게 그런 생각을 다했냐? 하하!"

51
겨울의 눈은
신이 내린 용서

"시국이 민주화의 열기로 한치 앞이 어둡다. 여기는 다행히 시골이라 안심이 되지만 각자 조심하기 바란다. 그리고 올여름 수해와 냉해로 여러분의 수업료 반환 심사가 있다고 하니 이번 주까지 농지원본과 주민등록등본을 꼭 지참하도록."

유난히 변덕스러운 여름 날씨였다. 이틀 걸러 비가 내리고 기온마저 떨어져 여름 농사가 냉·수해로 생육이 발달되지 못했다. 우리 집을 비롯한 다른 농가들의 시름이 검게 탄 농부들의 잔주름에 깊게 실렸다.

"그냥 학교에서 서류를 가지고 오랬다고만 할까? 아냐, 분명 다른 애들을 통해서 집에서 알게 될 거야."

용돈 마련의 기회라고 생각은 되지만 그래도 부모님을 속일 수 없고 속인다 하더라도 곧 알게 될까 봐 솔직해지기로 했다.

늦가을의 단풍이 빛을 발하지 못하고 맥없이 꺾어질 때 쯤 선생님이 또 화근의 단초를 전한다.

"내일 등교할 때 부모님 도장을 꼭 가지고 와야 한다. 지난번 서류 심사로 전에 납부했던 수업료가 반환된다."

잘 되었다. "이번 기회에 용돈을 좀 여유 있게 가져보자"하는 잘못된 이기심이 또 서서히 움튼다.

사실 막내인 내가 마지막 학교생활이라고 부모님은 언제나 용돈을 아끼지 않았다.

그런데 친구들과 어울리다 보니 부족한 게 또 용돈이다.

"한규야, 오늘 돈도 생겼는데 우리 멋지게 한 번 쓰자."

꼭 집에 전달해야 할 돈이기에 부담감이 크고 대답이 어렵다. 내가 대답이 없자, "내 것은 오늘 다 쓸 예정이다. 설마 넌 피하지 않겠지. 네도 그리 하자"하고 은근슬쩍 자존심까지 건드린다.

"그래. 20프로만 쓰면 집에서는 모를 거야."

다른 때 같으면 친구들과 먹는 고기 맛이 최고이겠지만 오늘 먹는 이 고기는 부담스러운 마음 때문인지 도저히 맛을 모르겠다. 저녁이 찾아오고 이 정도만 했으면 하는데 계속 이어지는 자리가 좌불안석이다.

"오징어와 맥주를 사가지고 여관에 가서 묵자."

"학생들이 무슨 여관이고. 오늘은 그만하자."

하지만 내 주장은 다른 친구들에게도 먹히지 않고, 오히려 저 친구의 말에 동조하는 분위기다. 어쩔 수 없이 여관으로 들어서자 주인은 우리를 한번 쓱 훑어보더니 학생들에게 방을 줄 수 없다고 완곡한 고집이다.

"안 된다. 혹시 사고라도 나면 어쩌려고. 이 시국에는 두 말 없이 그냥

바람으로 오는 풍금 소리

잡아간다."

"아주머니. 조용하게 자고 갈게요. 다들 집이 멀어서 그래요."

제발 여관 주인의 고집이 꺾이지 않기를 간절히 바란다. 그런데 내 마음과는 달리 친구들의 간곡한 부탁에 주인은 고집을 접고 만다.

"감사합니다."

또 먹자판이 이어진다. 다들 이미 취했고 계속 이어지는 분위기가 고통스럽다. 그리고 나는 이 돈을 다 쓸 수가 없다. 우리 집안의 분위기를 보지 않아도 훤히 알기 때문이다.

"너무 시끄러워 옆방에서 난리다. 잠이나 자라. 학생들에게 방을 주면 안되는데 괜히…"

잠시 후 또 친구의 비아냥이 계속된다.

"친구들과 같이 돈 좀 쓰면 어때. 누구는 돈이 안 중하나."

오늘따라 쟤가 왜 저러는지 알 수가 없다. 평소 그의 모습이 아니다. 아닐 거야. 오늘 술이 너무 과해서 객기를 부리는 걸 거야.

"야. 그만해라. 이 정도면 충분하지 않냐?"

"왜. 내가 못 할 말했는가. 이러려면 쟤는 이 여관에는 오지 말았어야지."

이젠 더 이상 참는데도 한계가 있다.

"그래. 이 자슥아. 나는 쫌생이다. 그러나 남은 이 돈은 당연히 집에 전달해야 한다. 너희 집은 이해하는지 몰라도 우리 집은 아니다."

결국 그렇게도 참았던 주먹질이 방향타를 잃었다. 친구의 얼굴은 삽시간에 피범벅이 되고 온 방에는 피가 낭자하다. 옆에 있던 친구들이 기를 쓰고 말려보지만 독이 오를 대로 오른 나를 말리기엔 역부족이다. 가까스로 주인이 오고 나서야 나도 번쩍 정신이 든다.

"이게 무슨 참변이고. 지서로 빨리 연락해라!"

"제발 전화하지 마세요. 우리가 수습할게요."

더 참고 참아야 했는데 돌이킬 수 없는 상황이 되어버렸다.

"지서에서 나왔습니다. 무슨 일입니까?"

"쟤들이 학생입니까? 손님으로 받지 말았어야 했는데… 휴."

"얼마나 묵고 싸웠길래 이 난장판이고! 학생들 모두 이리 나와 봐라. 이 자슥들아!"

"아니, 넌! 진월 사는 그때 그 학생 아니가?"

"네. 안 순경님, 신 순경님."

다행히 오늘 출동한 순경들은 진월에서 근무할 때 고속도로 사건으로 안면이 있던 분들이다. 아직도 날 기억하고 있는 게 신기하다.

"더 이상 소란이 있으면 우리도 어쩔 수 없다. 정신 똑바로 차리고 자라!"

"네. 알겠습니다."

"꼭 명심해라. 전국이 시위로 어려운 시국이라 더는 봐줄 수 없다. 무슨 말인지 알아듣겠지?"

상황이야 꼬였지만 운이 좋은 인연이다. 이런 경우를 어떻게 설명할 수 있을까.

잘못됐던 과거가 어려운 현실을 살렸다. 억겁의 인연으로 연결된 친구, 그리고 사람들.

'땅의 선물은 계절을 기다려야 하지만 우정의 열매는 언제든지 수확 할 수 있다.'

이 말을 잊고 있던 내가 좀 미안하고 원망스럽다. 눈이 시린 푸르른 날에 좋은 사람들과의 인연은 인생을 또 구한다.

"니는 친구가 무엇이라 생각하나?"

"친구는 부족한 부분을 채워주기도 하고 새로운 세계를 부담 없이 알려주는 스승이기도 하다."

"너무 말이 거창하면 부담된다."

"난 친구 다섯만 있으면 어떤 고난과 역경이 있어도 두려울 게 없다고 생각한다. 따라서 우리는 여섯이나 되니까 천군만마보다 낫다."

"그러네. 여자를 꼬시려면 말 잘하는 네와 잘생긴 쟤만 있으면 되고. 누군가와 시비가 붙으면 저 둘만 있어도 안심이다."

"진짜 그러네. 그런 면에서 우리는 세상에서 가장 멋진 인생을 살고 있다."

이 우정의 끈이 인생길 내내 이어지면 보람된 삶이다. 제발 풍족하지 않은 현실이지만 이 친구들과 오랜 교우로서 값진 열매를 맺었으면 좋겠다. 내 마음속엔 내가 너무 많아 친구들의 쉴 곳이 조금 한정되었지만 말이다.

고3이 시작되자 친구들과의 관계가 미래에 대한 부담 때문인지 자꾸만 소원해진다. 바쁘고 빠르게 적응해가는 친구들을 보며 나만 소외되고 낙오된다는 불안감에 안절부절이다. 그렇다면 작은 것이라도 이것만은 변해보고 실천해보자는 다짐을 해 본다. 다행히 김영현 담임선생님이 내 마음을 읽었는지 특별 지시가 내린다.

"여러분. 이제 3학년이다. 어쩌면 인생길에 있어 가장 중요한 시기를 우리는 맞이하고 있다. 그래서 각자의 생각을 다듬고 실천하길 바라며 특히 지각과 결석이 잦은 한규는 내일부터 1교시가 끝나면 우리 반 출결사항을 파악해서 교무실로 직접 보고해주길 바란다."

평소 같으면 선생님의 지시는 나의 반항을 불러올 게 뻔하지만 이번엔 반항보다는 잘 된 느낌이다. 내 작은 변화로 3학년에서만은 개근을 꼭 해보고 싶다. 어떻게 선생님이 내 마음을 읽었을까? 1시간 정도의 지각은 인정해준다는 선생님의 각별한 배려와 함께 내 부담감이 내린 선물 같다.

겨울 눈은 신이 내린 용서라는데 힘들어도 이 정도는 실천해 볼 마음이 생긴다.

"야! 김한규! 너 요즘 많이 달라졌다? 결석도 없는 것 같고."

"그럼 달라져야지. 한규는 달라질 수 있는 학생이니까."

"아이고 선생님 왜 이러십니까. 전 언제나 똑같은 마음으로 생활해 오고 있습니다."

"그래? 하하하. 그래야지, 암."

뒷머리를 긁으며 생각해봐도 조금의 변화는 있는 것 같다. 결석의 유혹이 줄어들고 지각도 줄었다. 이 정도면 뭔가를 할 수 있겠다는 자신감이 든다.

대지 위에 꿈을 심는 5월 어느 날.

아침조회 시간에 맞춰서 담임선생님의 칭찬이 이어진다.

"여러분의 발전적인 변화가 고맙다. 계속적으로 초심을 잃지 말기를 바란다. 또한 현재까지 우리 반의 출결사항이 참 좋다."

차라리 선생님의 칭찬이 딱 여기까지였으면 훨씬 나을 뻔했다. 나는 지금까지 지각은 몇 번 있었지만 결석은 하지 않았다. 그런데 선생님이 확인하는 과정에서 결석이 하루 잡혀 있다.

"선생님, 전 지각은 몇 번 있지만 결석은 없는 걸로 아는데요."

"출석부 관리는 틀림없는 확인 결과라 보는데."

선생님의 흐려지는 뒷말에 난 어떤 대꾸도 하지 못하고 낭떠러지에 의지했던 손이 포기의 나락으로 떨어짐을 느낀다. 내가 나의 이미지를 이렇게 만들었기 때문이다.

"나에게 출석이 뭐가 그리 중요하다고 맞지도 않는 옷을 입은 것처럼 어설프게 입고 있었을까?"

작은 희망의 불씨와 함께 자존심으로 버텨왔던 마음이 한순간에 무너진다.

"그래. 차라리 잘 되었다. 이것이 나의 본 모습이고 나는 나다울 때가 가장 멋지다."

장마철의 변덕스러운 날씨처럼 나는 또 질퍽한 어둠의 숲을 헤맨다.

52
달도 차면
기우나니

"연못가의 봄풀이 꿈이 깨기 전에 섬돌 앞 오동잎은 벌써 가을 소리를 내는구나."

철썩철썩. 갈매기도 쉬어 가야 할 선단 열병식에 석양의 태양이 서쪽 하늘을 붉게 물들인다. 붉은 노을에 넋을 잃고 숨을 죽이고 노를 젓는 수병의 얼굴은 고향 이집트로 달려가는 인정의 편안함에 피로도 잊었다.

"전하, 타르수스의 석양이 이토록 아름다운 줄 오늘에야 알았습니다."

"어련하리오. 오늘의 역사가 우리 이집트와 지중해의 미래를 번성케 하리라."

석양의 노을과 황금빛 선체는 자주색 돛으로 치장을 하고 갑판 중앙에는 금실의 장막이 열리는데 옥좌의 여신은 과거로 달려간다.

"클레오. 당신은 짐이 펼치는 선정으로 감사의 삶을 살면 된다. 그런데 왜 그토록 정치에 관여가 많은가."

"폐하. 제 어찌 폐하의 황은에 걸림돌이 되리까. 다만 폐하의 혜안을 가리는 무리가 있다면 심히 안타까울 따름이옵니다."

파라오의 율법에 따라 남동생과 결혼해서 왕좌에 오른 클레오파트라는 어느덧 의도치 않던 자신의 정치 감각에 전율을 느낀다. 클레오는 자신의 정치적 야욕을 사사건건 견제하는 남편 프롤레마이오스 14세의 집요함에 서서히 반기의 기운을 키워간다.

"우리나라는 더욱 번성해야 해. 그런데 황제는 우유부단하여 현상 유지에만 안주한다. 나는 이를 타파해야 해."

드디어 클레오는 자신의 꿈틀대는 욕망과 강성대국의 기치 아래 황제를 선도하기에 이른다. 결국 남편이자 동생인 황제에게 정적으로 낙인 되고 정치력에 패한 후 강제 폐위되어 유배의 상태로 칩거한다.

"난 해낼 수 있다. 나에겐 천하를 주름잡을 기운과 지략이 있다. 반드시 황권의 자리로 가야 해."

어둠 속에서도 클레오의 눈빛은 자신의 야망을 위해 이글거린다.

이때 로마는 동·서양을 아우르는 팽창정책으로 카이사르를 앞세워 이집트를 침공하는데 성공한다. 이집트를 정벌한 카이사르는 삼엄한 경계를 뚫고 황금 카펫 속에서 혜성처럼 나타난 비너스의 여신 클레오에 한눈에 반해 버린다. 그리고 그녀를 왕좌의 자리로 옹립한다. 카이사르의 비호 아래 클레오는 자신의 정적들에게 가혹하리만큼 숙청을 하고 왕권을 강화한다.

한편 로마의 황궁에서는,

"황제시여! 우리 로마가 더 이상 카이사르의 연정 치마폭 세상이 되기엔 너무나 위대합니다. 로마의 위대함을 황제의 품으로 돌려놔야 합니다."

거칠 것 없던 카이사르의 힘은 무한 권력에 위협을 느낀 정적들에 의해

암살로 정리된다.

"아~ 슬픈 일이다. 그러나 난 여기에 안주할 수 없다. 나 클레오는 힘과 지혜의 신인 제우스와 헤라의 영역을 넘나든다. 그런데 여기서 복병을 만날 줄이야."

클레오는 카이사르에 대한 연민과 안타까움으로 깊이 탄식한다. 그러고서는 로마 공화정의 삼두정치 중 최고 실력자로 부상한 안토니우스를 유혹하기 위해 방향을 선회한다. 그런데 이때 천하의 안토니우스가 동양으로 진출하는 과정에서 뜻밖의 고초를 겪는다.

"이때다. 모든 군비와 군함을 동원해서라도 안토니우스를 도와야 한다."

클레오의 얼굴은 이미 정치적 계산이 끝나고 확신의 미소로 번뜩인다.

다행히 전세를 뒤집어 오랜 기다림과 고대 속에 있던 안토니우스가 로마 제국 동부지역 사령관이 된 후 동방 원정길에 나선다. 그 과정에 타르수스로 안토니우스가 나섰다는 정보를 입수한 클레오파트라가 오늘의 행선을 준비했다. 모든 것은 사전의 치밀한 각본대로 펼쳐진다.

삐리리 삐리리릴리

병사들은 은으로 만든 노를 힘차게 젓고 수많은 무희들은 피리와 하프 리듬에 춤을 춘다. 선체에서는 형용할 수 없는 향기가 은은한 바람을 타고 진동한다.

"배를 멈춰라! 짐이 가는 길에 이 무슨 광경이냐!"

잔잔한 타르수스 강을 감상하며 깊은 상념에 잠겼던 안토니우스는 자신의 앞에서 펼쳐지는 화려한 선상의 광경에 퍼뜩 현실로 돌아온다.

"사령관님이시여. 너무 개의치 마소서. 저 배는 이곳 클레오파트라의 행

바람으로 오는 풍금 소리

선으로 저 안 장막에 앉은 이가 바로 천하의 클레오이나이다."

안토니우스는 거칠 것 없는 정치 항로에 불쑥 나타난 불청객이 불쾌할 만도 하건만 이와는 정 반대로 감탄과 경의에 차있다.

"천하의 가인이구나. 어찌 카이사르가 저토록 아름다운 신의 경지를 몰랐을 리 있었으리오. 나 또한 지난 전쟁에서 생각지 못한 클레오의 도움이 오늘을 있게 했음이다."

잔잔한 물길을 거슬러 오르는 클레오의 배를 향해 단숨에 훌쩍 뛰어 오른 안토니우스는 자신의 신분도 잊은 채 무릎을 꿇는다.

"로마제국 동방 사령관 안토니우스외다."

두 영웅의 만남은 은하수 다리와 함께 탐색의 본능도 잊은 채 강렬한 뜨거움으로 불타오른다.

이 일로 안토니우스는 철저한 클레오의 사랑의 노예가 되고 로마제국까지 양분하자는 환상 속에 로마의 탕아로 낙인 된다. 결국 옥타비아누스에게 분패하고 한 많은 자결로 생을 마친다. 전쟁에서 패한 영웅은 돌아갈 곳이 없는 법, 역사는 승리자의 기록으로 전해온다. 승자는 패자의 역사를 의도적으로 지워버리거나 뒤틀어버린다.

허나 그 누구도 감추거나 지워버릴 수 없었던 철의 여인, 꿈의 여인. 아! 클레오파트라여! 그대는 정녕 오동잎의 가을로 숨어있는가.

"수고 많았다. 오늘 선생님 개인 사정으로 자율학습은 없는 걸로 하겠다. 다들 바로 하교하도록. 그리고 한규는 잠시 남아서 내 좀 보고 가고."

짐작은 했지만 선생님의 표정이 저 정도로 굳어 있을 줄 몰랐다. 여태껏 종례시간 때면 격려와 함께 응원의 말씀만 있었으니까. 친구들이 머뭇거리며 자리를 뜬다.

"어쩔 수 없구나. 너도 짐작은 했겠지만 좀 더 강하게 결론이 났다. 등교 정지다."

"각오했습니다. 그렇지만 경미하다면 경미한 학교의 기물 파괴로 등교정 지는 너무한 것 아닙니까?"

"그것도 고려했지만 지금까지 너의 학교생활이 영향을 미쳤다."

사실 난 오늘 같은 이 결론을 내심 바랐던 적도 있었다. 그러나 막상 현실 이 되고 보니 자괴감에 낭패의 눈물이 나려고 한다.

"알겠습니다."

수긍을 하고 교실 문을 나서는데 목소리는 이미 눈물을 머금은 채 떨리고 있다. 이 무슨 이율배반적인 반응인가.

"한규야. 미안하다. 그러나 조금만 집에서 자중하고 있으면 선생님이 대 책을 강구해보마."

등 뒤로 들려오는 선생님의 말씀은 점차 내 귀와 마음에서 멀어진다. 교 실 문을 나서며 무의식적으로 가을 하늘을 쳐다본다. 시려 터질 것 같은 푸 른 하늘에 두둥실 뜬 뭉게구름이 절대 고도의 망망대해에서 처량하게 외로 움을 하소연하며 내 마음을 위로하는 것 같다.

"한규야. 무슨 일 있지?"

친구들이 내 얼굴을 살피며 조심스러워한다.

"그래. 등교정지란다. 낼 학교 게시판에 내 이름이 붙여진단다."

"걱정 마라. 내가 징계를 맞더라도 뜯어서 처리해버릴랑께."

친구들이 걱정하며 여러 위로의 말을 해주지만 내 서러움에 조용히 통학 용 자전거로 하천 방천을 걸어본다. 잠잠히 하늘거리는 고추잠자리, 들판에 서 참새를 몰아내려는 허수아비, 유유자적 풀을 뜯는 황소들이 이제야 평화

바람으로 오는 풍금 소리

롭게 내 마음으로 들어온다.

"여태껏 나는 무엇을 보고 무엇을 느끼고 살았는가. 실로 눈 뜬 장애의 삶이오. 외눈박 삶이 내 전부인 것처럼 스스로 문을 닫고 살았다."

집으로 돌아온 나는 가족들에게 오늘의 일을 솔직하게 전한다.

"지난번 행군(소풍을 군사훈련처럼 교련복 차림으로 진행) 때 학교 기물을 파괴했어요. 무마하려고 점복이 누나까지 동원했지만 끝내 일주일 정도를 학교에 가지 못하는 징계를 받았어요."

가족들은 아무 말이 없다. 그리고 2주일의 시간이 쏜살같이 지난다. 산에서는 풀벌레와 함께 강에서는 낚시로 소일을 하는데 이제야 뭔가를 할 수 있을 것 같은 마음이 든다.

"그래. 이제 시작이다. 용기를 내보자."

토요일을 맞은 늦은 오후에 낚시도구를 챙기고 있는데,

"계십니까? 한규 담임입니다."

"아이고. 선생님이 이 먼 곳까지 어찌."

"네. 한규가 보고 싶어서 방문케 되었습니다. 심려 끼치게 해서 죄송합니다."

오랜 갈증과 기다림에 한 줄기 비를 품은 엷은 구름을 맞이한 것 같다.

"선생님. 이곳까지 오셨으니 저랑 낚시나 가실래요?"

"좋지. 나도 오늘은 너와 오후를 보내고 싶어 빨리 움직였지."

간단한 준비를 하고 미끼로 쓸, 쏙(바다가재)를 잡는데 빨리 빠져나가는 썰물이 걱정이다.

"선생님. 빨리 나가야 합니다. 물이 더 빠지면 저기 모래톱을 나가기 어렵습니다."

서둘러 배를 밀고 끌어, 때까지 끝과 광영 사이 마지막 모래톱에 다다랐다. 그러나 모래에 걸려 움직이지 못하는 배를 이리저리 흔들어보지만 숨만 차오른다.

어영차 어영차

마지막 혼신의 힘을 다하는데 배 바닥에 닿은 모래가 옆으로 밀려나며 물속에서 살랑 빛이 인다.

"백합입니다. 오늘 횡재를 하네요."

"큼직하고 예쁜 조개구나."

물은 더 빠져나가고 배는 모래 바닥에 걸려 있지만 또 한 번 백합을 더 잡을 생각으로 아까처럼 심하게 배를 뒤틀어 본다. 그 틈새로 모래가 물결에 쓸려나며 틈을 만들어주자 배가 모래톱을 어렵게 넘어선다.

"야호! 드디어 바다로 나갑니다."

쏙을 미끼로 한동안 말이 없이 낚시를 하는데 우리의 어색함을 깨주려는 듯 낚싯줄을 잡은 내 손에 드르륵 전율이 온다.

"왔구나! 드디어."

뱃전으로 올라온 문절구(망둥어)는 우리가 반가운지 뜻밖에도 힘자랑까지 하며 콩당콩당 이리 뛰고 저리 뛴다.

"되게 크다. 나도 한 번 잡아보련다."

선생님의 손놀림이 바삐 움직이나 싶더니 "왔구나!"하고 큰 소리다. 뱃전으로 올라온 문절구는 칼을 대기가 좀 미안할 정도다. 그렇게 또 우리의 대화는 밀짚모자 사이로 어색함을 덜었다. 재빨리 나는 회를 뜨고 미리 준비한 소주를 선생님께 권한다.

"한규야. 너도 같이 한 잔 하자."

"아니요. 저는 참아보려고요."

선생님은 아무 말씀도 없이 연거푸 세 잔을 마신다.

"한규야. 마음고생 심했지. 나 또한 너 못지않았다. 자, 받아라."

잔을 받아든 나는 소주잔을 가볍게 입으로 털어 넣는다. 쐬한 기운이 목을 통해 심장 깊숙이 짜르르 파고든다.

"제가 벌인 일인데 어찌하겠습니까?"

"다음 주 토요일 이 전화번호를 가지고 순천 교장 선생님을 찾아가거라. 그리고 묻거들랑 꼭 대학에 가겠다고 약속만 드려라."

"제가 과연 공부를 해서 대학에 갈 수 있을까요? 그건 희망이지만 욕심일 뿐입니다."

"내가 너 선배이자 선생님이다. 넌 할 수 있어. 내가 여기까지 널 보러 온건 고3 담임이 시간이 남아서 온 게 아니다. 너를 보는 눈이 있기 때문이다."

해는 차츰 서산으로 기울고 밀물을 따라 솔솔 불어오는 바다 바람이 무거운 우리의 대화를 시원하게 어루만진다.

선생님과 나는 어느덧 편안했던 지난달로 돌아간다. 하늘에는 별빛들이 계수나무 사이로 쏟아지고 절구질을 하던 토끼는 조용히 안정을 찾는다.

"선생님. 너무 늦었는데 진상까지 모셔다드리겠습니다."

"아니야. 그럴 필요 없다. 넌 아직 대답을 하지 않았어. 만약 나를 바래다줄 마음이 든다면 다음 토요일에 교장 선생님을 꼭 찾아가길 바란다."

홀연히 돌아서는 선생님의 비틀거리는 뒷모습이 내 결심만큼이나 흔들거린다. 클레오파트라가 '타르수스'에서 자신의 꿈과 야망을 위해 선상 연출을 하던 심정이 과연 오늘의 나였을까. 아니면 선생님이었을까.

수십 년을 흘러온 이 시간이 뱃전으로 낚아 올린 문절구처럼 파드득 거린다.

53
내 놀던
옛 동산

내 놀던 옛 동산에

오늘 와 다시 서니

산천의 구란 말

옛 시인의 허사로고

예 섰던 그 큰 소나무

버혀지고 없구려

    거듭된 한과 인간사가 되풀이되어도 마을을 꿋꿋하게 사수하고 내 고향 산천을 항상 그 자리에서 지켜준 늙은 감나무. 나는 오늘 그 감나무 아래에 넋을 잃고 장승처럼 서있다. 잠이 덜 깬 얼굴로 새벽바람이 깨기도 전에 떨어진 감 사냥을 나갔던 지난 시절, 도깨비가 연신 튀어나올 것 같은 여명이 무서웠고, 주인 할매의 카랑카랑한 고함 소리에 경기도 일었었다. 그저 그렇게 사는 게 전부였던 그 시절이 눈앞에 아른거리고 청산은 유구한데 인걸은 간 데 없다. 어디선가 '툭'하고 선홍색 감 하나가 떨어지는데 그 감에 놀라거나 기쁘지도 않고, 최면술이라도 걸린 것처럼 나는 또 어린 시절로 달려간다.

상옥이네 집에서 우리 또래 여러 명이 삥 둘러앉아 민화투 놀이에 빠졌다. 두 명이 한 편으로 네 명이 한 조가 되어 두 개조로 시작된다. 우리 조에는 나와 상옥이가 한편이고 성수와 복만이가 한편이다.
"자, 화투 돌린다."
복만이의 화투 돌리는 솜씨가 어른 못지않다.
"야, 어쩌면 어른보다 더 잘 돌린다."
"햐~ 진짜 그렇네."
우리들의 부러움을 동반한 칭찬에 복만이의 손놀림이 더 빨라지고 여유있게 미소까지 짓는다.
"상옥아! 복만이 청단한다. 조심해라."
"잠깐! 한편이라도 가르쳐주면 안 된다."
"좋다. 그럼 지금부터 같은 편이라도 가르쳐주기 없기다."
화투놀이는 점점 열기로 무르익고 내 왼쪽 팔목은 두 개의 손가락 자국으로 붉고 선명하게 부어있다. 상옥이 팔 역시 나와 별반 차이가 없다. 약이 바싹 오른 나와 상옥이는 손바닥까지 부딪히며 파이팅을 외쳐본다.
이번에는 이길 것 같은 예감에 손가락에 '퉤!'하고 침까지 묻혀서 때려 볼 준비를 하는데 어느새 입가에 미소가 절로 흐른다.

"상옥아. 이번얘는 진짜 이겨보자."

"아이고, 나는 이번에도 어렵겠다. 받는 패마다 왜 이리 똑같냐."

큰일이다. 생각만 해도 팔목이 욱신거린다. 나라도 잘 쳐야 본전을 할 텐데.

"자, 이제 계산해 보자. 난 사오칠에 초단까지 했다."

"아이고, 초단까지 해부렀냐. 난 풍단뿐이다."

또 상옥이와 난 성수와 복만이한테 억세게 팔목을 후려 맞는데, 팔이 부러진 것처럼 묵직하고 아프다. 저쪽 조 친구들도 우리들 결과를 보면서 재밌고 고소한지 히히덕거리고 난리다.

"오늘은 우리가 안 될 것 같다. 인자 그만하고 내일 또 붙자."

떨떠름한 기분도 전환할 겸 동네를 살짝 벗어난 선착장으로 자연스럽게 이동을 한다. 한겨울 북서풍이 몰아치는데 귀가 따갑고 코까지 빨갛게 된다.

"아이고 춥다. 되게 추우니까 누가 돌멩이를 멀리 던지는지 내기나 하자."

"좋다. 이번에도 손목 때리기를 하는데 1등부터 3등까지만 순서대로 하나씩 때리고 나머지는 그냥 맞기만 하다."

"그러면 최소 한 대에서 세 대까지가 기본이네."

나는 체력적으로 친구들보다 좀 앞서있기에 이번만은 자신만만이다. 각자가 자기에 맞는 돌을 하나씩 골라 밀물이 쏟아져 들어오는 강으로 온 힘을 다해 던진다. 제각기 던져 올린 돌맹이들이 허공으로 포물선을 그리고 날아가는가 싶더니 세찬 밀물 속으로 일제히 빠져든다. 돌맹이들이 물 위로 나이테를 그리며 풍당풍당 떨어지자 옆 갈대 밭 언저리에서 겨울을 만끽하던 오리들이 기겁을 하고 하늘로 날아오른다.

"훠이여, 훠이여~"

순간 우리들의 시선이 물자국과 날아오르는 오리로 분산되고 돌멩이 낙하 시점이 혼돈이 된다.

"와, 내가 일등이다."

"무슨 소리고? 내가 일등이다."

제각기 자기가 우위에 있다고 우겨댄다.

"어쩔 수 없다. 이 게임은 무승부로 하자."

다들 수긍을 하는데 재식이는 인상까지 써가며 자기주장을 굽히지 않는다. 하도 주장이 강한 재식이의 팔목을 슬쩍 살펴보자 내보다 더 많이 부은 것 같다.

"이 놀이도 그만하자. 누구 담배 가지고 있는 사람?"

"담배는 뭐 하러?"

"멋지니까 배워보게."

"안 된다. 담배 피우면 뼈가 녹아 키 안 큰다고 했다."

"야! 그건 어른들이 자기들만 피우려는 핑계다. 그나저나 담배 가진 사람 없냐."

"걱정 마라! 저기 매똥(묘) 옆 언덕에다 묻어 놨다."

다들 호기심에 찬 표정으로 그가 가리키는 묘지 옆 구릉으로 자연스레 줄을 서서 걸어간다. 그 친구가 먼저 한 개비를 꺼내더니 "잘 봐라. 담배는 연기를 꿀꺽 삼켜서 코로 연기를 내는 들치기가 중요하다"하고 멋지게 시범을 보인다.

"나도 한 번 해보자!"

그가 시범을 보인 대로 나는 담배를 길게 한 모금 빨아서 들이키는데 갑자기 코가 맵고 목이 막히면서 콧물과 눈물이 범벅된 고통이 터져 나온다.

심지어 어지럽기까지 하다.

"콜록콜록. 아이고, 죽겠다. 뭐가 이리도 고통스럽냐!"

눈물과 콧물로 고통스러워하는 내 모습을 본 기연이는 나를 따라 해보려다 그만 포기를 하고 만다.

"그만하고 추운데 불이나 피우고 놀자."

"안 된다. 바람이 세서 큰일 난다."

"그러면 솔깽이(생 솔가지)를 미리 꺾어서 대기를 하고 피워보자."

마침내 바싹 말라진 잔디에 불을 대자 검은 원을 그리며 퍼져가는 불의 모양이 참 예쁘고 신기하다.

"야, 더 커지기 전에 빨리 꺼라."

말소리가 무섭게 미리 준비한 생 솔깽이로 커져가던 불을 난타한다. 불은 뭇매를 맞고는 고통스러운지 스르륵 사라진다.

"너무 빨리 껐다. 이번에는 좀 더 커진 뒤에 꺼보자."

다시 잔디 위로 불이 붙여지고 처음보다 상당히 넓게 퍼져나간다. 순간 '획'하고 바람이 일더니 회오리가 치고 찰나적인 순간에 여기저기로 불똥이 튀고 날아다닌다.

"큰일 났다. 빨리 꺼야 한다."

서로가 독려하며 있는 힘을 다해서 윗옷과 솔깽이로 불을 꺼보지만 잔불들이, 휘두르는 솔깽이와 옷에 묻어 도깨비불처럼 퍼져 나간다. 연기는 삽시간에 온 동네를 삼키고 불기둥은 마치 달집을 태우는 것 같다. 동네 사람들이 놀라서 물동이를 가지고 달려오고 밀물로 가득 찬 바닷물을 나래비로 퍼 올리는데, 어렵게 어렵게 불길을 잡는데 성공했다.

"누가 불을 냈냐!"

"우리들이 놀다가 추워서 불을 피웠는데 갑자기 바람이 불어서…"

"이제 설이 얼마 남지 않았는데 이 매똥에 성묘를 오는 후손들이 뭐라 하겠냐!"

마침내 동네 이장의 지휘 아래 불탄 잔디를 비로 쓸어내는 응급처치를 하고 강 건너 의암 동네에서 볼 수 없도록 덕석(명석)을 가져와 덮어 위장을 한다. 그렇게 우리들의 철없던 호기심의 불장난은 일단락된다.

"무슨 생각을 그렇게 하는교? 사람이 와도 미동도 없이."

담임선생님이 가정 방문차 왔다가 돌아간 뒤로 나는 고민에 빠졌다. 학교로 다시 돌아가는 것은 백 번 천 번 옳은 일이다. 그러나 친구들 보기가 민망하다. 특히 혜영이 친구가 내 이번 등교 정지를 알았다면 차라리 이대로 학교를 가지 않는 것이 나을 것도 같다.

"아니야. 김영현 선생님이 직접 와서 그렇게까지 신신당부를 했는데… 더구나 교장 선생님과도 약속을 했을 텐데."

난 고민에 고민을 하다 결국 선생님의 뜻을 따르기로 했다. 진상역으로 가서 기차를 타지 않고 옥곡역에서 순천행 기차를 탔다. 혹여 진상에 내렸다가는 다른 친구들을 만날지도 모르니까. 퍼뜩 차창으로 스쳐가는 가을 풍경이 오늘의 내 결정에 박수를 치는 듯하다. 그 풍경 사이로 지난 3년간의 일상들과 혜영이 친구를 비롯한 절친들의 얼굴이 한 명씩 한 명씩 오버랩 된다.

한참 후, 전화로 교장선생님께 인사를 드리자 집으로 들리라고 한다.

"집에 있으면서 반성은 좀 했냐."

"네. 그보단 부모님께 못할 짓이 된 것 같아 많이 괴로웠습니다."

"그래. 그러면 앞으로의 계획은 무엇이냐."

순간 담임선생님의 부탁 말씀이 뇌리를 스쳐간다.

"네. 지금까지는 공부에 너무 소홀했지만 많은 노력으로 꼭 대학에 가고 싶습니다."

그렇게 난 교장선생님의 토닥거리는 격려를 받으며 다시 학교로 나갔다.

"한규가 다시 왔는데 오늘 튀김집에서 몰래 한 잔 어때?"

"고맙고 미안한데 당분간 좀 봐주라."

가을이 가더니 겨울이 찾아온다. 인생은 시끄러운 헛소동처럼 어제의 고통과 굴욕이 오늘의 영광이 되었다가 내일은 또 절망과 희망이 되기도 한다. 비록 힘들고 고단했지만 부분적인 내 삶은 낭만과 로맨스 그리고 다이내믹함으로 가득 찼었다.

드디어 졸업하는 날.

나의 시선이 무언가를 애타게 찾기 위해 안절부절이다. 짧은 시간에 졸업식이 끝나고 다들 기념사진을 찍기 위해 분주하다.

"혹시 혜영이 못 봤나?"

"아니, 아침 내내 보이지 않던데."

아! 이렇게 허무하게 내 학창시절이 끝나는구나. 그래도 마지막 확인을 위해 농과 건물로 뛰어본다. 텅 빈 교실과 뒤뜰이 마냥 외롭고 처량하게 보일 뿐이다.

54
고향은
그리움의 상처(1)

"아이고. 고구매는 많은 들었는디 왜 이리 곤자리 묵은 게 많냐."

"그러게요. 내년에는 다른 밭에다 심어야 할 것 같네."

"그래도 여기는 레카카가 들어와서 집으로 옮기기가 쉬운데."

오전 일찍부터 고구마를 수확하는 식구들의 손놀림이 분주하다. 진작 수확을 했어야 했지만 나락 타작이 늦어져서 올해는 다른 해보다 더 늦어버렸다. 낫으로 고구마 줄기를 걷어가던 아버지의 표정이 더 어둡다.

"서리로 고구매 순이 많이 녹아부렀다. 겨울에 소여물이 부족하면 어쩌나?"

"어찌 안다요. 올겨울에는 추위가 짧아져서 여물이 덜 들지?"

맞는 말이다.

평소 아버지는 미래에 대한 고민과 걱정이 먼저라면 어머니는 그 미래를 낙관적이고도 간단명료하게 희망으로 바꿔버리는 재주가 많다. 때로는 이 시각적인 차이로 인해 작은 마찰도 일었지만 우리 형제들은 부모님의 양면성을 느끼면서 한쪽으로만 치우치지 않는 균형 감각을 얻었다.

한창 고구마 캐는 작업이 탄력을 받아 갈 때쯤, 뿌연 연기를 일으키며 큰 노랫소리와 함께 등장하는 차량이 있다.

"존경하는 진월면민 여러분. 안녕하십니까! 매일 같이 이어지는 고된 농번기에 얼마나 노고가 많으십니까. 저희는 선소 면사무소 앞에 여러분의 피로를 해소할 수 있는 가설극장을 설치하고 3일 동안을 함께 하고자 이렇게 찾아왔습니다."

"저기 차에서 무슨 말을 하는가?"

"아~ 선소에 천막 영화관을 만들어 놓고 영화를 보여준다요."

"뭐여, 돈을 많이 받고 하면서 저리 생색낼 것까지 있을까?"

"그래도 애들한테는 저런 것도 필요하지다."

"그건 그래도 영화를 보고 와서 내일 할 일에 지장이 있을까 그러지."

어느덧 홍보 차는 우리 고구마 밭까지 근접해오며 더욱 큰 소리로 열을 올린다.

"이번 영화는 우리 민족의 자긍심을 깨우고 나라에 충성심을 함양케 하는 우리들의 영웅, '성웅 이순신' 장군의 일대기를 보여줍니다."

"이순신 장군이라면 남해 충렬사에 있는 장군이 아닌가?"

"그래 맞아. 그때부터 이순신 장군의 정신을 잊지 않고 본받았더라면 36년이라는 속국의 오명과 압박은 없었을 것 아닌가."

"아! 애통합니다. 패전으로 물러가던 왜놈의 유탄에 맞아 한 많은 생을 마감하는 성웅 이순신~. 오늘 밤 진월면민 여러분은 우리 민족의 자랑, 세계사적인 장군인 이순신을 만날 수 있습니다. 고대해 주십시오."

우리 밭을 지나 선포로 내려가는 홍보차는 더욱 옹골차게 산천을 울려댄다. 고구마를 집으로 옮기던 나는 벌써부터 마음이 붕붕 떠오르는데 이미 임진년 그날로 내달리고 있다.

"어무이! 나, 일 열심히 마무리하고 오늘 밤 영화 보러 가요~?"

오늘따라 엄마는 아무 말이 없다. 아마도 아버지의 얼굴을 살피는 것 같다. 엄마가 말이 없자 아버지는 결정이 흔들리는지 바쁜 와중에도 담배를 꺼내어 늦가을에 펼쳐지는 그림 같은 뭉게구름을 조용히 응시하며 한껏 폼을 잡는다. 그러다가 또 기침이 비바람을 몰고 오듯 우르르 일어나자 '콜록콜록 에이~ 취!'하고 푸르르 몸을 떤다.

이미 가을걷이가 끝난 들판에서는 할 일이 없어 빈둥빈둥 한가하던 허수아비가 아버지의 기침 소리에 놀라 엄마 대신 동공이 일어나며 모자까지 찢어진다. 순간 엄마는 무언가 불안한 지,

"즈그 아부지, 기침이 나니께 담배는 나중에 피우고 여기 막걸리나 한잔하고 합시다."

오늘따라 아버지는 엄마 말을 고분고분 잘 따른다. 하기야 아버지는 술이나 담배를 별반 차이 없이 다 좋아한다. 또 시간적으로 출출하던 참이라 살짝 술 생각도 났었다. 평소 아버지가 담배를 피우다 기침을 하면 엄마의 잔소리 잔소리가 하늘에 닿을 듯했었다. 또한 술은 더 기피의 대상이었고. 그럴 때면 큰형님이 아버지를 살짝 거들어 엄마를 나무랄 때도 종종 있었다.

"아따 무슨 기침이 이리 고약하다냐. 그런데 오늘 막걸리 맛은 참 좋다."

이때를 기다렸는지 엄마는 한 술 더 떠서,

"맛있소? 어디 나도 맛 좀 봅시다. … 참말로 오늘 막걸리는 맛있네. 즈그

아부지 오늘 한규가 일을 열심히 하니께 저녁에 영화를 보도록 보내줍시다. 다행히 연애하는 영화도 아니고..."

"...쯧쯧쯧. 허이 참. 그러면 조심해서 댕겨오고."

정말 우리 엄마는 대단하다. 언제나 엄마는 우리 형제들의 꽃길에 꽃신 같은 존재다. 하루 일과가 마무리되고 저녁상에 계란찜도 올라왔다. 평소 손님이 왔을 때나 구경하는 계란이지만 오늘만은 푸짐하다. 다른 집들의 굴뚝에는 군불을 지피는지, 줄을 이은 연기가 수줍은 새색시의 옷고름처럼 하늘까지 조심스레 올라간다.

한편, 맞은편 작은 집에서는.

"엄마. 나 저녁에 좀 나갔다 올게."

"뭔 소리고. 다 큰 가시나가 밤에 어딜 간단 말이고?"

"엄마. 언니 영화 보러 가려고 그런다."

미숙이 누나는 당황해서 어찌할 바를 모른다. 오늘 낮에 영화 홍보 소리를 듣고 친구들과 약속하는 걸 민순이 누나가 듣고 따라가려고 애를 썼었다. 그러나 동생이 동행하면 여러 가지 제약이 많아 거부를 하자 슬쩍 화풀이로 재를 뿌리는 것이다.

"가시나. 왜 그리 심술꾸러기고!"

어느덧, 작은 동네 앞 청녕에는 동생들을 데리고 온 누나들에서부터 내 후배들까지 많은 사람들이 소풍을 가듯 줄을 선다. 우리 동네도 이렇게 많은데 진월면 전체에서 모이면 관람이나 될지 걱정이다. 중산을 거쳐 구룡 마을로 접어드는데 중산, 구룡, 삼정 사람들까지 끝이 없는 행렬이 고속도로 아랫길로 이어진다. 최근 남해 고속도로가 뚫리면서 가뭄에 콩 나듯 드

　　　　　　　　　　　　바람으로 오는 풍금 소리

문드문 다니는 찻길은 고운 비단길이다. 이에 비해 사람이 다니는 길은 마땅치 않아 자연적으로 발길들이 만들어낸 척박한 길이 전부다. 무질서한 돌 사이로 오르락내리락 삐뚤빼뚤 위험하기까지 하다.

"조심해라. 어두워지니까 길이 잘 안 보인다."

사전에 조심스러운 주의까지 주어지지만 이도 잠시 누군가로부터 시작된 남진의 '님과 함께'가 선창이 되자 노래는 릴레이처럼 파동을 그리며 퍼져 나간다. 잠깐 사이에 척박한 고속도로 아랫길이 저절로 임진왜란의 강강술래가 된 것 같다. 거기다가 휘영청 밝은 달까지 비추었다면 영락없는 전술적인 강강술래다. 한창 분위기가 익어 가던 때에,

"아이고 아야. 엉엉엉"

"이를 어쩔꼬. 동생이 돌에 걸려 무릎을 다쳤다. 피까지 나서 집에 가면 혼이 많이 날낀데 이를 어쩔까?"

신나게 노래를 따라 부르다 잠시 방심하는 사이에 동네 동생이 튀어나온 돌에 걸려 넘어진 것이다. 아픈 것보다 피가 흘러 울어버린 동생이 부드러운 흙을 발라 피가 멈추자 바로 울음을 그친다. 드디어 가설극장 앞에 도착하자 수많은 사람들이 벌써 인산인해다. 환하게 밝혀진 극장 주변은 시골에서는 좀체 보기 어려운 그야말로 불야성이다. 우리들에게는 영화도 영화지만 화려한 주변 환경이 놀라 자빠질 지경이다. 영화 상영 시간에 맞춰서 검표가 시작되고 임시 천막 안으로 들어가자 서로 좋은 자리를 잡기 위해 자리다툼이 치열하다.

"이쪽 자리는 우리가 잡았다."

"여기서 네 자리 내 자리가 어디 있냐. 어차피 저 많은 사람들이 다 앉아야 할 텐데."

평평하게 깔린 덕석(멍석)이 앉을 자리의 전부인데 이마저도 아늑하고 신비롭다.

'히히힝~ 풀썩!'

무과에 응시한 순신이 말을 타고 전력 질주를 해 가는데 비스듬한 곡선 길에서 갑자기 바람이 일고 무언가가 말 앞으로 날려 든다. 잔뜩 긴장해서 달려가던 말이 앞발을 치켜들고 하늘을 향해 울부짖는다.

'앗'하는 외마디 소리와 함께 말에서 굴러 떨어진 순신은 좀처럼 움직임이 없다.

"일어나라. 제발 일어나라!"

우리들의 간절한 염원에 기운을 얻은 듯 용수철처럼 튀어 움직여보지만 부러진 저 다리를 어이할꼬... 늘어진 다리를 이끌며 버드나무 아래로 옹골차게 기어간다. 담대하게 버드나무를 꺾어 부목을 대고 다시 말을 달려보지만 보는 사람들의 마음만 아플 뿐 하늘의 뜻을 바꿀 수 없다.

"아이고. 왜 이리 춥냐."

갑자기 추위를 느껴 주변을 둘러보는데 영화는 마지막으로 치닫고 있다. 순신이 모함을 당해서 감옥에 있다가 백의종군하는 장면에서 나도 모르게 스르르 잠이 들었던 모양이다. 추위를 느낀 것은 천막으로 막아뒀던 부분을 혼잡을 피하기 위해 미리 걷어버렸기 때문이다. 전쟁은 계속 치열하게 이어지고 마침내 노량해전의 숨 막히는 전투가 시작된다. 사력을 다해서 후퇴하는 적군을 맹렬히 추격하는 우리의 수군들. 삼도 수군통제사 순신은 손수 북을 쳐가며 맹추격을 독려한다. 이때 어딘가에서 흘러온 유탄 한 발이 전쟁의 정점에서 그만 우리의 간담을 서늘하게 한다.

그리고 잠시 정적이 흐르고 순신은 조용히 쓰러진다.

"완아! 이 싸움이 끝날 때까지 내가 죽었다는 말을 적에게 알리지 마라!"

나라의 불꽃, 이순신 장군은 애석하게도 쉰네 살의 나이에 전쟁의 광으로부터 나라를 구하고 눈을 감는다.

"잉잉" "엉엉엉"

여기저기서 원통하고 애석함에 눈물바다를 이룬다. 어느새 뻥 뚫려버린 내 가슴도 한없이 눈물 나게 시리다. 허전한 가슴으로 하늘을 쳐다보지만 그 흔하디흔한 별빛마저도 우리의 마음에 공감하는지 한스럽게 눈을 감아버렸다. 집으로 돌아오는 길은 더욱 곤혹스럽다. 꼭 영화를 보겠다고 고집을 부리며 따라왔던 대부분의 동생들이 잠에 빠져버렸다. 날씨까지 찌푸려져 빗방울이 떨어진다.

"제발 좀 일어나라, 충열아. 어찌할꼬. 애를 업고 집에까지 걸어가야 하는데…"

"…나의 잠을 함부로 깨우지 말라."

55
고향은
그리움의 상처(2)

우리 동네 사람들은 항상 바쁘게 살아가지만 그중에서도 추석 무렵이 가장 바쁘다. 대부분의 시골 생활은 여름이 되면 노동으로부터 약간의 여유를 갖는다. 하지만 우리 동네는 겨울철의 생업인 김을 준비하기 위해 본격적으로 분주한 노동이 시작되는 시기이기도 하다.

추석이 얼마 남지 않은 오늘도 변함없이 섶을 감는 아버지는 줄담배에 기침에 노동의 피로도 잊었다. 마침 잔소리꾼 어머니가 옥곡 장에 갔기에 마음을 놓고 피워대던 담배가 잠깐의 부주의로 또 아버지의 기침을 불러온다.

"콜록콜록 아이고."

"저리도 담배가 좋을까? 나를 저 담배의 반만이라도 생각해도 즈그 아부지를 신줏단지 모시듯 하겠구만."

평소 어머니의 걱정 어린 잔소리에도 눈썹 하나 까딱 않던 아버지는 갑자기 등장한 어머니의 타박 소리에 본능적으로 담뱃불을 바닥에 비벼 끈다.

"아따, 오늘은 어쩐 일이다요. 피우던 담뱃불을 다 끄고."

"뭔 소리 당가. 인자 막 한 대 피웠응께 부지런히 섶을 감아야지."

갑작스러운 어머니의 등장에 평소와 달리 무의식중에 나타난 아버지의 반응이다.

"큰 애와 며느리는 어디 갔소?"

"아래 새 논에 도구 치러 갔는데 못 봤는가?"

"도구는 다 친 것 같았고 명섹이 집에 젊은 사람들 소리가 나던디 거기 있는 갑소."

"그렇구만. 아까 마이코에서 콩쿨대흰가 뭔가 한다고 오늘 밤 청년회를 소집한다고 하더구만."

저녁을 먹은 뒤 한 사람 두 사람씩 모여드는 동네 회관에는 오랜만에 화색이 돈다.

"다들 모인 것 같은데 회의를 시작하겠습니다. 거두절미하고 올 추석에 우리 동네에서 콩쿨대회를 해보자는 의견이 많아 이렇게 모이라 했소."

"돈도 솔찬히 들고 장재 동네도 한다는 소문이 있던디 우리는 내년에 하는 것이 어떤가?"

"장재는 이미 손을 다 써뒀소. 그리고 양보도 받았고요."

이렇게 회의는 일사천리로 진행되고 혹시나 또 다른 동네에서 공표가 있기 전에 내일부터 면사무소의 도움을 받아 우리 동네가 적극적으로 나서기로 한다.

"그러면 이장님을 중심으로 해서 동네 어른들의 동의를 구하고 상품은 좀 좋은 것으로 하는 게 어떻소?"

"1등은 전기밥통이 어떤가. 우리 집에 보니 밥통이 편리하고 좋던디."

"나는 기타가 좋던디요."

"촌에는 아무래도 자전거가 최고여."

결국 1등은 자전거, 2등은 기타, 3등은 전기밥통, 인기상은 바케스와 주전자로 결정된다. 그 외 아차상으로 양은 냄비 등이 준비되기도 한다.

"그래. 난 자전거가 필요하고 좋아. 그것도 중고가 아닌 때깔 좋은 새 자전거가."

생각만 해도 오늘 밤은 황홀해진다. 이미 나는 새 자전거를 타고 갈바람을 헤치며 끝없는 꿈나라로 헤엄쳐 나간다.

콩쿨대회는 사전 공표의 대가로 우리 동네만 치르는 걸로 결정이 됐다. 추석이 임박하자 도회로 나갔던 젊은 청춘 남녀들이 고향으로 벌떼같이 모여들고 분위기는 한층 고조되어 간다.

"아~ 아~ 마이크 시험 중. 마이크 시험 중. 동민 여러분! 안녕하십니까. 그렇게 고대했던 콩쿨대회가 드디어 오늘 밤 일곱 시부터 시작이 됩니다. 일찍 식사를 마치시고 오랜만에 열리는 이 대회를 마음껏 만끽해주십시오!"

이장님의 카랑카랑한 멘트가 울려 퍼지고 앰프에서는 분위기 고조를 위해 '굳세어라 금순아'가 훈훈한 살랑 바람을 타고 동네 가득 울려 퍼진다.

"자전거, 자전거. 흐흐흐."

나는 이미 상품에 눈이 멀어 가고 있다. 달과 별들 사이를 상품으로 받은 자전거로 그림을 그리듯 유유자적 유영해 가는 꿈의 자전거에... 이른 저녁을 먹으면서 어떤 노래를 선곡해야 할지 잠시 고민에 빠진다.

"가을이니까 '오동잎'이 최고 아닐까? 아니야, 내보다 먼저 부르는 사람이 해버리면 어쩌려고."

그리고 다시 또 고민을 해본다.

"음... 뭐가 나을까. 그래! 이 노래야!"

선곡이 정해지자 '험험험' 목청을 가다듬으며 밥 먹던 숟가락을 잡고 '나 어떡해'를 불러본다.

"에미야. 쟤가 왜 저러냐. 밥 묵다가 말고."

"오늘 콩쿨대회에 나가서 노래 부르려고 연습하는 것 같네요. 호호호."

"한규야. 누가 우리 집 잔치하는 줄 알겠다. 돼지 잡는 소리가 나니께. 하하하."

역시 고음 처리는 변성기인 내겐 아직 무리야. 또다시 나는 깊은 고민에 빠진다. 고민에 상념을 더하며 나는 일찌감치 분위기 파악을 위해 콩쿨대회가 열리는 홍총골 작은 집 세모 밭으로 내달린다.

벌써 많은 사람들이 모여들어 자리 잡기에 바쁘고 주최 측은 분위기 고조를 위해 신나는 유행가를 하늘 높이 올려 보낸다. 또 막간을 이용해서 고등학교 다니는 내 위의 형이 기타로 목포의 눈물을 연주한다.

"야. 기타 소리 좋네. 잘도 치고."

"그러게. 나는 다리를 꼬고 앉아 기타 치는 사람들이 참 멋있게 보이더라. 부럽기도 하고."

드디어 청년회장의 사회와 함께 이장님의 개회 선포를 시작으로 콩쿨대회의 막이 오른다. 무대 앞에는 세상을 밝혀내는 백열등이 분주하게 사람들의 시선을 모아오고 금줄처럼 길게 늘어선 새끼줄에는 여기저기서 찬조금을 알리는 이름과 금액이 붙여진다.

"아이고. 이장님 찬조금이 뜻밖에 많네."

"근데 우리 동네 유지인 저분은 너무 짠 것 같다."

노래의 열기 속에 연 꼬리처럼 하늘거리는 찬조표는 구름이 태양을 유혹하듯 사람들 간의 경쟁심을 더욱 자극한다.

"형님아. 나도 노래 신청하면 안 될까?"

"너 상품이 욕심나서 그러지? 상품을 타려면 노래는 기본으로 잘 불러야 하고 협찬 요금도 많은 영향을 미치는 건 알지? 더군다나 주최 측 마을은 웬만해선 등수를 잘 주지 않는 것이 기본이다."

세상에나 이런 허망한 일이 또 어디에 있을까. 부상으로 자전거를 받기 위해 얼마나 마음을 졸였고 기도까지 했는데... 마음으로 의지해왔던 지지선이 허물어진다.

"하느님! 그 흔하디흔한 비를 제 맘이 확 풀릴 때까지 시원하게 뿌려 주시면 안 될까요?"

콩쿨 대회는 막바지로 치닫는다. 어제까지 예비심사를 통과했던 사람들을 중심으로 순위가 더욱 좁혀져 간다.

"여러분~ 황금빛 일등을 위해 지금까지 달려왔던 기차가 종착역을 향해 달려가려고 합니다. 혹시 여러 사정으로 오늘 처음 참석하시는 분은 집행부로 오시면 의논의 기회도 있습니다."

"뭘 의논한단 말이고."

"바보야. 찬조금을 많이 내면 참가 자격을 준단 말이지."

"그러면 공평한 게 아니잖아."

"그러니까 공평한 것이지. 이게 콩쿨대회의 백미야."

바람으로 오는 풍금 소리

드디어 마지막 경연 인원이 확정되자 심사위원들의 손놀림이 빨라진다. 이때, "나도 노래 한 번 불러야겠소"하고 무대로 뛰어나가는 사람이 있다.

"이제 늦었습니다. 그냥 구경이나 하시죠."

"무슨 소리고! 나는 꼭 불러야겠다."

"이런 모습은 억지입니다."

술이 많이 취한 것 같은 청년은 억지 주장을 해대고 일부 그를 응원하는 듯한 사람들의 고함 소리로 삽시간에 분위기가 싸늘해진다. 그러자 내가 잘 아는 주변 동네 형들이 약간의 야유를 섞어 억지스러운 분위기를 바로 잡고자 거든다.

"이 사람들 일부러 시비 걸려고 온 것 아냐? 우리 진월 사람이 아닌 것 같아."

"그래. 안면도 없다."

"진월 청년들이 다 힘을 합쳐야겠네."

여기저기서 야유 소리가 심해지고 이 분위기에 놀란 사람들이 서서히 눈치를 보며 자리를 뜨려고 한다.

"어이 청년! 자네 의암의 행배 동생 아닌가?"

순간 흔들거리며 억지 시비를 걸던 그 청년이 흠칫한다.

"맞구먼. 오늘 술이 좀 과한 것 같은데 노래 한 곡만 하고 놀다 가게."

동네 형님의 그 한 마디에 청년은 고개를 숙이며 뒤로 물러난다. 말 한 마디가 죽어가던 공명을 살린 것이다. 다시 분위기는 뜨거운 열기로 달궈진다.

"자 다음은 깜찍한 목소리와 발랄한 춤을 선보였던 우리들의 히어로, 강희진 양을 소개합니다!"

춤과 노래로 한바탕 무대를 휘저었던 이웃 동네의 희진 누나가 무대로 나오는 동안 사회자인 명석이 형의 현란한 삼각 다리춤이 시작된다. 아마도 명석이 형이 외지로 돈 벌러 나갔다가 고향 방문한 희진이 누나에 반해도 크게 반한 모양이다. 희진이 누나의 노래와 춤이 시작되자 구경하던 모든 사람들이 입을 벌린 채 일 순간 조용해진다. 사람들은 숨이 멎었고 별마저도 빛을 잃었다. 별똥별이 동쪽으로 선명하게 균형의 지휘봉을 휘젓지 않았다면 휫게 소리와 앙코르 요청으로 사고 아닌 사고가 났을지도 모를 일이다.

"햐~ 저 엉덩이 돌아가는 춤 좀 봐라. 앵콜 앵콜! 아가씬 내가 찍었다."

"임마 희진이는 내가 벌써 침 발라뒀다. 앞으로 형수님이라 불러라."

"햐~ 춤과 노래가 저리도 빼어나지만 저리 까져버린 애를 누가 며느리로 데려갈까?"

"뭔 소리 하는 거야! 내 눈엔 천사구만. 아들이 있다면 며느리로 삼고 싶구만!"

"자네는 아들이 없으니까 그렇지. 즈그 부모한테 얘기를 해줘야 하지 않을까?"

참 희한한 대화들이다. 저런 멋진 무대를 보고도 아전인수 격 해석을 하다니. 나는 희진이 누나를 보며 큰형님 말대로 상품에 눈이 팔리지 않은 걸 다행이라 생각해본다.

"역시 나는 아직도 촌놈에 불과해. 더 배우고 더 커야 해."

'사람이 태어나서 유방백세(좋은 이름)를 하지 못하면 유취만년(나쁜 이름)이라도 해봄이 사내라 하는데...'

그렇게 콩쿨대회의 밤은 익어간다.

　　　　　　　　　　　바람으로 오는 풍금 소리

56
욕망은
강물처럼 흐르고 (1)

늦가을 큰 무리의 기러기 떼가 붉게 물든 서쪽 하늘로 광활하게 군무를 그리며 저물어 가는 하루를 쫓아간다. 병풍처럼 둘러싸인 첩첩산중으로 전란을 피해 모여든 삼십여 가구의 진목골 마을에서는 새로운 시대의 변화도 잊은 채 늦가을 저녁의 추위를 덜기 위해 따뜻하게 지피는 군불로 평화롭다.

오늘따라 일찌감치 저녁을 마친 이 상갑 댁에서는 과년한 딸 하옥의 혼인 문제로 대화가 바쁘다.

"하옥이 벌써 18세로 혼사가 더 이상 늦어서는 아니될 것 같음메. 그러나 이미 추위는 다가오고 올 삼동은 어쩔 수가 없음메."

"그래도 쪼매한 움막이라도 임시방편으로 마련해서리 설 대목까지는 사위 맞을 준비를 해봅세다."

"난들 안 그러고 싶겠음메. 혼사만 치르면 내년 농사와 일손도 덜고 가세도 축적되는데.”

한참 이야기가 진행되는 와중에 싸릿대문 밖에서 나는 인기척 소리에 잠시 대화가 끊긴다.

“어르신네. 따님과 백년가약을 맺기로 한 함지골의 김 산입네다. 올 설 대목 전에는 꼭 따님과 함께하고 싶어 늦은 시간임에도 이렇게 뵈러 왔습네다. 부디 오늘 밤 저희의 합방을 허락하여 주시라요.”

잠시 침묵이 흐르고 안방에서 헛기침 소리가 나더니 방문이 닫힌 채로 “지난번 찾아왔던 함지골의 김산임메?”하고 나지막하고 위엄 있는 말소리가 흘러나온다.

“네. 그러합네다.”

“임자레 간절한 심정은 이해가 됨메. 허나 우리가 이곳에 정착한 지가 얼마 되지 않았고 나 또한 건강이 좋지 않아 아직까지 임자레 거처할 서옥을 마련하지 못했음메. 그래서 새봄이 오면 어떠한 일이 있더라도 거할 곳을 마련하여 임자레 받아들이겠음메.”

“네. 잘 알겠습네다. 그래도 꼭 참고하여 주실 것이 있어 마저 말씀드리겠습네다.”

“그래. 말씀해봅세.”

“이미 어르신께서 짐작하시다시피 저희 노모래 연세가 많고 최근엔 지병까지 생겨서래 소인의 혼인에 크게 노심초사하고 계십네. 이 점 꼭 참고 바랍네다.”

“잘 알겠음메.”

김 산은 잠시 생각에 잠기다가 어쩔 도리가 없는 상황이라 받아들이고 자신이 혼인 준비를 위해 사계절 내내 노동으로 마련해 가져온 예물을 구경

　　　　　　　　　바람으로 오는 풍금 소리

온 사람들에게 부탁하여 예비신부 댁으로 들려 보낸다.

사실 산이 오늘 상갑이 어른 댁으로 늦은 시간에 찾아온 것도 혹시나 하고 이를 대비해서 정상참작을 바라는 의미였는데 결국 예상대로 되고 말았다. 퍼뜩 어머니의 평소 노래 같은 말씀이 머리에 맴돈다.

"산아. 이 어미가 늙어 네레 사는 모습을 여유 있게 기다리고 보는 것이 어려울 것 같음메. 올해가 가기 전에 꼭 장가를 보내고 싶음메."

"어마이 뭐시기 그런 유약한 말씀을 함메. 편안한 마음으로 조금만 기다려 주시면 꼭 효도 하겠습네다."

어머니와의 약속이 또 현실화되지 못했다. 이제 산의 세세한 계획도 틀어져버렸다.

돌아가는 수밖에 없다. 암흑 천지속에 산짐승의 위험을 방패삼기 위한 꼼수도 허사가 되었다. 허탈한 마음으로 다음을 기약해야 하는 산의 철갑 같은 가슴이 허망함과 황망함으로 무너져 내린다.

터덜터덜 왔던 길을 되돌아가는 산의 발걸음이 큰 바윗돌을 매단 것처럼 천근이고 만근이 된다. 병약해진 어머니를 생각하며 크게 한숨을 지으며 모퉁이를 돌아 마을 어귀에 이르자 한 치 앞을 보기 힘든 암흑 천지에 좁아 뒤틀어진 작은 서릿 길이 한기를 느끼게 한다.

"어여. 여기 좀 봅세."

무심코 걸어가던 산이 뒤를 돌아보며 "저더러 하시는 말씀입네까? 어인 일로 저를...?" 하니,

"나는 자네의 장인 될 상갑의 친구 나행선이라는 사람임메. 상갑의 부탁으로 지금 자네가 가는 길이 험하기도 하고 위험한 산짐승의 출현이 심한지

라 오늘 밤은 우리 집에서 거하고 가도록 부탁이 있어 왔음메."

"네. 감사하고 고마운 일이오나 초승달을 벗 삼고 정처 없이 흘러가는 계곡물을 노래 삼아 발길이 머무는 곳까지 가보려고 합네다만."

"아니 되고 큰일 남메. 이곳은 함부로 여겨서는 아니 될 위험한 곳 임메. 그리고 둘도 없는 벗의 부탁이기도 하고."

산은 더 이상 거절의 어려움을 알고, 또 예의도 아니고 해서 조용히 행선 어른의 뒤를 따른다.

처음 이곳을 찾았을 때는 긴장된 마음이라 천지 분간이 어려웠다. 그러나 긴장을 털어내고 나니 밤이 되었건만 비로소 주변 환경이며 밤 풍경이 눈 안에 들어온다.

살랑살랑 흔들리는 솔잎 사이로 초승달이 가만히 앙증맞게 웃어 보이고 소소히 불어오는 맑은 바람이 가슴속에 품어 왔던 연정의 뜨거움을 조용히 삭혀주고 어루만져 준다. 졸졸졸 흘러내려가는 계곡물소리가 아늑한 산사의 독경처럼 노래하는데 이곳이 무릉이요, 선경이 아니런가.

"어르신. 어떻게 이 좋은 곳에다 마을을 만들고 안착을 했습네까?"

"말도 맙세. 여긴 내 소싯적에 땔감을 마련키 위해 가끔 왔었던 곳임메. 그러나 수나란가 뭔가 하는 오랑캐의 침략으로 약탈의 군홧발에 살아갈 수가 없어서 주변 이웃과 식솔들을 데리고 여기까지 오게 됐음메."

"그러하면 처가가 될 상갑 어른 댁도 그때 다 이주한 것 아닙네까?"

"암, 고로코 말고. 처음엔 전쟁이 끝나면 다시 돌아가려고 했음메, 그런데 자꾸만 길어진 전쟁통에 이제 이곳이 진정 우리 마을이 됐음메."

이런저런 이야기를 나누며 걷다 보니 어느덧 조용하고 아담한 그러나 뭔가 서늘한 느낌의 행선 어른 댁에 도착한다.

　　　　　　　　　　바람으로 오는 풍금 소리

"아가야! 손님을 모시고 왔지비. 아래채에 몸 풀 곳은 준비해놨음메?"

"네, 아바이. 식사 준비며 군불까지 다 지펴 놨습네다."

"잘했음메. 젊은이 피곤할 테니 저녁 드시고 일찍 자기요."

행선 어른이 안채로 들어가고 혼자 남은 산은 정성스럽게 차려진 밥상에 눈이 간다. 비록 진수성찬은 아니지만 정갈하게 차려진 음식에 가지런히 자리 잡은 수저가 편안함과 안도의 포근함을 더해준다. 저녁을 마치자 문 밖에서 인기척 소리가 난다.

"저 손님네, 여기 숭늉을 준비했습네다."

"아, 네. 늦게까지 폐를 끼쳐 죄송합네다."

숭늉을 전해주고 밥상을 들고나가는 여인의 자태와 정갈함이 크게 돋보인다.

"참 고고하고 아름다운 아낙네구나."

산은 마음속으로 저런 여인이 나와 함께 어머니를 봉양한다면 더 이상 무엇이 부러우며 무엇을 바랄 것이 있겠는가 하고 생각해본다. 밤은 그렇게 고즈넉하게 깊어가고 성성한 백발이 지나간 세월을 증명하듯 새벽의 찬 이슬이 깊은 산중에 조용히 내려앉았다.

멍멍멍

어둠의 정적을 깨고 긴박하게 개 짖는 소리가 뭔가 급박함을 알린다. 너무나 조용해서 귀곡산장에 든 것 같았던 행선의 집안은 왠지 모를 불안감에 잔뜩 긴장되어 있다. 초롱불로 밝혀진 희미한 방 안에는 행선의 큰아들이 피골이 상접하여 누워있고 그를 둘러싸고 앉아 있는 가족들의 얼굴이 너무나 긴장한 나머지 짙은 잿빛으로 변해있다.

"아들아! 눈을 떠 봅세. 힘을 내 봅세!"

"이를 어이할꼬. 아직도 구만 리 영화 같은 인생을 살아야 할 네가 어찌 이리 병약하여 가슴을 태운다는 말임메!"

죽은 듯 눈을 감고 있던 행선의 아들이 조용히 어렵게 눈을 뜬다. 무심히 천장을 응시하던 초점 잃은 휑한 눈이 자신을 둘러싼 주위를 찬찬히 조심스럽게 둘러보더니 바싹 마른 입술을 오물거린다. 그의 아내 혜옥이 옆에 준비된 물을 급하게 입술에 묻혀주자 아내를 또렷이 쳐다보며 주르륵 눈물을 뿌린다. 그리고 무언가 말을 하려고 사력을 다하는데 이를 지켜보는 사람들의 숨이 멎을 지경이다.

"어찌함메. 어찌함메. 내 아들 현종이를 어찌함메."

"승희 아바이! 승희 아바이! 눈 한 번 더 떠보시라요. 흑흑... 저 어린 승희를 데리고 나 어찌 살란 말입네까. 흑흑흑."

원통하고 한 맺힌 울음소리가 온 집안을 뒤덮을 때 비통함에 굳어버린 듯 가만히 앉아 있던 행선은 닭똥 같은 눈물을 하염없이 쏟아낸다.

"내 업보임메. 불행한 내 업보로 내 눈이 이렇게 시퍼런데 어찌하여 허망하게 내 아들을 보낸단 말임메. 하늘이 원망스럽습메."

그렇게 혜옥의 남편 현종이 사랑하는 가족을 남기고 떠났다. 그가 그렇게 떠난 날은 검은 구름이 하늘 가득 일었고 진눈깨비마저 몸과 마음을 꽁꽁 묶어버렸다. 단지 세 살배기 딸, 승희만이 맛있는 음식과 측은함에 예뻐해 주는 사람들 사이를 조작조작 걸어 다니며 예쁜 짓을 할 뿐이다.

"엄마~ 맘마. 엄마~ 맘마!"

57
욕망은
강물처럼 흐르고 (2)

현종의 죽음으로 집안의 기운까지 방전되어버린 그 해 겨울은 뼈를 에이게 하는 추위가 행선 어른 집을 덮치고 마을까지 얼어붙게 만들었다. 세상을 잃어버린 듯 한숨의 나날들이 실패한 가정사로 짓눌려올 때 우두커니 먼 산을 바라보던 행선 어른이 불현듯 기지개를 켠다.

"산 사람은 살아야 한다. 나만 쳐다보는 가족들 중에 눈에 넣어도 아프지 않을 사랑스러운 손녀가 있고, 기댈 언덕을 잃어버린 자부 혜옥에게도 작은 오솔길이라도 내어줘야 한다."

지난 몇 개월 동안 자신의 몸 하나 돌보지 않았던 행선 어른이 자리를 털고 일어나더니 얼어붙은 개울가로 조심스레 다가간다. 졸졸 흘러내리던 개울물마저 얼음 속으로 숨어버렸지만 행선 어른에겐 이젠 한낱 미진한 티끌에 불과하다. 마침 곁눈으로 들어온 모난 바위 하나를 집어 들어 '세월아

깨어나라.'하고 포효를 하듯 내려치는데 그 두껍던 얼음조각이 거미줄처럼 쪼개어 지며 그림을 그리더니 얼음 속에 갇혀있던 백옥수를 끌어올린다.

"아직 내 인생의 실패는 아니다. 잠시 우회해서 돌아가는 것 일뿐 끝맺음이 아니다."

행선 어른은 얼음보다 차가운 물을 두 손 가득 퍼 올려 삶의 찌든 때를 한 풀이처럼 씻어 내린다. 또 넋마저 잃어버려 삶의 의욕조차 포기해버린 혜옥도 재롱을 부리다 잠이 든 승희를 물끄러미 쳐다보다 앙상한 겨울 소나무에라도 기대 볼 마음에 마당으로 나온다. 그때 실성한 듯 얼음물을 머리까지 끼얹는 시아버지 행선을 보고 소스라치게 놀라며 어찌할 바를 모른다.

"아바이. 이 어찌 된 일입네까? 몸이라도 상하시면 어찌시려고..."

"괜찮음메. 염려하지 말라우. 이 차가운 동토의 세계에서도 우리가 움직일 수 있는 공간이 있음메. 비록 현실이 어렵더라도 다시 한 번 일어나 봅세."

혜옥은 시아버지의 냉철하고 단호한 결심과 행동에 마치 번개라도 맞은 것처럼 멍하니 서있다. 한참이나 망부석처럼 서있던 혜옥이 갑자기 뛰어가 시아버지 행선을 와락 부둥켜안는다. 그리고 봄소식을 몰고 온 진달래 소녀처럼 살아있는 숨결로 포근히 갈무리한다.

"아바이요. 고맙습네다."

"아가. 그동안 수고 많았지비."

비로소 동토의 얼음이 녹기 시작하고 저녁을 알리는 평화로운 굴뚝 사이이로 모처럼 만의 웃음소리가 흐른다.

"아바이. 아바이요. 둘째가 왔습네다. 그간 고생 많이 했습네다. 이제 내래 왔으니 걱정 붙들어 매시라요."

바람으로 오는 풍금 소리

서옥제로 풍산골로 장가갔던 둘째 아들 현두가 해맑은 아들을 데리고 아내와 함께 집안으로 들어선다.

그 매섭던 동장군도 뻐꾸기, 소쩍새 소리에는 고분히 엎드려 고개 숙인다. 마을 앞산 언덕에서 봄을 알리는 아지랑이가 어서 오라 손짓을 하자 서로 뒤질세라 고개 들고일어나는 들풀들이며 나무들이 경쾌하게 꽃단장을 한다.

"어영차. 어영차. 황토 흙이 참 곱습네."

"나도 흙을 보고 기쁨이 두 배나 되었음메. 우리 하옥이가 복이 참 많은 것 같음메."

상갑 어른이 산과 약속한 신혼집을 짓기 위해 팔을 걷어붙였다. 비록 넉넉지 못한 살림이지만 무남독녀 외동딸을 위해 못할 짓이 뭐 있겠는가. 나날이 완성되어 가는 집을 보던 하옥도 설레는 봄처녀의 가슴에 희망의 나무를 심는다.

"내 낭군이 될 산이라는 사람은 어떻게 생겼을까? 논일이며 밭일이며 땔감까지 책임져야 하는 고된 노동을 이겨낼 체력은 가졌을까?"

온갖 생각들이 하옥의 머리를 행복하고 즐겁게 한다.

"하옥이래 바느질은 잘 배우고 있음메?"

"아~ 아바이. 깜짝 놀랐습네. 바느질이래야 뭐 크게 어려울 게 있습네까?"

"야, 그거 고져 다행이구나야. 고럼!"

하옥네도 집안 가득 봄꽃 향기가 차오른다. 하옥은 하루하루가 즐겁고 복되다. 하옥의 신혼집이 거의 완성되어 갈 즈음, 지난겨울 훌쩍 떠나버린 현종의 무덤을 딸 승희를 데리고 찾은 혜옥은 푸르게 생명을 찾아가는 무덤을 보며 지나간 세월들을 반추해본다.

"어르신네. 소인 현종이 친척 집에 일손을 거들러 왔다가 따님의 아리따움에 반해 이렇게 무릎을 꿇고 간청합네다. 부디 제게 따님과 평생 함께 할 수 있도록 기회를 주시라요."

"이게 무슨 소린메."

너무나 뜻밖의 일이라 혜옥과 아내의 얼굴을 쳐다보던 아버지는 체통도 잊은 채 마당으로 내 달린다.

"고래 이 것임메. 드디어 마음의 짐을 덜 기회가 왔음메."

사실 지금까지 예기치 않은 고통으로 딸 혜옥뿐만 아니라 온 집안이 신음 속에 있었다. 혜옥과 혼인키로 약속했던 정혼자가 수나라와의 전쟁으로 전쟁터로 징발됐었다. 살수에서 을지문덕 장군의 지략과 용맹에 힘입어 적군을 궤멸해가던 고구려 군사들이 적의 마지막 숨통을 끊으려는 찰나 죽을 각오로 대항하던 적병에 의해 그만 인명의 손실을 입었다. 그 병사들 중에 혜옥의 정혼자가 있었던 것이다. 이 뜻하지 않은 슬픈 고통에 신음하고 있을 때 승희 아버지 현종이 혜옥의 집에 찾아와 청혼을 했던 것이다.

결혼은 일사천리로 진행되고 서옥제의 풍속도 잊은 채 혜옥은 혹여 이상한 소문이라도 날까 하는 걱정에 현종의 집으로 서둘러 시집왔었다. 그리고 새봄의 진달래가 만발하던 또 다음 해에 딸 승희가 재롱둥이 얼굴로 그녀의 품에 안겼다. 아무 잡념 없이 혜옥이 추억에 놀고 있을 때, 딸 승희가 "엄마. 이게 뭐야?" 묻는다.

"응. 그건 할미꽃이라고 하는 거야."

바람으로 오는 풍금 소리

"예쁜데 엄마 머리에 꽂아 줄까?"

"아니. 꺾어버리면 아프고 슬퍼지는데 그대로 살려서 지켜주기요."

"응. 알았어. 엄마."

"승희야 이제 집에 가자. 할아버지가 기다리실라."

혜옥이 승희의 손을 잡고 막 모퉁이를 돌아서는데 앞에서 많이 본듯한 젊은 장정이 마을을 뚫어져라 쳐다보고 있다. 약간 당황해서 고개를 돌려 사내를 지나치려 하는데,

"저 안녕하십네까."

　　……

　　……

"안녕하십네까. 혹시 행선 어른 댁 자부님이 아닙네까? 저는 지난겨울 폐를 끼쳤던 김산이라 합네다."

그러고 보니 어디서 본듯한 청년임이 틀림없다. 혜옥은 무밭에서 무우서리를 하다 주인에게 들킨 것 마냥 얼굴이 붉어져 어찌할 바를 모른다.

"역시 정갈하고 아름다운 여인이구나. 그런데 딸이 있는 줄은..."

그렇게 또 두 사람은 우연찮게 상봉을 한다.

마음의 짙은 여운을 남기고 혜옥이 돌아가고 산은 바쁘게 발길을 재촉한다. 오늘 산이 혜옥을 보게 된 것은 지난겨울에 하옥의 집으로 서옥하러 왔다가 신혼집의 미완으로 다시 돌아가게 된 아픔을 반복치 않으려고 미리 확인 차 왔다가 이루어진 것이다. 묘한 두근거림으로 집으로 돌아온 혜옥이 쉬이 가라앉지 않는 마음에 어찌할 바를 모른다.

"콜록콜록"

편한 마음으로 봄나들이 겸 현종의 산소에 갔다가 돌아온 승희가 찬바람에 고뿔이라도 걸린 것인지 기침소리가 심상찮다. 울긋불긋 연노랑 진노랑으로 지천으로 흐드러진 봄꽃들이 꽃샘추위로 잔뜩 움츠려 들었다. 지난번 외출로 기침이 심해진 승희가 안쓰럽기 짝이 없다. 승희를 간호하다 뜬 눈으로 밤을 새운 혜옥이 깜빡 졸고 있을 때 시어머니가 안방으로 호출을 한다. 방안에 들어서니 시아버지 행선과 시어머니 그리고 시동생이며, 동서까지 자못 진지한 표정으로 앉아있다.

"들어오라우. 승희래 밤사이 많이 아팠음메."

"네. 좀처럼 열이 내리지 않아 걱정입네다."

"고뿔이 심한 계절이라 걱정이 되지만 조금만 지나면 괜찮아질 것 임메. 그리고 네래 부른 것은 다름이 아니라 승희 아바이 떠나고 현두가 돌아와 이제야 집안에 온기가 돌고 있음메. 그래서 여러 고민 끝에 네래 현두가 가장으로서 보호하고 책임지는 걸로 의논과 결정을 하고 있었음메."

"…박복한 제가 뭐라고 하갔습네까. 단지 폐가 되는 삶을 살고 싶지 않은 마음입네다."

"네 마음은 충분히 알겠음메. 허나 예로부터 풍속이 그런데 받아들여야 되지 않겠음메?"

혜옥이 처량한 마음에 밖으로 나와 복받치는 설움에 하늘을 보며 피눈물을 삭인다.

"승희 아바이요. 뭐가 그리도 급해서 우릴 두고 일찍 떠나 버렸습네까? 부질없고 원통합네다. 어쩔 수 없는 제도지만 시동생을 남편 삼아 살아가란 법은 너무도 가혹하고 참담합네다. 말 좀 해보라요. 네?"

혜옥이 밖으로 나간 후 행선 어른은 다시 한 번 깊은 생각에 잠긴다.

바람으로 오는 풍금 소리

"그래. 나만의 아집이 아니다. 손녀 승희와 자부 혜옥을 가장 가까운 사람이 보호하고 살아야 한다는 게 가장 합당하고 이상적인 방안임이 틀림없다."

행선 어른은 자부를 내보내면 손녀도 잃고 재산도 잃게 되는 손해를 형사취수혼으로 극복해 보려고 스스로 또 다짐한다.

한편 현두는 이미 형님이 세상을 떠났고 형수와 질녀를 자신이 보호해야 한다는 생각과 미인 형수를 아내로 얻는 것에 매우 만족스럽다. 마치 잠자다가 이불속에서 만세라도 부르는 기분이다. 따라서 일을 하다가도 노래요. 나무를 하다가도 노래다. 모든 세상이 왜 이리 아름답고 고운지 절로 웃음이 난다.

저녁을 먹은 식구들이 각자 방으로 돌아가고 우두커니 홀로 남은 달빛이 처량하게 혜옥의 방을 물끄러미 쳐다보는데 '콜록콜록' 승희의 기침이 또 일어난다.

"험험. 아직도 승희 기침이 심합네까. 잠시 들어가도 되겠음메."

승희 간호로 긴장해 있던 혜옥이 소스라치게 놀라 뒤로 물러나며 이불을 덮는다.

"아니 됨메. 아니 됨메. 승희가 좋아지고 내 맘이 정리될 때까지 기다려 주기요. 간곡히 부탁합네다."

혜옥은 다시 또 자신의 박복함에 눈물짓는다. 머물고자 하면 머물 것이요. 날고자 하면 나는 것이 인생의 길이거늘 박복한 이 내 삶은 어디로 날 것이며 어디에 위탁하리. 달아 달아 영롱한 달아! 너는 아느냐. 내가 가야하는 이 형극의 길을 너는 아느냐.

58

욕망은
강물처럼 흐르고 (3)

"어마이, 아바지는 언제 와?"

"응, 아바지래 하늘나라에 일하러 가서 승희가 10살쯤 되면 올 거임메."

"그렇게 늦게 와? 내래 아바지 많이 보고 싶단 말이야요."

오늘도 승희는 아버지를 찾는다. 최근엔 찾는 빈도가 부쩍 잦아지고 있다. 이젠 승희도 제법 자라서 본인에 해당하는 것은 도와주지 않아도 스스로 해결을 한다. 세상의 이치를 조금씩 깨달아가면서부터 그만큼 또 요구 사항도 많아지고 있다. 승희의 커가는 모습을 보며 나름 위안을 삼아가던 혜옥에게 자꾸만 걱정과 고민이 깊어간다.

"에미야. 나 좀 보자우."

시아버지 행선이 혜옥을 찾아와 나지막하게 말한다.

"네래 현두와 사이가 조금 나아지고 있음메? 승희가 조금 더 자라면 호칭도 그렇고 네 처한 현실을 받아들이기 어려워질 수 있음메."

"…아바지요! 아무리 생각하고 또 생각해봐도 승희 아바지래 생각을 하면 도저히 서방님을 낭군으로 생각하기 어렵습네다. 그냥 지금처럼 이렇게 살고 싶습네다."

"무슨 소린메. 네래 나이 아직 젊어 혼자 살기가 어렵고 혹여 혼자 산다고 해도 다른 남정네들의 시빗거리가 되기 십상임메. 잘 생각하고 또 생각해서 현실을 받아들이기요."

시아버지 행선이 돌아가고 혜옥은 또 근심이 쌓여간다. 그 근심만큼이나 처마 끝 사이로 살포시 들어오던 따스한 햇빛도 점차 뒷걸음으로 물러나며 처마 끝에서 멀어져 간다. 이제는 그늘이 그립고, 그늘이 일상의 대세가 된다.

한창 매미소리며 풀벌레 소리에 느긋한 여유가 묻어 있던 혜옥의 집에서 승희와 현두의 아들이 소꿉놀이를 하다가 말싸움이 일어난다.

"승희 넌 왜 아바지를 보고 아바지라고 안 불러?"

"싫어. 우리 아바지래 하늘나라에서 돌아올 건데 우리 아바지를 두고 왜 오빠네 아바지를 아바지라고 불어야 함메!"

"바보야! 네래 아바지는 하늘나라에 있기 때문에 올 수 없단 말임메."

"아니야, 아니야! 우리 아바지는 꼭 올 거야. 어마이도 온다고 말했단 말임메."

"할아바지랑 아바지가 그러는데 나더러 네래 어마이 보고 어마이라고 부르고, 넌 우리 아바지를 아바지라고 불어야 한다고 했음메."

"싫어 싫어. 싫단 말임메. 나도 그건 알고 있음메. 그러나 나는 그게 싫단 말임메."

승희 아직 어려 어른들의 현실을 모르는 줄 알았지만 벌써 그것을 알면서도 모르는 체 한 듯하다. 마루에서 걸레질을 하다 애들의 얘기를 듣던 혜옥의 가슴에 멍이 든다. 하지만 이 현실을 그냥 감성적으로 생각하기엔 너무나 중차대한 일이라 더욱 이성을 찾아야겠다고 생각한다. 차라리 이번 기회에 자신의 확실한 의지를 강경하게 관철해서 승희의 마음도 달래고 시댁에서도 받아들일 수 있도록 최대한 노력해보기로 다짐한다. 더불어 딸 승희의 상처를 치료할 방안을 생각해 본다.

아들 승옥이 승희와 말다툼이 있었다는 얘기를 전해 들은 현두는 승옥에게 승희와 싸우지 말 것을 부탁하는데 옆에 있던 아내가 지금까지 참아 왔던 속마음을 드러낸다.

"승희래 하는 말을 쉽게 생각하면 안될 것 같습네다. 아직 마음이 어리고 여려서 어른들 생각 때문에 상처가 되면 안될 것 같습네다."

"임자레 무시기 말임메. 이미 결정된 일을 번복하잔 말임메? 쓸데없는 소리 말기요."

가뜩이나 혜옥과 풀리지 않는 일에 조바심을 갖던 현두가 역정을 내자 아내는 서운함에 상심이 크고 밉기까지 하다. 그리고 두 사람의 관계가 조금씩 틀어지는 계기가 된다.

읍내 오일장이 밝았다.

이른 아침부터 모여드는 사람들이 인산인해를 이루고 호객행위를 하는 시장 상인들의 마음이 바빠진다.

"백두산 정기를 담은 웅담이 왔습네다. 천하 호걸이 맨주먹으로 사로잡아 아직도 따끈따끈하게 살아있는 웅담입네다. 이것만 먹으면 해결되지 않는 병이래 없습네다.”

“자~ 수나라에서 건너온 피부병의 명약이 왔습네다. 조금만 발라도 어떤 공곳이나 피부병이 즉방이 됩네다. 어서 오시라요.”

“전쟁을 일으키고 인명의 손실을 가져온 수나라 놈들의 물품을 사라고… 난 피부병에 내일 죽는다 해도 그놈들 제품을 사지 않을 것임메.”

왁자지껄하던 호객 행위가 느슨해지고, 귀엽고 예쁜 여자애의 손을 잡은 아낙이 꽃신 가게 앞에서 뭔가 망설이고 있다.

“승희야. 이 꽃신 참 예쁘지?”

“응, 예뻐.”

“우리 승희가 조금 더 커서 10살쯤 되면 이런 꽃신을 아바지가 꼭 사가지고 올 텐데.”

혜옥은 가격이 비싸 더 이상 흥정도 하지 못하고 돌아서며 안타까운 넋두리를 동반한다. 결국 안타까운 마음에 김이 모락모락 나는 인절미로 두 사람의 서운한 마음을 달랜다. 이 모습을 적당히 먼 거리에서 유심히 보고 있는 한 장정이 있다. 혜옥과 승희가 자리를 뜨자 그 장정은 좀 전에 혜옥이 머물렀던 가게로 들어온다. 그리고 그 꽃신을 사서는 주인에게 전하고 자리를 뜬다.

약간의 시간이 흐르고 장마당이 한산해질 즈음,

“여보시라요. 아낙네. 이것 가지고 가시라요.”

“네. 이게 뭡네까?”

“아까 아낙네가 이 꽃신에 관심이 있는걸, 애기 아바지인듯한 남정이 보고서 전해주라고 하고 갔음메.”

“애 아바지래 아닙네다. 그리고 누군지도 모르고 받을 수 없습네다. 그 사람에게 도로 전해주시라요.”

“그 장정은 아낙네를 잘 알고 있었음메. 그래서 난 애 아바지인 줄 알았음메. 그냥 걱정 마시고 가져가라요.”

승희 손을 잡은 혜옥이 난처하다. 이 모습을 지켜보는 승희의 표정이 순간 묘해진다.

그때 신발가게 주인이 대장간 쪽을 가리키며 “저분이 그 사람임메” 하고 말하는데 혜옥은 그 사람을 보는 순간 얼어버린 듯 크게 긴장하더니 가슴이 쿵쾅쿵쾅 방망이질을 하고 홍당무가 되고 만다.

“아니, 저분이 왜...? 또 어찌 여기서 만난단 말인가?”

이미 혜옥은 앞에 있는 가게 주인 따윈 안중에도 없고 설렘과 반가움에 어찌할 바를 모른다. 그는 승희 작은아버지 현두도 또 다른 사람도 아닌 바로 김 산, 그 사람이다.

혜옥에게 산은 처음엔 그저 이웃과 연관된 평범한 사람, 또 다른 사람과 인연이 이어지는 그저 멀리서 바라볼 뿐인 그런 사람이었다. 그런데 어느덧 자신의 애틋한 감정에 노출되어 멀리서 바라보기엔 너무나 아릿하고 애절한 사람으로 각인되고 있다. 운명의 장난으로 치부하기엔 너무나 가혹하고 야속한 현실이다. 그렇게 그녀는 고맙다는 말 한 마디 하지 못하고 작은 목례로 고개만 숙일 뿐 한 발짝도 움직일 수 없는 목석이 되고 만다.

오늘 산도 가을쯤 하옥과 함께 할 날을 기다리다 혼례품이나 미리 마련해 둘까 하는 마음에 큰맘 먹고 장에 들렀다가 혜옥을 봤던 것이다. 이때 승희 모녀를 오일장에 보내놓고 몸이 달 대로 달은 현두가 이번 기회에 혜옥과 더 친해질 명분을 찾다가 부랴부랴 시장에 당도해서 여기저기를 기웃거린다. 마침 승희 선물이라도 하나 살까 하고 근처에 왔다가 지금의 대화 내용과 모든 상황을 판단하고는 어찌할 바를 모른다. 큰 상실감에 아무도 모르게 집으로 돌아온 현두는 깊은 시름에 잠긴다.

"아니 승옥 아바지. 어쩌면 그럴 수 있습네까? 승희 네래 안고 가야 한다고 이해는 하면서도 어찌 하나뿐인 아들한테는 소홀하고 승희에게만 꽃신을 사준단 말입네까?"

"꽃신은 무슨 꽃신? 누군가 아는 사람이 사줬는지 어찌 안단 말임메?"

"아니 승옥 아바지래 읍내 장에 따라간 것을 이 동네에서 모르는 사람이 어디 있습네까?"

오늘도 현두네는 또 심기가 불편하다. 자연스럽게 넘어가던 분위기가 조금씩 어긋나기 시작하더니 이제는 사사건건 토가 달아지고 부딪힌다.

현두는 읍내 장에 다녀온 뒤로 쉬이 안정이 되지 않고 자꾸만 짜증이 나고 심기가 불편해져 조그만 일에도 감정이 앞선다. 이제는 뭔가를 결정해야 할 시점이라고 다짐을 하고 혜옥을 찾아 나선다.

"내가 왔습네다. 오늘은 피하지 말고 어떤 매듭이라도 지어야겠습네다."

올 것이 오고야 말았다. 혜옥은 이런 날이 오리라 예상은 하고 있었지만 막상 닥치고 나니 두렵고 불안하다. 그렇지만 이미 결정하고 닫힌 마음을 마냥 뒤로 미루기엔 자신의 곤궁한 처지와 현두의 마음을 더욱 조급하게 부채질하는 것 같다. 우선 옷매무새를 단정히 하고 냉정하게 정좌를 하고 조용히 말문을 연다.

"네. 들어오시라요."

혜옥이 쉽게 방 안으로 들어오라는 승낙에 뜻밖이라고 생각을 한 현두가 다소 누그러진 마음으로 들어선다. 승희는 이미 아랫목에 잠들어 있고 말끔한 차림에 정색을 하고 앉아있는 혜옥을 본 현두는 등골이 서늘하고 불안해진다.

"아니, 잘 밤에 이 차림은 뭡네까?"

"앉으시라요."

엉거주춤 불편하게 자리를 잡은 현두를 보고 혜옥이 그동안 생각해왔던 모든 것들을 하나씩 풀어놓기 시작한다.

"서방님! 내래 이 집안에 들어와서리 너무나 행복했고 감사했습네다. 시부모님의 자상하고 따뜻한 은애와 승희 아바지의 너그러운 사랑에 큰 복을 입었다고 생각하며 살았습네다. 그러나 박복한 내 신세로 말미암아 승희 아바지가 떠나고 또 서방님에게까지 폐를 끼치게 되어 송구하기 짝이 없습네다. 부탁입네다. 승희와 함께 이 집안 그늘에서 승희 아바지 생각하며 이대로 살고 싶습네다. 도와주시라요. 네?"

짐작은 했지만 혜옥의 냉정하고 단호한 결심에 현두는 어떤 말도 할 수 없음을 느낀다. 그리고 다음 기회에 다시 설득해 볼 마음으로 일단 일어나기로 한다. 그러나 이미 자신의 가슴에 품어온 혜옥을 이대로 포기하기엔 쉽게 용기가 나지 않는다. 진퇴양난이다. 물 흐르듯 흘러가는 저 하늘의 구름이 마냥 야속할 뿐이다.

여름 소나기라도 퍼부을 듯 밤하늘에서는 천둥소리가 요란하다. 불현듯 현두는 지난번 읍내 장에서 봤던 그 젊은 장정이 혜옥의 마음 원점에 있음을 직감하고 강한 질투심과 적개심을 갖는다.

59
욕망은
강물처럼 흐르고 (4)

인연은 운명이라 했다. 과거는 저만치 멀어졌고 미래는 어느덧 내 앞으로 와 새로운 역사를 만들어 갈 준비를 한다.

"어르신. 기체후 일양만강 하옵신지요. 함지골의 김 산이 따님과 함께 하기 위해 오늘 또 이렇게 찾아뵙습니다. 부디 저희의 앞날을 위해 축복을 주옵소서."

서산으로 가는 해가 아직도 여유가 있어 유유자적 머뭇거리고 있을 즈음 평소 서옥제로 찾아드는 사람들보다 훨씬 이른 시간에 상갑 어른 댁의 싸리 대문 밖에서 위엄과 품위를 갖춘 목소리가 정답다. 가을 추수가 아직 이른 때라 하루의 망중한을 즐기고 있던 하옥의 집에서 갑자기 비상이 걸린다. 이미 계획이 되고 준비가 끝난 일이라 느긋이 여유가 있었지만 막상 현실이 코앞이라 움직임이 빨라진다.

"그래. 김 산 자네가 왔음메. 어서 오기요. 그동안 기다려 주느라 고생 많았고 크게 환영하는 바임메."

아~! 이 얼마나 기다리고 기다리던 꿈같은 이야긴가. 이게 정녕 꿈이라면 내 개인의 광영이요. 내 삶의 축복인 것이다. 산은 지금 만감이 교차한다. 그토록 갈망했던 혼사가 멀고도 먼 길을 돌아 비로소 꽃을 피우게 된 것이다. 기쁜 마음에 주변을 돌아볼 여유도 없이 마당을 가로질러 본채의 댓돌 앞에 선, 산은 정성을 다해 큰 절을 올린다. 조용히 안방 문을 열고 산을 주시하는 상갑 어른 부부의 얼굴에 환한 미소가 일어난다.

하옥도 꿈속에 있기는 마찬가지다. 서옥이 완성되고 아침저녁의 천기를 담은 이슬이 기운을 보탤 때마다 한껏 꽃향기를 머금어 오던 이상 세계가 오늘에야 꽃봉오리를 맺게 되었다. 하옥은 이 운명적인 상황에서도 고개를 내밀어, 보고 싶은 낭군을 감히 보지 못하고 벽 쪽으로 고개를 돌린 채 온갖 신경을 산 쪽으로 쏟는다. 이미 마음은 두근두근 가슴은 콩닥콩닥 방망이질이다. 그러다 본능적으로 살짝 열린 문틈 사이로 댓돌을 주시하는데 '아~! 이 얼마나 보고 싶고 꿈속에서 그리던 내 낭군인가. 저 풍채며 반듯한 얼굴이며 어디 하나 모자람이 없구나. 어화둥둥 내 사랑아' 하는 생각에 하늘을 붕붕 난다.

이제 모든 것은 순조롭다. 산이 준비한 예물이 들어오고 집안은 웃음의 기운이 차오른다. 오늘을 위해 키워왔던 닭을 잡고, 빈대떡을 부치는가 하면 맛깔스러운 인절미를 만들기 위해 절구질 소리가 질펀하게 마을 가득 퍼져 나간다.

"상갑 어른 댁에 드디어 잔치가 벌어지고 있음메. 오늘밤은 한바탕 큰 잔치가 벌어질 것 같음메."

바람으로 오는 풍금 소리

"우리 집엔 지난 가을 담가둔 머루주가 향기롭게 익었지비. 오늘 상갑 어른 댁으로 이 머루주를 시집 보내야겠음메."

"그럼 내래 뭘로 준비할꼬. 신줏단지같이 모셔둔 황금 계란이나 가지고 가야겠음메."

"아따 오늘같이 좋은 날 그냥 가면 어떻습메?"

마을은 어느덧 산의 서옥 살림 이야기와 잔치 분위기로 훈훈해지고 행선 어른 댁까지 소문이 닿았다. 오늘도 행선 어른의 머릿속은 편치 못했다. 자부 혜옥의 미래에 대한 행복을 자기 욕심에 덧붙여 챙겨주고 싶었으나 정작 혜옥 본인이 자꾸만 마음의 문을 닫고 있어 안타깝기 그지없다.

"시간이 조금 더 가면 괜찮아지겠지. 세월이 약이 될 것 임메."

한편으로는 또 다른 걱정이 있다. 손녀 승희가 작은 아버지인 현두를 받아들이지 않기 때문에 혜옥이 어쩔 수 없이 현두를 거부하는 게 아닌가 하는 생각이 든다. 그렇다고 해서 자신의 친손녀를 나무라기도 마음이 편치 않다. 이때 자신의 벗, 상갑의 집으로부터 하옥의 혼사에 대한 기별이 닿자 행선은 몸소 가서 축하를 해주고 싶은 마음이 크지만 혹시나 불편을 줄까봐 아들 현두를 보내기로 마음먹는다.

"승옥 애비래 있음메."

"네. 아바지. 어인 일로 저를…"

"네래 하옥이네 집에 가서리 이 곡식을 전해주고 오늘 잔치에 일손이라도 좀 보태어 주고 오기요."

수확기를 기다리며 다소 여유가 있던 현두가 하옥의 집으로 향한다. 분주하게 잔치를 준비하는 사람들 사이로 현두가 도착하고 하옥의 집은 또 한바탕 기운이 넘친다. 정성을 다해서 일손을 거들던 현두는 불현듯 하옥의 서옥이 궁금하여 일을 핑계 삼아 뒤뜰로 나간다. 황토로 지은 집은 말끔하게 정돈되어 있고 여러모로 신경을 쓴 흔적이 보인다.

혼잣말을 중얼거리며 이런저런 생각으로 걷는데 한쪽 모퉁이 앞에서 준수해 보이는 젊은 장정과 맞닥뜨린다. 이 사람은 어디선가 본 듯한 얼굴인데 어디서 봤는지... 기억이 가물가물하다.

"혹시 오늘 오신 분입네까?"

"네. 김 산이라 합네다."

"아~ 저는 주인어른의 막역한 친구의 아들 나 현두라고 합네다."

"네. 부족한 게 많지만 앞으로 도움 부탁합네다."

"저야말로 부탁드립네다."

두 사람이 서로 정중하게 인사를 나누고 돌아 나오는데 '참 준수한 사람이구나'하는 생각이 묘하게 현두를 어지럽힌다.

"…아니 저 사람은 지난번 읍내 장에서 보았던 그때 그 꽃신…!"

비로소 그때 상황이 선명하게 기억난다. 그리고 갑자기 뒤통수를 세차게 얻어맞은 기분이다. 이상하게 분노가 일고 뭔가 경쟁심을 유발하는 불길한 예감에 현두는 일손을 놓고 그만 집으로 향하고 만다.

많은 사람들의 노력과 축복 속에 하옥과 산은 간소한 의식과 예를 올린다. 굳이 예라고 하기는 그렇지만 조상님에 대한 감사와 부모에 대한 정중함, 그리고 당사자에 대한 정갈한 마음가짐을 다짐하는 언약식이다.

"참 잘 어울리는 기러기 같은 한 쌍입네다. 새신랑의 늠름함이며 잘 갖춰진 체격, 호감 가는 얼굴이 우리까지 설레게 합네다."

"어머. 윤이 어마이. 말소리 좀 들어보기요. 마치 윤이 어마이가 새악시가 된 것 같은데? 얼굴도 붉어지고. 호호호."

"하모. 난 반해 부렀음메. 저 신랑 풍채에 반하지 않는다면 어찌 젊고 예쁜 여자라 하겠음메. 하하하."

여기저기서 부러움과 칭찬이 쏟아지자 상갑 어른 댁은 다시 또 잔치 분위기로 달아오른다. 청순하고 아름답게 꽃단장을 한 하옥도 한 송이 백합꽃이요 하늘거리는 호랑나비다. 사람들의 부러움과 칭찬 속에 신랑신부는 맞절을 하고 합환주를 나눠마신다. 비로소 한 쌍의 청춘 남녀가 부부로 탄생했다. 그렇게 밤은 찾아오고 두 사람은 여전히 긴장 속에 다소곳이 앉아있다. 부끄러움과 수줍음으로 서로를 마주하지 못하고 앉아있던 산이 슬쩍 곁눈으로 하옥을 쳐다본다.

다소곳하고 청순해보이며 귀여움이 가득한 색시다. 조상님 감사합네. 이 어여쁜 색시를 점지해 주셔서.

다만 옥에 티라고 한다면 하옥의 왼쪽 눈이 약간 작아 보이는 게 흠이라면 흠이다. 하옥은 이미 문틈 사이로 산을 봤던 터라 큰 궁금은 덜하지만 돌아서면 보고 싶고, 보고 나면 또 보고 싶다. 마침내 서옥으로 살림을 난 두 사람은 신이 빚어준 머루주로 어색함을 달래고 사랑을 속삭인다.

"하옥 낭자. 부족한 나의 아내가 되어 줘서 감사합네. 우리 열심히 노력해서 부모님께 효도하고 다복한 가정이 되도록 합세."

"저도 낭군님이 하시는 일이라면 열심히 도와서 우리의 보금자리에 사랑의 웃음꽃이 만발하도록 조력을 다하겠습네."

두 사람은 그윽이 서로를 쳐다보며 사랑의 신뢰를 다짐하고 서로를 각인해가는데 첫날밤의 운우지정이 천지창조의 기쁨과 행복을 얻었다.

"서방님! 아무리 생각해봐도 서방님과는 어떻게 될 수가 없습네다. 난 이미 연모하고 있는 김 산과 평생토록 행복하게 살고 싶습네다."

"이 무슨 소리디오! 절대 그렇게는 할 수 없음메. 근본도 모르는 산에게 난 절대 양보할 생각이 없음메. 만일 산에게로 가고자 한다면 반드시 보복이라도 하고 말겠습메."

"차라리 나를 죽이시라요. 산이 없는 세상, 살아갈 의미도 없고 살고자 하는 마음도 없습네다."

혜옥이 현도를 보고 강하게 쏘아대더니 옆에 선 채 아무 말도 없는 산을 와락 끌어당기며 강한 포옹을 한다.

"자. 이래도 나를 놓아주지 않겠음메!"

산도 혜옥을 뜨겁게 안으며 미소를 짓더니 보란 듯이 뜨거운 입술을 포개고 만다.

"안 돼! 안 돼! 아니 됨메! 이러지 말기요. 혜옥이... 혜옥이!"

"승옥 아바지! 이보라요. 무슨 잠꼬대래 이리 심합네까. 어제 무슨 일이 있었기에 이러합네까!"

아내의 꾸짖는 듯한 말소리에 깜짝 놀란 현두가 식은땀을 흘리며 잠자리에서 벌떡 일어난다. 방 안이 칠흑인 걸 보니 아직도 밤중임이 틀림없다.

"아니 내가 꿈을 꿨음메. 별 요상한 꿈을 다 꾸고."

아내가 들으란 듯이 말을 하면서도 현두는 순간적으로 안도의 숨을 쉰다. 그나마 꿈이기에 망정이지 현실이라면 어찌해야 하나 하는 불안한 긴장감이 든다.

"승옥 아바지. 요즘 내 보기를 소닭 쳐다보듯 하더니 승희 어마이 때문이었음메?"

바람으로 오는 풍금 소리

"무슨 소린메, 잠꼬대를 가지고."

"심중에 먹은 마음이 취중에 난다 했습네. 누굴 우롱합네까? 당신의 마음을 이해하려 해도 나도 여자입네다."

한밤중에 일어난 꿈 때문에 승옥네는 한바탕 소란이 인다. 초롱초롱한 별들만이 우려하는 빛으로 이 광경을 지켜 보고 조용히 침묵할 뿐이다. 현두는 자꾸만 꼬여가는 현실에서 아내의 상처가 될 수 있는 일은 어떻게든 피하려 했지만 변화무쌍해지는 자신의 마음이 통제가 어렵다. 지금 이 순간도 꿈으로 인해 차가운 마음의 한기를 느낀다.

'의심이 싹이 트면 뿌리가 내리고 가지가 뻗어 나서 새로운 잎새를 얻는다 했다.'

60
욕망은
강물처럼 흐르고 (5)

만남은 열정으로 시작하지만 헤어짐은 언제나 의문으로 마무리되기가 쉽다. 그래서 만남보다는 늘 헤어짐이 더 어렵다. 모든 가족사들이 다 행복하고 웃을 일만 있다면 얼마나 좋을까. 감성이 발달한 사람들은 웃을 일이 더 많고 행복으로 가는 길이 더 열려 있지만 대부분의 사람들은 행복의 커튼으로 그 행복의 빛을 가려 버리는데 아쉬움이 더 있다. 현두는 스스로를 어렵게 만들어 가는 집착으로 인해 오늘도 하루가 피곤하고 뻐근하다. 형님 현종이 세상을 등진 지가 불과 일 년 남짓이라 아직은 조급하지 않아도 될 자연스러운 혜옥과의 관계를 과한 집착으로 인해 서로가 불편해진 게 인정이 된다. 그러나 그것도 산이라는 존재를 의식치 않을 때는 가능하지만 지금 산의 존재감을 의식하면 자꾸만 자신의 나약한 자존감으로 인해 산의 혜옥에 대한, 혜옥의 산에 대한 어두운 그림자에 갇히고 만다.

"기다려 보자. 산이 비록 이곳에 와 있지만 다른 여인과 함께 하고 있어 혜옥을 만날 기회가 없고, 설혹 길에서 부딪힌다 해도 혜옥이 산에 대한 감정을 나타낸 바가 없기에 나만의 불편한 상상에 불과한 일이다."

이제야 현두의 마음이 약간의 여유를 찾은 것 같다. 현두의 표정이 밝아지니 집안이 온화하고 평화가 온다.

하루를 시작하는 동창이 여명을 보이자 상갑 어른이 아침 일찍 잠자리에서 일어난다. 다들 간밤에 느낀 평온으로 오늘 아침은 개 짖는 소리 한 번들리지 않고 처마 끝의 때 이른 서리가 하얗게 수를 놓으니 조락을 몰고 오는 수풀들이 붉어지는 수줍음으로 고개를 숙인다.

"조석으로 달라지는 날씨가 한기를 몸에 배게 하는구나. 오늘은 겨울 땔감에 좀 더 관심을 가지라고 당부를 해야겠음메."

혼자 말을 중얼거리며 비를 찾아든 상갑 어른이 쓱싹쓱싹 마당을 쓸어간다. 하옥과 신혼의 운우지락으로 늦잠에 취했던 산이 새벽을 여는 비질 소리에 벌떡 일어나 옷매무새를 고치며 부리나케 마당으로 나온다.

"안녕히 주무셨습네까? 저를 부르시지 웬 비질이십네까?"

"요사이 일이 많아져서 피곤할 것 같아 좀 더 자라고 그랬음메. 곤한 잠을 깨워서 미안함메."

비를 받아든 산이 미처 눈 비빌 사이도 없이 마당을 쓸어 가는데 좀 전만해도 조용하던 마을에 까마귀 떼가 날아들고 까악까악, 푸드득 푸드득 예사롭지 않은 움직임이 인다.

"웬 까마귀 떼가 저리도 많은 지 흉조라도 오는 것 같아 걱정임메."

평화로운 집안에 두런두런 얘기 소리가 들리고 까마귀 소리까지 더하자 허전함을 느낀 하옥이 기지개를 켜며 눈을 뜬다. 산과 함께 신선한 아침을 맞고 싶었던 하옥이 옆자리의 산을 안으려 팔을 뻗어 보지만 공허한 공간만 있을 뿐이다. 허전하고 아쉬움에 "아바지는 왜 이리 빨리 일어나서 하루를 재촉하는지 알 수가 없네"하고 투정을 해본다. 문을 열고 밖으로 나오니 날은 이미 훤하게 밝았고 자신의 아쉬운 투정이 부끄럽고 겸연쩍다.

"아바지. 오늘은 웬 까마귀가 저리도 요란한지 걱정입네다."

"이런 날은 좋은 일보단 안 좋은 일이 많은 법인데 큰 문제없이 하루가 지나갔으면 함메."

아침상이 차려지고 막 첫 술을 뜨려던 가족들이 사람을 찾는 기척 소리에 방문을 연다.

"계십네까? 여기가 함지골의 김 산의 처가가 맞습네까?"

"그러합네다만."

"네, 다름이 아니오라 저는 김 산의 이웃 사람입네다. 산의 어마니가 며칠 전부터 더욱 심하게 아프더니 어제부터는 많이 위독해져서 급히 달려왔습네다."

어머니의 건강에 항상 노심초사하던 산이 어쩔 줄을 모른다.

"들어오기요. 같이 식사례 하시고 함께 가라요."

조반을 들던 모든 가족들이 산의 어머니 안부를 듣고 가슴이 철렁 내려앉는다. 서둘러 준비를 마친 산이 아내 하옥과 함께 집을 나서는데 상갑 어른의 배려가 크다.

"여기래 걱정 말고 사돈어른이 완쾌될 때까지 봉양을 잘하고 오기요."

충분한 노자까지 쥐어주며 하옥에게도 당부를 잊지 않는다. 길을 재촉해가는 산이 얼마나 마음이 급한 지 돌에 부딪혀서 발에 피가 흐르는 데도 아품을 느끼지 못 하고 걷기 바쁘다. 너무나 급한 나머지 간절한 마음이 기도로 이어진다.

"어마니. 힘을 내시라요. 그렇게 어마니 건강을 위해 빌고 또 빌었는데 이 무슨 청천벽력입네까?"

산은 혈혈단신 외로움으로 지내왔을 어머니를 생각하니 뜨거운 눈물이 앞을 가리고 가슴이 미어진다. 산을 따르며 지금까지 보지 못했던 시어머니를 상상해가며 걷는 하옥도 사랑하는 산을 낳아준 시어머니를 위해 진심으로 소망을 빌어본다.

"어마니. 저희가 갑네다. 부디 용기와 힘을 내시라요. 정성을 다해 모시갔습네다."

산과 하옥이 함지골에 도착하여 죽은 듯이 누워있는 어머니를 보자니 건강은 이미 끝에 다다른 듯 초라하고 힘겨워 보인다.

"어마니. 산이 왔습네다. 눈을 떠보시라요. 어마니가 그렇게 기다리고 보고 싶어 했던 며느리가 여기 와 있습네다."

"어마니! 어마니께서 기다리시던 하옥입네다. 진즉 뵙지 못하고 이렇게 늦게 되어 죄송합네다. 기운을 내서 저희의 늦은 효도를 받아주시라요. 흑흑흑."

아무 움직임도 없던 산의 어머니가 정성을 다하는 아들 며느리의 울음소리에 간신히 눈을 뜬다. 아...! 꿈인가 생시인가. 그토록 그립고 사무치던 아들 산이 참하고 예쁜 짝을 찾아 자신 앞에 와 있다. 산의 어머니는 그리움에 사무쳤던 눈물을 주르륵 흘러내린다.

"... 음... 내 며느리가 왔... 나..."

들릴 듯 말 듯 기어들어가는 어머니 소리에 산과 하옥은 하염없이 눈물을 뿌린다.

산과 하옥의 어머니에 대한 지극정성에 하늘까지 감동했는지 조금씩 기력을 회복해가던 어머니가 마침내 문밖출입을 하고 따스하고 찬란한 가을볕을 받아본다.

"참 따뜻하고 영롱한 빛이구나. 이러한 광영을 다시 볼 수 있다니..."

"어마이요. 기력을 회복해줘서 감사합네다."

산과 하옥은 자신들도 모르게 또 눈물이 흐른다. 이제 어느 정도 건강이 회복되자 산은 마음이 또 복잡해진다. 산의 마음을 직감한 하옥이 "서방님! 고민하지 마시라요. 아버지래 충분히 이해하고 있을겁네다"하고 안정을 시킨다. 산의 어머니가 두 사람의 얘기를 들었는지 조용히 둘을 부른다.

"내래 사돈어른의 배려로 이렇게 새로운 삶을 살고 있음메. 이제는 내 건강은 내가 챙길 터이니 걱정 말고 처가로 돌아가기요."

어머니의 완곡한 주장에 산은 처가로 돌아갈 것을 마음먹는다.

"어머니. 조금만 고생하시면 꼭 효도하겠습네다. 그때까지만 기다려주시라요."

"고럼. 걱정 말라우. 이제는 내 몸만 걱정하며 기다리겠슴메."

날로 활력을 더해가는 어머니 모습에 산과 하옥은 한시름 놓고 웃음까지 찾았다. 모처럼 어머니를 모시고 근처의 암자를 찾은 산 내외가 가을의 따뜻한 햇살 속에 젖은 냇가의 물소리가 이렇게 감각적이고 청아하게 들려 보기는 처음이다. 향긋한 솔향기의 그윽함 사이로 풍경이 춤추고 지지배배 지지배배 종달새 노래가 행복의 요람으로 안내한다.

동맹절의 아침이 기운차게 밝았다. 진목골 하옥의 마을에서는 아침 일찍 조상님에 대한 감사의 제를 올리고 일부는 읍내로, 일부는 마을에서 윷놀이며 널뛰기, 제기차기로 하루를 보낸다. 동네 행사가 시작되기 전 전쟁으로 흉흉하던 민심을 다잡을 겸 엄숙한 대동회가 열린다. 대동회는 다소간 이견이 있었으나 조율하고 또 조율해서 도둑질, 패륜행위, 간음 등에 관해 추방과 멍석말이로 자치 규율하기로 결정한다. 대동회가 마무리되자 한바탕 꽹과리며 징으로 잔치 분위기를 띄우고 질퍽한 가을 축제가 벌어진다. 함지골 산도 아침 일찍 일어나서 집 주변을 알뜰하게 살핀다. 하옥도 목욕재개하고 조상님 전에 정성으로 마련한 음식으로 감사의 제를 올린다.

"오늘은 너희가 돌아가야 할 날임메. 돌아가거든 사돈어른들께 너무나 감사한 은혜를 입었다고 전해주기요."

산과 하옥은 어머님께 큰 절을 올리고 집을 나선다. 마을을 휘돌아가는 아들 내외를 행복한 웃음으로 보내는 어머니의 자애로운 사랑이 읍내 장터까지 아름답게 닿았다. 길가 주막에 들러 약간의 술을 마련하고 돼지고기도 몇 근 샀다. 어머니의 당부로 이바지 인절미를 사고 있는데 지근거리에서 요란하게 징 소리가 울려 퍼진다.

"자, 여러분! 지금 여기서 동맹의 행사로 제기차기 시합이 있습네다. 젊은 사람들이나 관심이 있는 분은 푸짐한 상품까지 있으니 꼭 참석해 보시라요."

잠잠하던 사람들이 상품 소리에 하나둘 앞으로 나선다. 두 쪽으로 나눠진 선수들이 제각기 제기를 차기 시작하는데 유독 눈에 띄는 선수가 있다.

"어디 사는 누구인지 모르나 꼭 제기차기 달인 같슴메. 저 사람을 당할 자가 없을 것 같슴메."

이미 대세는 이 사람으로 기울고 더는 누구도 감히 나설 기미가 없다. 하옥은 순간 산의 얼굴을 살핀다. 산도 즐거워하는 표정이라 산으로 하여금 우승의 기쁨을 누리고 싶어진다.

"서방님! 서방님의 제기 차는 모습을 보고 싶습네다, 네?"

하옥이 분위기에 취해 "여기 한 사람이 있습네다!"하고 소리를 치자 얼떨결에 산이 앞으로 나간다. 하나 둘… 제기를 차는 산도 자기 실력에 스스로 놀란다. 이 광경을 보기 위해 사람들이 몰려들고 이제는 응원의 소리까지 거세진다. …열일곱! 열여덟! 드디어 역전의 찬스까지 다가가는데 갑자기 산의 몸이 어찌할 바를 몰라 한다.

"아니 저분은 행선 어른과 그 가족들이 아닌가!"

분명 승희의 손을 잡고 혜옥이 밝은 표정으로 서 있고 그 옆에 남자아이 손을 잡은 행선 어른이 응원까지 하고 있다. 결국 산은 많은 사람들의 응원에 답례하지 못하고 우승을 놓치고 만다. 하옥은 그 아쉬움에 발까지 동동 구른다.

"이보시게. 김 산 조금 더 힘을 냈으면 했지비."

"아~ 어르신. 그간 안녕하셨습네까?"

"자네 어마니께서 위독타 하시던데 좀 어떠함메."

"네. 다행히 많이 좋아지셔서 처가에 가기 위해 시장에 들렀습네다."

"그렇구먼. 그렇다면 우리와 함께 구경을 좀 더 하다가 같이 가면 되겠음메."

"아닙네다. 저희는 막 가려던 참이었습네다. 더 구경하시고 천천히 오시라요."

"혜옥 언니도 재밌게 놀다 오시라요."

산과 하옥은 목례로 인사하고 집으로 떠난다. 혜옥도 아무 말 없이 목례만 할 뿐이다. 그리고 한동안 편안했던 마음이 다시 또 두근거리기 시작한다.

"혜옥이 언니와 좀 더 친해지고 싶습네다. 자꾸 애잔한 마음이 들기도 하고…"

산은 하옥의 혜옥에 대한 애잔함에 아무 말도 없이 그냥 길을 재촉해 간다.

"할아바이. 어마니랑 하옥 이모네로 놀러 다니고 싶습네다."

"그래. 우리 승희래 하고 싶다면 이 할아바이가 못 들어 줄 일이 뭐가 있습메."

기꺼이 승낙하는 행선 어른의 손자 손녀에 대한 사랑이 깊다.

드디어 고대하고 고대하던 활쏘기 대회가 장막을 걷고 동맹절의 막바지 기운을 모아간다.

61
욕망은
강물처럼 흐르고 (6)

'물이 위험하다면 사람의 몸을 빠뜨릴 수 있기 때문이고, 술이 위험한 건 사람의 마음을 빠뜨릴 수 있기 때문이다.'

동맹절 읍내 장터에서 조우했던 승희네 가족과 한결 편해진 하옥이 아버지 심부름을 구실로 혜옥을 보러 왔다.

"혜옥 언니. 요즘 어떻게 지내고 있습네까?"

"뭐 특별한 일이 있습네까. 그저 승희래 귀여운 재롱과 늘어가는 말 배우기에 낙을 붙이고 살지 뭡네까."

"집에만 있지 말고 가끔씩 우리 집으로 마실 삼아 나오시라요."

혜옥은 자신과 비교되는 또 다른 처지의 하옥의 여유로움에 조용한 미소를 보낸다. 한 쪽에서 조용하고 얌전히 놀고 있던 승희가 두 사람의 정다운 대화에 조심스럽게 끼어든다.

"어마이. 오늘 이모도 우리 집에 왔는데 내일은 우리가 이모 집으로 놀러 가면 안 돼?"

"승희야. 이모가 하는 일이 있는데 우리가 가면 방해가 될 수 있음메."

"아니, 아니야요. 꼭 놀러 오기요. 승희는 이모 집에 놀러 오고 싶어?"

하옥의 말에 승희는 좋아서 어쩔 줄을 모른다.

"내일 이모 집에 가면 아저씨래 보고 제기 만들어 달라고 하고 싶음메."

"안 돼. 승희야. 아저씨래 일이 바쁘고 귀찮게 하면 큰일 남메."

하옥과 혜옥은 승희의 톡톡 튀는 귀여움에 미소 짓는다.

날이 밝자 하옥은 오늘 있을 승희와 혜옥의 만남에 스스로 기분이 좋아지고 혜옥이 오면 어떤 음식을 대접해야 할지 고민까지 된다. 새하얀 뭉게구름 사이로 가려졌던 해가 중천을 넘을 때쯤 승희를 데리고 혜옥이 조심스럽게 하옥 네를 방문한다.

"언니! 어서 오라요. 어머나! 승희래 너무 귀여운 옷을 입고 왔음메."

"승희래 하도 이모 집에 가자고 보채는 바람에 들렀습네."

하옥과 혜옥은 시간 가는 줄도 모르고 여유 있는 수다를 떤다. 두 사람이 가까워지면 가까워질수록 승희의 재롱이 더 예뻐진다.

"어머! 시간이 벌써 이렇게 지나버렸음메. 승희야 이제 집에 갈 시간임메. 빨리 가자야."

"좀만 더 놀다 가면 안 돼, 어마이?"

"다음에 또 놀러 오고 오늘은 이만 가야 함메."

아쉬워하는 승희를 데리고 혜옥이 싸리 대문 앞으로 나온다. 오늘 하옥의 집에서 이런저런 이야기도 많았지만 정작 물어보고픈 말들은 차마 쑥스러워 물어보지 못해 아쉬움도 남는다. 그렇지만 산의 숨소리가 배여 있는 집안이 편안하고 안락해 보여 좋게만 느껴졌다.

"아니, 어디에 갔다 오는 것입네까?"

"아~ 지난 동맹절날 아바지랑 읍내에 갔다가 상갑 어른 댁 하옥을 만났는데 하도 승희래 놀러 가자고 해서 잠시 들렀다가 오는 길입네다."

현두가 출타했다 돌아오는 길에 혜옥이 산의 집에서 나오는 걸 보고 긴장된 어조로 묻자 혜옥이 당황한 듯 대답을 한다. 집으로 돌아온 혜옥은 현두의 반응에 찜찜해지고, 현두는 혜옥이 자신을 부담스럽게 여기는 것이 산과의 관계 때문인 것 같아 다시 불쾌한 마음이 든다. 그렇게 또 며칠이 지나고 약간 무료해진 하옥이 혜옥의 집으로 방문한다. 그런데 혜옥의 표정에 그늘이 보이자 하옥이 집으로 돌아가려 하는데 "이모 집에 놀러 가고 싶은데~"하고 승희가 성화를 부린다.

"승희야. 너는 왜 이모 집에 자꾸 가고 싶은데? 그리고 다음에 가더라도 오늘은 아니 됨메."

"이모네에 가면 노는 것도 많고 아저씨도 좋단 말이야요."

혜옥도 더는 어쩔 수 없는지 승희를 하옥의 집으로 보낸다.

어느덧 하옥과 승희는 친조카 사이처럼 더 친해지고, 산이 일을 마치고 집으로 돌아오자 세 사람은 시간 가는 줄도 모른다. 그러다가 승희가 노느라 많이 피곤했던지 스르르 벽에 기대어 잠이 들어 버린다. 먼 산그늘이 마을을 덮어오자 돌아오지 않는 승희 때문에 혜옥이 좌불안석이다. 하옥의 집으로 데리러 가기도 그렇고 해서 안절부절하는데 하옥이 "혜옥 언니!"하고 부른다. 밖으로 나가자 산이 잠들어 있는 승희를 업고 있고 하옥이 그를 앞장서 있다. 얼떨결에 산과 하옥을 맞이한 혜옥이 승희를 방에다 눕힌다. 막

바람으로 오는 풍금 소리

감사의 인사를 하고 돌아서려는데 현두가 집으로 들어오다 이 광경을 보고 깜짝 놀라며 의심의 눈초리를 매섭게 보낸다.

"일하고 오십네까? 승희래 우리 집에 놀러 왔다 잠이 드는 바람에 깨우기도 그렇고 해서 직접 업고 왔습네다."

"아, 네."

산이 반갑게 현두에게 인사를 건넸지만 현두는 앞서가는 상상으로 퉁명스럽게 대답을 하고는 쌩하게 들어가 버린다. 산과 하옥이 싸늘한 현두의 반응에 머쓱해 하자 혜옥이 수습을 위해 한 마디 한다.

"승희 작은 아바지래 밖에서 불편한 일이 있었나 봅네다. 오늘은 너무 감사했습네다."

현두는 이제 매일 같이 술에 의존하는 습관이 생겨버렸다. 생각하면 생각할수록 혜옥과 산의 관계가 의심스럽고, 승희까지 자신보다 산을 더 따르는 게 싫고 기분이 나쁘다. 둘 사이에 확실한 물증을 잡기 위해 신경을 곤두세우는 동시에 만일의 경우를 대비해 자신과 가까운 마을 친구들을 불러내 여러 궁리를 한다. 오늘도 주막에서 친구들과 모종의 얘기를 나누다가 투덜투덜 집으로 돌아오는데 행선 어른이 단단히 벼르고 있다.

"승옥 애비래 요즘 뭘 하고 다니고 있음메! 한두 번이라면 그냥 넘어가 보려고 했는데 이제는 아예 술독에 빠져서 할 일까지 팽개치고 있다는 걸 알고 있음메?"

"네, 아바지. 알고 있습네다. 그렇지만 말도 못하고 벙어리 냉가슴 않는 저를 좀 내버려 두시라요."

행선 어른은 짐작은 하면서도 못나게 구는 현두가 안타깝다. 그리고 불안한 생각마저 든다.

한편 하옥의 집에서는 일찍 일을 마친 산이 집으로 돌아오고 하옥의 부탁으로 승희를 위해 기름종이를 접고 구멍 난 쇠붙이를 넣어 제기를 만든다. 두 사람은 고사리 같은 손으로 제기를 가지고 놀 승희를 생각하며 입가에 미소까지 짓는다.

"아유 참 예쁘게도 만들어졌습네다. 승희래 얼마나 좋아할지 생각만 해도 내가 다 설렙네다."

산은 하옥의 예쁜 마음에 더욱 사랑스러움을 느낀다. 그러면서도 왠지 혜옥으로 향해지는 자신의 마음이 부질없음을 느낀다.

"이보게! 산이 아닌메?"

"아니 아저씨래 여긴 어쩐 일입네까?"

"아~ 내래 대장간에 볼일이 있어서 왔음메."

산도 장인어른의 심부름으로 무뎌진 도끼 담금질을 하러 왔다가 지난번 어머니의 위독설을 전하려 왔던 이웃 어른을 만났다. 이런저런 어머니 이야기도 들을 겸 주막으로 함께 온 산은 오랜만에 기분 좋게 곡주를 나누며 시간을 보낸다. 시간 가는 줄 모르게 대화를 하다 석양으로 저물어 가는 태양을 보며 집으로 돌아오던 산이 가을 단풍과 풍악에 젖어 흥얼흥얼 노래를 읊조린다.

청산아! 너는 어찌

내 마음속에 들어와 풍악으로 슬프구나

눈빛으로

마음으로

　　　　　　　　　　　　바람으로 오는 풍금 소리

들켜버린 애잔함을
타는 가을
속마음에
정두고 간들 어이 알리

산이 큰 감흥에 조그만 조약돌 하나를 집어 개울가를 향해 물수제비를 날리는데 반지르르한 조약돌이 물에 마찰을 일으키며 왼쪽으로 휘어가는 모습이 장관이다. 흡족해서 미소를 지으며 바지춤에 손을 넣자 하옥과 함께 승희를 위해 만들었던 제기가 마치 주인을 찾아달라는 듯 손바닥을 간지럽힌다. 불현듯 깔깔거리며 재롱을 부리던 승희 모습이 보고 싶고 귀여워서 제기를 꼭 전해주고 싶어진다. 마을은 이미 어둑어둑 짙은 땅거미가 내려앉고 행선 어른 집 앞에 다다른 산이 "승희야!"하고 불러본다. 아무런 대답이 없자 희미한 불빛 사이로 승희네 방안의 그림자가 어른거림을 확인하고 혜옥과 승희의 사랑스러운 모습을 상상해본다. 마침 혜옥과 승희가 있구나 싶어 다시 한 번 "승희야!"하고 부른다.

"누구임메! 밝은 대낮을 두고 어두워지는 이때에 남의 아녀자를 훔쳐보고 희롱하려는 자가!"

"아! 아닙네다! 이웃의 산…"

"닥쳐라! 이놈! 평소 네 흑심이 오늘에야 밝혀지고 있음메! 안 그런가, 친구들?"

"우리도 두 눈으로 똑똑히 보았음메. 감히 가정이 있는 아낙네에게 흑심을 품다니."

현두와 술에 절어 음모와 작당으로 어울리던 친구들이 산을 격하게 몰아

붙이는데 산은 억울함에 기가 찰 노릇이다.

"아닙네다. 전 하옥의 남편으로 승희에게 이 제기를 전해주고자 왔을 뿐입네다."

"에이. 천진한 척 검은 가면을 쓴 놈이 무슨 말을 지껄이고 있음메!"

산은 갑자기 벌어지는 이상한 이 현실이 꼭 꿈속 같다. 아무리 자신의 결백을 주장 해봐도 현두와 그 동료들의 억지를 당해낼 재간도 해명할 방법도 없다. 억울함과 황망함에 크게 상심하고 있을 때 마을 사람들이 몰려나온다.

그 시각. 읍내에 나갔던 산이 돌아오지 않자 걱정을 하던 하옥이 부모님 몰래 마중을 나온다. 혜옥의 집 앞에서 웅성거리는 사람들 사이로 곤란에 처한 산의 목소리를 듣고 여러 상황을 살펴본 하옥이 작심하고 사람들 앞으로 나선다.

"많은 사람들 앞에 아녀자가 나설 일이 아님을 압네다. 그러나 지금 일어나고 있는 이 일은 본시 큰 흑막이 있는 것 같습네다. 남편을 두둔하는 것이 아니라 평소 남편은 부모님께 효도하고 사람을 아낄 줄 아는 다정다감한 사람입네다. 오늘 이 일의 동기도 승희래 예뻐서 승희를 주려고 남편과 둘이서 만들었던 제기를 전달하려다 일어난 것 같습네다."

"변명하지 맙세! 우리들 여럿이 두 눈으로 똑똑히 봤음메."

"지난번 동맹절의, 대동회의 결과대로 내일 날이 밝으면 이를 심판해야 합네다."

사건은 걷잡을 수 없이 확산되고 산과 하옥은 하늘이 무너짐을 느낀다.

"안됩네다. 오늘 이 일은 필시 의도하는 곡절이 있습네다!"

이 시끄러운 상황에서도 방에 냉정히 앉아 있던 혜옥이 단정하게 머리를 빗고 하얀 소복을 입은 채 날카로운 눈빛으로 사람들 앞으로 나선다.

62
욕망은
강물처럼 흐르고 (7)

자기주장들이 난무하는 가운데 혜옥의 등장으로 사람들의 시선이 일제히 혜옥으로 쏠린다. 걸음은 사뿐사뿐 조신스러우면서도 정면만을 바라보는 단호한 시선을 감히 누구도 쳐다보기 어렵다. 하옥과 산 마저도 혜옥에게 저런 면이 있었나 싶을 정도로 강단이 있어 보이는 모습에 기가 죽을 정도다.

"저로 말미암아 불미스러운 오늘의 일에 죄송함을 느낍네다. 전적으로 이번 일은 승희 작은 아바지에 대한 저의 불확실한 처신에 기인해 일어난 것 같아 마음이 아프며 더욱이 남편이 세상을 떠난 지 3년도 채 되지 않아 슬픔이 더 큽네다. 저는 딸 승희와 함께 남부끄럽지 않게 살기 위해 노력했지만 그 꿈은 오늘로 산산조각 나버렸습네다. 가슴이 아리고 쓰라립네다. 신은 오늘의 일을 알고 있습네다. 그러나 때를 기다리고 있습네다. 저는 이

번 일을 계기로 좌고우면하지 않고 저와 딸 승희의 미래를 위해 다시 태어
나겠습네다. 이것이 제가 가야 할 운명의 길이라면 그 운명을 당당히 받아
들이겠습네다."

청산유수처럼 쏟아내는 혜옥의 한 마디 한 마디가 한과 고통의 나날이었
음을 말해주는 것 같다. 가까스로 마을 노인의 중재로 내일 다시 대동회에
서 오늘의 일을 논의하기로 하고 다들 집으로 돌아간다.

진목골의 날이 밝아오고 태풍전야의 고요함이 더 긴장을 유발한다. 아침
군불을 지피는 굴뚝의 연기마저 땅에 누워버려 그 형체를 알 수 없다. 마을
앞 광장에서는 삼삼오오 사람들이 모여들고 다시 또 토론의 장이 펼쳐진다.

"분명 우리들이 본 이번 사건이, 당사자의 의도는 정확히 알 수 없지만 그
행위 자체는, 목도한 바 그대로 처분을 받아 마땅합네다."

현두의 주장에 장내는 다시 술렁이고 그에 동조하는 사람들의 목소리가
힘을 받아 간다.

"상벌은 확실해야 합네다. 저는 산과 어떤 조우도 없었고 원한을 살 일도
없습네다. 그러나 마을의 질서를 위해서는 결코 묵과해서는 아니 됩네다."

"저도 이 말에 동의합네다."

대세는 점점 산에게 불리한 쪽으로 흘러간다. 이 광경을 보고 있던 하옥
이 이슬 젖은 눈으로 나선다.

"정 마을 사람들이 이 사람에게 처벌을 원한다면 전들 막을 도리가 있겠
습네까. 단지 사사로운 감정에서 발단이 되었다면 다시 한 번 기회를 주는
것도 나쁘지 않다고 생각됩네다. 저 또한 이 순간 이후부터 일어나는 모든
일에 대해선 하늘의 뜻으로 알고 기꺼이 받아들이겠습네다."

하옥은 이내 설움에 눈물을 쏟아낸다. 잠시 적막이 흐르고 기울어가는 대세대로 추방이나 멍석말이로 벌이 결정지어지게 된다. 산이 마을 사람들 앞에 불려 나와 고개를 떨구고 있다가 결연한 자세로 일어선다.

"잘 알겠습네다. 오늘의 일은 저의 부덕의 소치라 처분을 달게 받겠습네다. 단지 저는 추방을 당할 수는 없습네다. 왜냐하면 오늘의 치욕을 증명하고 씻어낼 수 있는 기회를 영원히 상실해버릴 수 있기 때문입네다. 세상의 이치대로 흘러가는 구름이나 물이라고 생각하고 결정대로 임하겠습네다."

산이 추방을 거부하고 멍석말이를 택하자 현두는 불안해진다. 자신의 의도대로 추방만 해버리면 모든 것이 깨끗하게 정리되는데 고통과 치욕을 동반하는 멍석말이를 택하게 되니 확실한 암 덩어리를 제거할 수 없을 뿐 아니라 새로운 화근이 될 수 있기 때문이다. 산이 자신에게 최악의 상황으로 돌입하려 하자 현두는 뜻밖의 낭패가 된다.

산이 드디어 광장에 펼쳐진 멍석으로 나간다. 그리고는 주저 없이 멍석에 누워 바람에 실려 가는 실구름을 처량하게 쳐다보다 지그시 눈을 감는다. 누워있는 산을 중심으로 마을 사람들이 모여들고 일부 장정은 조그마한 몽둥이를 준비하고 일부는 멍석으로 산의 몸을 말아가려 한다. 일시에 숨이 멎을 듯 정적이 흐르고 이를 쳐다보던 하옥이 몸부림치며 까무러쳐진다.

"멈추기요! 세상살이는 이치가 있고 도가 있는 법임메. 그런데 오늘의 결정은 섣불러서 이치도 맞지 않고 도덕성도 상실했음메. 전란을 피해서 형성된 우리 마을이 이처럼 갈등으로 의견을 모아간다면 나중에는 필시 더 큰 화가 닥쳐와 수습이 어려워질 일이 일어날 수도 있음메. 더구나 피해자도 없음을 간과해서는 아니 됨메."

여러 사람들 사이로 상갑 어른과 행선 어른이 무거운 표정으로 나선다.

"우리 마을은 끈끈한 정으로 맺어진 혈육 같은 마을이라 자부하고 살았음메. '백만매택 천만매린'이라는 말이 있음메. 백만 냥이면 살 수 있는 집을 일천백만 냥을 주고 이사를 온 이웃에게 물어보니 백만 냥은 집값이고 천만 냥은 좋은 이웃에 대한 값이라는 내용임메. 우리가 살아가야 할 마을이, 이웃이 이런 것이 아니겠음메. 물론 이번 일은 산의 처신에 있어 부적절했음을 결코 부인하지 않겠음메. 진정 다시 생각해 볼 이웃이라면 포용하고 이끌어가는 아량도 필요한 바임메. 그래도 굳이 책임을 묻고자 한다면 내 식솔의 관리 부재로 인함인데 내가 멍석말이를 당하겠음메."

말은 마친 상갑 어른이 뚜벅뚜벅 멍석으로 걸어간다. 마을의 지주 격인 상갑 어른과 행선 어른의 개입으로 산의 멍석말이에 대한 동력을 잃었다. 답답하고 암울했던 마을의 하루는 어둡고 긴 터널을 빠져나와 비로소 새로운 길로 들어선다.

초겨울 긴긴밤에 의욕을 상실한 상갑 어른 댁의 시름이 깊어 가는데 뽀송뽀송한 겨울눈은 남의 속도 모르고 능청스럽게 소복소복 쌓여만 간다. 고민으로 지속되는 겨울밤은 유독 더 길고 고통스럽다.

"들어오라우. 얼굴이래 좀 펴고 앞을 내다보기요."

상갑 어른의 호출로 안방으로 들어온 산 내외는 아직도 충격에서 벗어나지 못했는지 고개를 들지 못한다.

"세상에는 누구나 좋은 꿈을 꾸려 하지만 자신의 의도와는 다른 고통의 꿈을 꾸기도 함메. 본시 현두래 가벼운 사람은 아니었는데 어떤 원인으로 인해 한쪽 눈과 귀가 멀어졌음메. 이제 우리가 모든 것을 용서하고 시리도

　　　　　　　　　　　　　바람으로 오는 풍금 소리

록 잔인한 이 겨울을 벗어나 봅세.”

산과 하옥은 아무 말이 없다. 그저 송구할 따름이다. 두 사람을 지켜보던 상갑 어른 내외가 무거운 침묵을 깨고 “너희들 부부의 행복 외에 내 무슨 부귀영화를 바라겠음메. 떠나라우. 우릴랑 걱정 말고 찬란한 창공을 향해 함박눈이 축복하는 포근한 곳으로...” 상갑 어른의 말씀이 흔들린다. 자신들의 거처로 돌아온 산과 하옥은 뜬 눈으로 밤을 지새운다. 그리고 이곳을 떠나기로 한다.

“어마이, 저기 눈 좀 보기요. 너무나 예뻐서 꿈을 꾸는 것 같습네다.” 함지골 오세암 암자에서 새벽부터 기도에 열중하는 사람들을 보며 재롱을 부리듯 쫑알대는 승희가 좋아서 어쩔 줄을 모른다. 그때 한 무리의 참새 떼가 후르르 날아들자 고사리 같은 손에 담긴 모이를 눈밭으로 뿌려본다. 참새 떼가 눈 속에 숨겨진 모이를 숨바꼭질하듯 한바탕 훑고 지나가자 이번엔 늦었다는 아쉬움인지 다람쥐 한 마리가 주춤주춤 승희 근처로 오는데 그만 행선 어른의 기침소리에 기겁을 하고 줄행랑친다.

“할아버지 기침소리에 예쁜 다람쥐가 도망가 버렸습네다.”

“아이고. 할아바이가 미안함메.”

새벽 꼭두부터 혜옥과 함께 아들 현종의 극락왕생을 기원하던 행선 어른 내외는 승희의 현실 적응에 안도를 한다.

“이제 우리는 이곳을 떠나 고향으로 돌아가겠음메. 부디 몸 건강하고 승희와 함께 편하게 지내길 바라겠음메.”

     ……

혜옥은 말이 없다. 그저 흘러내리는 눈물을 주체치 못할 뿐이다.

"어쩌면 이것이 우리의 마지막 인연인지 모르겠음메. 편한 마음으로 한 달쯤 적응이 끝나면 네래 마음이 닿는 곳으로 훨훨 날아가기요."

혜옥이 하얀 눈밭을 방석 삼아 큰절을 올리자 두 부부는 인정만을 남기고 홀연히 떠나간다.

산과 하옥은 함지골 고향으로 돌아와 안정을 찾아간다. 서옥제의 한 단면인 처가살이에서 장인어른의 큰 배려로 일찍 고향으로 돌아온 것이다. 더구나 그토록 기다리던 태기까지 있어 큰 축복을 얻었다. 오늘은 어머니의 성화로 부처님께 감사의 기도를 드리려 근처의 암자를 찾기로 했다.

"암자까지 이 차가운 눈밭을 갈 수 있겠음메."

"걱정 마시라요. 희망으로 이끌어준 우리의 축복을 부처님과 함께 나누고 싶습네다."

산과 하옥은 새롭게 탄생하는 인연에 감사하기 위해 오세암을 오른다.

바람으로 오는 풍금 소리

63
욕망은
강물처럼 흐르고 (완결)

25년 후.

오세암으로 천도 기도를 나갔던 혜옥이 돌아오던 길을 멈추고 붉게 타오르는 석양을 쳐다보며 회상의 미소로 추억에 잠겨든다.

나무를 나갔다가 돌아온 남편이 목간통에 앉아 목욕을 하는데 속옷을 가지고 들어오던 혜옥이 얼떨결에 고개를 돌린다.

"승희 아바지. 여기 속고쟁이 가지고 왔습네다."

"그런데 임자래 내외하는 사람처럼 왜 부끄러워하고 있음메, 허허허."

"하이고, 이 남정이 또 놀리려고 합네까."

등까지 밀어주던 혜옥이 혹여 작은 아들 가운이나 다른 사람들이 들어오면 어쩌나 하고 서둘러 나가버린다. 얼추 목욕을 마친 남편이 급하게 혜옥을 찾는다.

"승희 어마이! 승희 어마이!"

정주간에서 저녁을 준비하던 혜옥이 급하게 불러대는 남편의 성화에 부리나케 목간통으로 들어온다.

"하이고! 망측합네다. 승희 아바지. 호호호"

얼굴은 겸연쩍어 홍조를 띠면서도 고개는 그대로 야시시 하게 남편을 쳐다보는 혜옥이 깔깔거리며 웃는다. 무슨 일로 기분이 좋은지 흥얼흥얼 노래까지 부르는 남편이 실오라기 하나 걸치지 않은 몸으로 속옷을 거꾸로 머리에 쓴 채 허리를 돌려가며 어설프게 춤까지 추는데, 세상에 망측하기도 하고 또 이리 좋은 구경을 어디에서 할 수 있을까?

"임자래. 이 멋진 내 모습 오래오래 간직하기요. 하하하."

"남이 보면 어쩌려고 이리 합네까? 부끄러운 그 모습 머릿속에 깊게 심어 뒀으니 빨리 옷부터 입으라요."

"뭐 어떻음메. 이런 게 부부고 임자와 나의 따뜻한 정감이 아니겠음메?"

혜옥은 능청스레 애교를 떠는 남편이 귀엽기도 하고 또 한편으로 백면서생 같은 저 사람이 언제 저런 면이 있었나 하고 의아하면서도 편안하고 푸근한 마음이 든다.

지그시 눈을 감고 회상에 잠겼던 혜옥이 다시 현실로 돌아온다.

"승희, 가람이 아바지. 고맙습네다. 당신이 남겨준 아름다운 이 유산, 내 삶이 다하는 그날까지 아끼고 보듬으며 은혜토록 하겠습네다."

혜옥은 붉은 황혼과 인생의 황혼역 사이에서 오늘도 과거와 줄타기를 한다. 새삼스럽게 혜옥의 눈에서 또 이슬이 맺히는데 그 표정만은 미소가 묻어있다.

그동안 많은 변화가 있었다. 딸 승희는 사위와 서옥에 머물다 시가댁인 신덕골로 새살림을 났다. 큰아들 가람은 제 짝을 찾아 마동골로 서옥나가고, 작은 아들 가윤은 친구들과 어울려 얼굴 보기 힘들다. 추억에 잠겼던 혜옥이 다시 집으로 발걸음을 옮기는데 허리는 살짝 굽었고 지팡이를 짚은 손은 파르르 경련이 인다.

"어마니! 어마니! 여기 좀 나와 보시라요. 하옥 이모와 산 아저씨래 우리를 찾아오고 있습네."

밖에서 놀고 있던 승희가 헐레벌떡 혜옥을 찾아 소리 지른다. 가만히 생각에 잠겼던 혜옥의 가슴에 다시 풍랑이 일어난다.

정의의 저울이 기울어질 수도 있음을 알고 순응해가기로 다짐도 했다.

그래서 고통의 길에서 새로운 길을 찾고자 하는 이때에 시부모님이 인도해주신 오세암이 또 새로운 끈을 이어주려 한다. 생각지 않던 말소리에 깜짝 놀라 혹시나 꿈이라도 꾸는 게 아닌지 의심해보는데 오세암 입구의 댓돌을 밟고 올라오는 사람은 하옥과 산이 틀림없다. 미처 승희를 단속할 틈도 없이 안절부절 하는데 "승희야 여기 이모래 왔음메" 하고 하옥이 승희를 찾는다.

"아니, 하옥 당신이래 무슨 말을 하고 있음메. 이곳에서 승희를 찾다니...!"

산은 하옥을 쳐다보며 놀란 눈이 토끼 눈이 된다.

"네 내래 아바지와 승희 할아버지께 부탁드려 이곳으로 혜옥 언니래 와있도록 조처해 놨습네."

산도 산이지만 혜옥은 하옥의 담담한 말과 생각에 놀라 마치 머리를 둔기에 얻어맞은 기분이다. 네 사람은 얼떨결에 마주 보게 되고 마치 넋이 나간 사람처럼 서 있는 산과 혜옥이 눈만 깜빡거린다.

"승희야 이모에게 오기요, 내래 승희가 많이 보고 싶었음메."

밝은 표정으로 승희가 하옥에게 다가가자 하옥은 승희를 꼬옥 안아준다. 이를 보고 있던 혜옥의 눈에 이슬이 맺히고 산은 마음만 아플 뿐이다.

"세상에는 옳음이 있고 그름이 있습네다. 난 어느 틈에 그 사이에 들어가 하늘만 쳐다봐야 하는 아픔을 맛 봤습네다. 그래서 용기를 얻었습네다. 좋은 사람과는 함께 해야 하고 받는 것보단 주는 것이 훨씬 편하고 낫다는 것을 말입네다."

산과 혜옥도 하옥의 단호함과 명쾌함에 그리고 따뜻함에 할 말을 잃었다. 그렇게 해서 두 가족은 함지골에서 단란하게 살게 된다. 하옥의 따뜻한 마음과 승희의 재롱에 힘입어 산과 혜옥도 이제는 서로를 인정하며 편안해질 때쯤 하옥의 산달이 코앞에 닿았다. 이른 아침부터 산통을 느낀 하옥이 급히 혜옥을 찾는다.

"혜옥 언니래. 아무래도 아기가 나올 것 같습네다. 날 좀 도와주시라요."

혜옥은 하옥을 살펴가며 급박하게 산파를 불러오고 불을 지피고 따뜻한 물까지 마련한다. 그러나 곧 나올 것 같던 아기는 나오지 아니하고 하옥의 고통은 더해만 간다.

"큰일임메. 아기는 나오지 않고 산모는 기력이 다해가는데 이를 어찌해야 좋을지 모르겠음메."

산파는 하옥의 난산에 크게 긴장했는지 연신 땀을 닦아내며 최선을 다한다.

"마지막이라 생각하고 한 번 더 크게 힘을 주기요!"

하옥은 고통스럽게 발악을 하듯 최후의 용을 써보지만 이내 기진맥진하고 만다. 산을 비롯한 모든 사람들의 긴장이 최고조에 달하고 하옥은 이제 고통의 소리도 없다. 한참을 그렇게 기진맥진했던 하옥이 어렵게 실눈을 뜨더니 혜옥과 산을 찾는다. 그리고 두 사람의 손을 이어준다.

"두 사람은 잘 듣기요, 아마도 내래 살기는 힘들 것 같습네다. 내가 죽거들랑 내 생각일랑 하지 말고 부부의 연을 맺어 주기요. 그래야 내래 편하게 눈을 감고 갈 것 같습네다."

끊어질 듯 어렵게 말을 이어가던 하옥이 두 사람을 다시 보며 쓸쓸한 미소를 짓는다. 혜옥과 산은 정신이 혼미해져 분간이 없고 오직 실낱같은 희망의 불씨만 잡고 있다. 시간이 또 지나고 연신 땀을 훔쳐내던 산파가 "애가 나온다!"하고 들뜬 소리를 지른다. 산파의 노력과 여러 사람들의 바람으로 마침내 아기가 태어났다. 그러나 갓난아기는 힘들고 어려운 산을 넘어선지 울음소리나 미동도 없다. 기쁨도 잠시 급박한 상황을 감지한 산파가 갑자기 갓난아기의 엉덩이를 사정없이 찰싹찰싹 때리기 시작한다. 그래도 아무 반응이 없자 '휴우'하고 큰 숨을 내쉬더니 더 크게 찰싹하고 잔인하게 때린다. 시들어버린 풀잎처럼 기진맥진했던 갓난아기가 마침내 응애하고 첫 울음소리를 터뜨린다. 사람들은 순간 '와!'하고 만세까지 부르는데, 그것도 잠시 "이 보라우 색시, 잘생긴 아들임메."하고 산파가 하옥을 불러 보지만 이미 축 늘어져 버린 하옥은 아무 말이 없다. 그렇게 하옥은 큰 아들 가람을 혜옥에게 남기고 머나먼 길을 가고 말았다.

하옥의 원통한 장례가 끝나고 이상갑 어른 내외는 딸 하옥이 남긴 마지막 끈을 이어주기 위해 산과 혜옥을 부른다.

"멍석말이가 있기 전날 밤, 하옥이 울면서 나와 행선을 찾았음메. 세상은 흐르는 물처럼 사는 것이라며 하늘의 뜻이 이렇다면 기꺼이 받아들이겠다... 좋은 사람과 더불어 살고 싶다하며 하도 간청하는 바람에 오세암을 인연의 끈으로 삼았음메."

말을 이어가던 상갑 어른이 울어 버릴 것 같은 하늘을 다시 한 번 쳐다보더니 "두 사람은 따뜻한 하옥의 뜻을 새겨 단란한 새 가정을 이루어 저 어린 것들의 해맑은 영혼에 빛을 주기 바람메"하고 손을 연결해준다. 산과 혜옥은 흘러내리는 눈물을 훔치며 고개를 끄덕인다. 상갑 어른 내외가 떠나는 날 산과 혜옥은 정갈하게 단장을 하고 큰 절을 올린다.

"오늘부로 저희는 두 분의 뜻에 따라 부부의 연을 맺고 하옥의 바람대로 장인어른을 기둥 삼아 살아가겠습네."

"저 혜옥도 하옥 대신 두 분을 친정 부모님으로 모시고 '대딸'로서의 길을 가겠습네. 어마니, 아바지."

사전에 준비했던 마음으로 한참을 이야기하던 혜옥이 다시 현실로 돌아오며 물을 찾는다. 어느덧 밤은 깊어지고 후련한 마음 때문인지 혜옥이 기력을 회복하는 듯하다. 다행이라고 여기고 각자의 길로 돌아갔던 자식들이 새로운 일을 시작하기도 전에 막내 가운으로부터 또 급한 연락이 온다. 이미 혜옥은 자신의 운명을 아는 듯 편하게 누운 채로 가쁜 숨을 몰아쉰다.

"어마니. 정신 차리시라요. 네? 어마니... 흑흑흑."

"울지들 말기요. 저기 네래 아바지와 하옥이 나를 기다리고 있음메. 저들과 함께, 주는 것보다 받는 것이 많았던 그 아름다웠던 시절로 날아가고 싶음메 ..."

바람으로 오는 풍금 소리

하늘을 원망하는 곡소리만 높아지고 검푸르던 구름 사이로 솜사탕 같은 함박눈이 세상을 덮어 간다.

64
3에 대한 법칙

"이석이 아부지. 이제 좀 일어나요. 해가 중천 인디 이러고만 살 거유."

선동댁은 그동안 억눌러 참아왔던 말들을 속사포처럼 내뱉기 시작한다.

"3일 동안이나 이웃집 초상에서 일을 봐주고 왔으면 이제 뭔 가를 좀 해야 할 것 아니요. 뭔 놈의 술과 원수가 졌다고 날마다 술고래 타령이요."

이석 아부지 재유 씨는 평소 같으면 아침부터 아녀자가 재수 없는 소리 한다고 버럭 소리 지를 법도 한데 오늘은 어찌 된 일인지 아무 말 없이 쥐 죽은 듯 천장만 바라보고 누워있다.

"낼모레면 친정 큰어머니 첫 기일로 또 며칠을 꼼짝 못할 텐데 어떻게 살려고 저러는지 참."

"아, 이 사람아. 설마 산 입에 거미줄 칠까 봐."

그래도 재유 씨는 여전히 큰소리다. 아마도 자기 친정집 일에는 뭐라고 말하지 못할 것이란 걸 잘 알기 때문이다.

바람으로 오는 풍금 소리

또 하루가 이렇게 시작되는데 숙취로 누워있던 재유 씨의 머릿속에는 하루하루가 기다려지고 재미가 있다. 자칭 마당발이라고 자부하는 것도 긍지가 되지만 잔칫집에서 크게 힘들지 않고 가족들의 입을 더는 것도 어려운 살림에는 괜찮다고 생각된다.

"점심 묵고 오후에는 나무라도 한 짐 해올 텡께 염려 말더라고."

오랜만에 지게를 지고 뒷산을 오르는데 어제 만든 새 묘지를 지나치려니 묘하게 등골이 서늘해지고 오싹하다. 높고 푸른 하늘에는 솔개 한 마리가 촉각을 곤두세우고 어떤 사냥감을 찾으려는지 빙빙 타원형을 그리며 선회를 한다. 또 나무에 가려서 햇볕도 잘 들지 않는 성천이네 보리밭 떼기에서는 까마귀 몇 마리가 분주하게 움직이며 울어댄다.

까악 까악

"저놈의 까마귀 소리는 왠지 기분이 나쁘다니까. 훠여~ 훠이여~"

"이석아, 오늘 학교가 끝나면 동생 진석이를 데리고 선포 외갓집으로 오거라. 내일이 큰 외할머니 첫 제사로 아부지랑 외갓집에 있을게."

재유 씨 부부는 학교 가는 애들에게 단단히 일러놓고 처가댁으로 향한다. 선포에는 작년에 돌아가신 김 씨댁 할머니의 삼년상 중 첫 번째 기일이라 그 준비로 분주하다.

"가마솥에 장작을 듬뿍 넣고 물을 한가득 끓여라. 성곤이, 길옥이, 종민이는 고모부를 도와 돼지를 잘 묶어서 실수가 없도록 하고."

모두들 하나같이 일사불란하게 준비가 철저하다. 마침내 영정을 모시는 움막까지 지어놓고 상복이며 짚신 등 여러 가지 점검사항까지 완료가 된다. 마당가 한쪽에서는 네 발을 꽁꽁 묶은 흑돼지를 옮겨와서 돼지를 잡기 시작하는데 그 소리가 꽤액 꽤액 잔인하고 요란하다.

돌아가신 분의 제를 위해 새 생명을 없앤다는 아이러니한 생명관이 낯설고 좀 이해가 되지 않지만 돼지 오줌보가 적출되어 나오자 금세 우리들은 오줌보가 주는 놀이 생각에 들뜬다.

"오줌보를 깨끗이 씻어서 막대기를 꼽아 빨리 바람을 불어넣어라."

바람이 가득 들어간 돼지 오줌보는 큰 축구공으로 만들어지고 한바탕 배구며 축구로 축제 같은 시합이 벌어진다.

"자, 간다."

"기연아, 이리 보내라, 성수야. 빨리 차라."

그렇게 재밌던 오줌보 놀이도 서서히 지쳐갈 때쯤 하루만큼 준비된 햇살이 서산으로 기울고 어둠까지 찾아오자 내일이면 치러질 손님맞이가 대충 끝나간다.

"이석이 아부지. 아직까지 애들이 오지 않는데 어디쯤 오는지 한 번 찾아가 보시오."

재유 씨는 아내의 성화에 하던 일을 멈추고 부리나케 집으로 향한다. 마을 모퉁이를 지나고 중산까지 지나는데도 애들이 오는 게 보이지 않자 재유 씨는 잠시 머뭇거린다.

"지금까지 오지 않는 걸보니 집으로 간 모양인데 지름길인 산길로 가야겠다."

이럴 줄 알았다면 아내를 데리고 올 것을 하고 후회해보지만 평소 다니던 길이라 크게 심호흡을 한 번 하고 담배불까지 붙여 물고 빠르게 산길로 접어든다.

바람으로 오는 풍금 소리

긴장과 걱정으로 산 중턱까지 내달리자 자신도 모르게 숨이 헉헉 목까지 차오른다.

새 묘지가 보일 때쯤 되자 자신의 눈앞에서 일어나는 이상한 광경에 큰 착각에 빠진다.

"어이 재유, 어디 갔다 오는가."

"아, 예. 아재요. 처가댁 잔치 준비 갔다가 애들 걱정에 급히 집에 오는 길이요."

무의식중에 대답을 해놓고 묘지를 쳐다보니 분명 며칠 전에 돌아가신 옆집 아재다. 하얀 옷을 입고 묘지 앞에서 신발을 벗으며 또 하는 말이 "사람들이 흙을 너무 많이 파서 버선에 흙이 묻어 지저분해졌다"하며 손으로 버선발을 턴다.

분명히 이상해... 저 아재는 돌아가신 분이 맞는데...

"재유, 나랑 같이 술도 한 잔 할 겸 진상 장에나 가세."

자기가 항상 즐기는 술이라는 말에 생각할 틈도 없이 동행을 약속한다.

"그럽시다, 까짓것."

약속은 했는데 퍼뜩 죽은 사람이 살아나는 경우가 있다더니 진짜로 살아났을까 하는 의구심이 든다.

진상 장으로 출발한 두 사람은 이런저런 통하지도 않는 이야기로 산길을 따라 강가를 따라 하염없이 걷는데 도통 끝이 없는 길이다.

"야야, 오늘 앞집에 손님이 많이 올 것 같은데 일도 도와줄 겸 '때까지 끝'에 가서 지난번에 못 가져온 나무나 가져오거라."

뒷집 상옥이 아버지는 이른 아침부터 일을 시키는 부모님의 성화에 짜증도 났지만 잔칫집 음식을 생각하며 벙데미로 내려간다. 먼동이 터오고 서쪽 개악산에 햇살이 비치는가 싶더니 첫 기일을 맞은 김 씨네 집에서는 손님을 맞을 막바지 준비로 이어진다.

"기연이, 성수, 한규 느그들은 동생들을 데리고 집집마다 다니면서 밥상을 빌려오고 오늘 집에 꼭 놀러 오시라고 전해라."

"이 양반이 어제 애들과 잤다고 해도 이때쯤이면 도착하고도 남을 시간인데 왜 오지를 않지."

한규의 오촌 고모는 평소답지 않게 아직도 오지 않는 남편 재유 씨가 서서히 걱정이 된다.

상옥이 아버지는 들뜬 마음에 나무를 정리해서 지게에 짐을 꾸리는데 사람이 있을 리 없는 이 외딴곳에 누군가가 혼잣말을 하면서 힘없이 터덜터덜 걸어오고 있다.

"아니 재유 양샌, 이 시간에 여긴 웬일이요."

"누구요! 아, 동네 어른이랑 술 묵으러 진상 장에 간다고 나섰는데 잠시 여기 있으라고 해놓고 여태 오지 않아서 이러고 있소."

진상 장이라니? 이곳은 분명 진목과 진상 장의 정반대인 때까지 끝이 아닌가.

상옥이 아버지는 나뭇짐도 팽개치고 재유 씨를 부축해서 동네 잔칫집으로 들어서는데 재유 씨의 몰골이 삼일을 굶은 듯 피골이 상접해 보인다.

"이석이 아부지, 이게 무슨 꼴이오."

이제야 제정신으로 돌아온 재유 씨는 지난밤 자신에게 일어난 일에 대해 스스로도 놀란다.

"세상에 이런 일이 나에게 있었다니."

바람으로 오는 풍금 소리

확실히 어젯밤에 같이 동행했던 사람은 옆집 아재였다.

"죽은 사람과 하룻밤을 꼬박 이야기하고 웃으며 걸어 다닌 난 무엇인가, 그럼 귀신에 홀렸다?"

미치고 환장할 노릇이다.

잔치도 잊고 진목 집으로 돌아온 재유 씨 부부는 이젠 그 전과 생활방식이 완전히 달라졌다. 옛날부터 전해오는 귀신에 홀린 이야기는 3의 법칙이 있어서 이에 따라야 하기 때문이다.

첫째, 귀신에 홀렸을 때는 3일 내에 기운을 회복토록 영양 보충을 해야 한다.

둘째, 3개월을 관찰하며 심신을 편하게 해줘야 한다.

셋째, 3년을 잘 넘겨야 비로소 생활현장으로 복귀할 수 있는데 이때가 되어서야 삼십 년 이상의 생명 연장까지 담보할 수 있는 바탕이 된다.

물론 이런 관리 방침을 잘 따라야 3년 이상의 삶을 보장받는다. 주변 동네까지 화제가 됐던 재유 씨의 귀신 이야기도 사람들 관심에서 서서히 멀어져 간다. 4년이 지난 어느 신록의 계절에 재유 씨는 크게 기지개를 펴고 긴 하품을 한다.

"나무라도 한 짐 해올까?"

"이석이 아부지! 인자 일일랑 내가 다 알아서 할랑께 집에만 가만히 있으소~잉?"

65
워낭종

어느 시골이든 동네의 가장 큰 보물은 공동우물이었다. 매스컴이 없던 시절에는 오일장이 정보원이 되고 그 정보원에서 재생산된 정보가 시장에 왔던 사람들에 의해 각각의 마을로 전해져서 생활에 지침이 되고 힘의 원천이 되기도 했었다.

새벽닭이 울기 전 병우네 집에서는 모든 가족이 일어나 오늘 있을 경사에 부지런을 떤다. 물론 가족이래야 3명에 불과하지만 병우 엄마 허실 댁은 시집이라도 가는 처녀처럼 잔뜩 가슴에 바람이 들어 큰 동네 샘으로 물을 길러 나선다.

"오늘 같은 우리 집 경사에 하늘과 땅기운이 충만한 첫 우물을 길어다가 조상님께 감사의 치성을 드려야겠다."

자신의 발자국 소리에 개라도 짖을까봐 살금살금 조심성 있게 큰 샘에 도착했는데 이를 어쩌나. 벌써 촉새쟁이 순실 엄마와 옥룡 댁 기춘 엄마가 수

바람으로 오는 풍금 소리

다에 빠져있다.

"어제 옥곡 장에서 들은 이야기인데 다압인가 어디서 아주 황당하고 험한 도둑을 맞았다네."

"뭔 도둑인데 황당하고 험하당가?"

"글쎄, 아침에 주인이 소 마구간에 여물을 주러 가보니 소가 있을 자리에 소는 온데간데없고 피 묻은 내장과 소가죽만 있더래."

"무슨 일이 있었을까?"

"도둑이 그 자리에서 소를 잡아 괴기만 가져 간 것이라나."

"옴마야, 참 무서운 세상이네."

최근 지역 사회에서는 도둑 사건이 자주 일어나 민심이 흉흉해서 긴장 속에 있던 터에 또 사건이 일어난 모양이다.

"워낭종이 있었을 터인데 그것을 몰랐을까?"

"새벽녘까지 계속 워낭 소리가 들렸는데 범행을 하면서 그중의 누군가가 워낭종을 흔들어 주고 이를 이용해서 잡아간 것 같다나~."

"아침부터 이 무슨 재수 옴 붙은 이야긴가."

병우 엄마 허실 댁은 이들의 대화를 들으며 가슴이 벌렁거리고 온몸에 힘이 쭉 빠진다.

"이를 어쩔 거나. 그 범인들은 잡았당가?"

"도둑고양이 같은 교활한 도둑을 어떻게 잡아!"

허실 댁은 잔뜩 놀라서 남편을 만류하려고 부리나케 집으로 달려왔지만 이미 하동 장으로 떠난 뒤였다. 그토록 사력을 다해서 뛰었건만 허탈한 마음뿐이고 맨발은 선홍빛이 물들었다.

"그동안 수고가 많았네. 자네가 우리 집에서 일을 시작한 지가 벌써 10년이 넘었네. 참 유수 같은 세월이야."

실로 눈물겨운 세월이었다. 오랜 가난에 입에 풀칠도 어려워서 살림 밑천을 마련할 생각으로 안 부잣집에 머슴살이를 들어섰다. 다행히도 따뜻하고 배려심이 큰 안 부자 덕분에 생활이 안정되어가고 늘그막에 얻은 아들 병우도 제법 청년 티가 난다. 이제는 아무 걱정도 없고 오직 장밋빛 희망이 미래를 보장한 듯하다. 다만 아쉬움이라면 아들 병우가 성장이 조금 늦어 걱정이지만.

"자네에게 약속한 세경이네. 이 돈이면 살림 밑천인 암소 한 마리는 거뜬히 살 것이네."

"어르신, 그동안 감사했습니다. 제가 필요해서 부르신다면 맨발로라도 달려오겠습니다."

이 기쁨과 감동, 이제 세상에 부러울 것이 없다. 더 열심히 알뜰살뜰 살아서 병우만 잘 길러내면 된다. 영화처럼 스쳐가는 지난날의 기억을 뒤로 하고 병우 아버지는 황홀하고 들뜬 기분으로 하동 장 선술집에서 댓바람에 막걸리 두 잔을 연거푸 마시고 나서야 소시장에 들어선다.

새끼를 바로 낳을 수 있는 어미 소를 살까, 아니면 조금 더 키워서 새끼를 낳을 잘생기고 튼실한 놈을 사는 게 나을까 하고 행복한 고민도 해본다.

"이랴이랴! 어서 가자!"

오늘 산 소를 앞세우고 거나하게 취해서 콧노래까지 부르며 동네 모퉁이로 들어서는 병우 아버지의 발걸음에는 통통한 살구 향에 수줍은 저녁노을이 붉게 흐느적거린다.

"음메 음메"

바람으로 오는 풍금 소리

"아이고, 저 귀하고 예쁜 소리를 들어봐라. 병우야 너도 이제 많이 컸응께 소 풀도 주고 잘 보살펴야 한다."

언제 걱정했냐는 듯 허실 댁은 온갖 정성이 소에 가있다.

"병우어매~ 집에 있는가? 옴마, 쇠가 어째 저리 잘생겼당가?"

"하머, 잘생겨부렀제? 흐흐."

자기만족에 들떠있던 허실 댁은 순실 엄마의 칭찬 소리에 순간적으로 '그래! 세상일은 알 수가 없으니 병우에게 교육을 시키자'하고 다짐한다. 그럼 그렇지, 천하의 허실 댁이 어떻게 지난번의 소도둑 얘기를 잊고 있을라고.

"병우야, 오늘부터 이 말은 꼭 외워보자. 자 따라 해봐라. 담 넘어오는 저놈 봐라."

"담 넘어오는 저놈 봐라!"

"서성거리는 저놈 봐라!"

"서성거리는 저놈 봐라!"

"문구멍 뚫고 쳐다보는 저놈 봐라!"

"문구멍 뚫고 쳐다보는 저놈 봐라!"

허실 댁은 매일같이 저녁상을 무르고 나면 아들 병우의 손을 잡고 이 말을 반복적으로 교육한다. 하지만 하나를 외워놓고 다음 하나를 외우면 앞에 외운 하나를 잊어버리고, 또다시 외워놓고 다음 하나를 외우면 앞에 외웠던 두 가지 말을 잊어버린다.

"포기는 금물이다."

이 귀한 소를 마련키 위해 네 아부지가 십여 년 세월을 어떤 고생으로 살았는데. 오늘 밤도 병우네 집에서는 "서성거리는 저놈 봐라, 문구멍 뚫고 쳐다보는 저놈 봐라"로 저물어간다.

"병우 엄마, 오늘은 동네 부역 때문에 처가댁에 못 갈 거 같으니 잘 갔다가 오고 어른들께 꼭 안부나 전하소."

"알았소. 그 걱정은 말고 되도록이면 일찍 와서 병우하고 소를 잘 챙겨요."

나라에서 불러내는 노역이라 빠질 수가 없지만 어려운 생활상에 큰 지장이 없도록 자주만 동원하지 않으면 좋겠다. 허실 댁은 친정에 가기 전에 다시 한 번 점검이라도 하려는 듯 병우를 앉혀놓고 똑같은 말을 반복한다.

엄마도 집을 떠나고 병우는 아버지처럼 줄곧 소먹이를 챙기더니 서서히 따분하고 심심해지기 시작한다. 초점 없이 멍하니 마루에 걸터앉아 고개를 숙이고 있는데 희한한 장면들이 마당에서 일어나고 있다. 개미들이 일렬로 줄을 서서 이동하는데 어떤 부류는 죽어있는 벌레를 협심해서 작은 구멍으로 끌고 가고, 어떤 개미들은 좁쌀과 나뭇잎을 하나같이 정렬해서 옮겨가는데 너무나 정교하고 신기하다. 이렇게 오랫동안 개미를 보고 있자니 자신도 모르게 서서히 눈꺼풀이 내려앉는다. 이내 방에 들어와 스르륵 낮잠을 즐기는데 그 코 고는 소리가 지나가던 개도 놀랄 정도다.

"오늘은 이 동네에 사람들이 없으니 안심이다."

함께 온 두 사람이 눈치를 봐가며 담장을 잡고 막 넘으려 하는데

"담 넘어오는 저놈 봐라!" 소리가 방 안에서 또렷이 들린다.

"아이고, 깜짝이야!"

놀라서 줄행랑을 치려는데 드르렁 드르렁 코고는 소리가 들려온다.

"요상하네."

마침내 담을 넘어 여기저기를 살펴보는데 이번에는 "두리번거리는 저놈 봐라!"라고 기겁을 하게 한다. 마치 자기들을 지켜보고 하는 소리 같다. 생

각할 겨를도 없이 내달리는데 또 드르렁 드르렁 코고는 소리가 난다. 이젠 아예 기차 화통을 삶아 먹는 소리로 도둑들의 마음을 들었다 놨다 한다.

"뭐 하는 거야? 되게 사람 쫄게 하네."

이제는 코 고는 것을 직접 확인하고 행동을 할 생각으로 두 사람은 동시에 마루를 짚고 창호지 문에 침을 발라서 손가락으로 살짝 구멍을 내고 방안을 살펴본다. 방안에는 어린 티가 나는 청년이 곤히 잠들어 있는 것이 분명하다.

"그럼 그렇지, 흐흐"

"문구멍 뚫고 쳐다보는 저놈 봐라!"

아이고, 미치고 환장하겠네. 마른하늘에 날벼락도 유분수지, 잠을 자는 듯 코를 골던 청년이 갑자기 벌떡 일어나면서 자기들을 손가락으로 가리키며 내뱉는 소리가 아닌가! 너무나 놀라고 기겁해서 도망을 치는데 꼬랑지까지 다 빠져나간다.

하루의 일과를 마치고 단란한 저녁 시간을 맞은 병우네 집에서는 오늘도 '담 넘어오는 저놈 봐라. 서성거리는 저놈 봐라. 문구멍 뚫고 쳐다보는 저놈 봐라' 소리가 담을 넘는다.

66
호랑이는
물렀거라

뻐꾹뻐꾹

소쩍 소쩍

세상을 무찌를 듯 공격하던 혹독하고 매섭던 북풍한설도 뻐꾸기, 소쩍새 소리에는 대항하지 못하고 물러가는 것 같다. 제비꽃, 할미꽃, 노루귀, 너도바람꽃이 고개를 내밀더니 어느덧 울창한 첩첩산중에도 진달래가 만발하고 산수유가 세상을 노랗게 수놓았다.

봄꽃에 화사하게 물든 홍안으로 살짝만 건드려도 활짝 터질 것 같은 소향은 찬란한 봄기운에도 짧은 순간 스쳐 지나가는 잔인했던 지난 세월을 반추한다.

"더 이상 이곳에서는 살기가 힘들 것 같다. 크게 욕 묵지 않도록 주변을 정리하고 이달 보름 2경쯤에 여기를 떠나자."

어렴풋이 짐작은 했지만 나지막하고 위엄있게 말하는 시아버지 홍도의 결심에 아들 우식이와 며느리 소향은 눈빛으로 화답한다.

하루가 지나고 이틀이 지나고 평소 같지 않게 주변을 정리해 가는데도 어느 누구도 이들의 변화를 감지하지 못한다. 그들 또한 이들과 다를 바 없는 힘들고 찌든 생활에 젖어있기 때문이다.

"갈 길이 멀고 바쁘다. 오늘만은 든든하게 묵고 용기를 내자."

부족한 세간살이지만 막상 정리를 하고 보니 허전하고 단출하기 짝이 없다.

"이렇게 힘이 들 땐 새로운 길을 가보는 것도 괜찮을 것 같아요, 아버님."

소향은 여전히 불안한 마음으로 안정이 되지 않지만 시아버지의 선택을 말릴 수 없다.

마을은 이미 조용한 침묵 속으로 빨려 들어가고 간간이 들려오는 개 짖는 소리만이 이들의 야반도주를 이해해준다.

"조심들 해라. 그리고 이런 길을 가게 하는 너희 부부에게 미안하구나."

되돌릴 수 없는 현실에 혼자 남아 깊은 상념에 잠겼던 소향은 저만치 먼 거리의 상수리나무 위에서 노니는 다람쥐 모습에 현실로 돌아온다.

"늦었다. 아버님 제사 준비를 서둘러야겠다."

밤은 어김없이 찾아와 하루의 찌든 때를 씻어주는데 아무도 살지 않을 이 깊은 산중에서 허기에 배가 접힌 누군가가 산짐승에 놀라서 이슬에 젖은 밤길을 재촉한다.

"낭패다. 괜히 객기를 부려 이 길을 선택한 무모함이 오늘의 고난을 맞는구나."

그나마 다행스러운 것은 흐릿하지만 달빛이 있어서 다치지 않고 걸을 수 있음이다.

"아니 저 불빛은 분명 달빛이 아닌 필경 사람이 사는 빛이다."

비로소 희망의 불빛을 안고 달려가는 나그네의 발걸음이 힘이 넘치고 빨라진다.

"여보시오, 지나가는 나그네로 길을 잘못 들어 여기까지 오게 됐는데 하룻밤만 쉬었다 가도록 부탁합니다."

침묵만이 있고, 대답이 없다. 분명 호롱불은 밝혀놓았고 등잔불도 켜져 있다.

이상하네. 불빛으로 봐선 누군가가 있는 것 같은데.

"주인장 계시우~"

역시나 대답이 없다. 약간의 시간이 지난 후 뭔가 머리가 섬뜩하고 등골이 오싹해짐을 느낀다.

"흑흑흑"

이 늦은 밤, 깊은 산속에 불빛만 환하고 불러도 대답 없는데 여인의 울음 소리가 웬 말인가. 나그네는 자신도 모르게 주춤주춤 뒷걸음으로 물러나며 "지금 내가 필경 도깨비에 홀린 모양이구나"하고 긴장한다.

"누구시오."

"아, 네. 지나가던 사람으로 길을 잘못 들어 여기까지 왔습니다. 잠시 머물렀다 갈 수 있도록 도와주십시오."

그러자 누군가가 문을 열고 나오는데 하얀 소복을 입은 여인이 길게 머리를 흘러내리고 자신과 눈이 마주친다.

"요망한 것! 아무리 미물이라도 만물의 영장인 사람을 이렇게 홀리다니, 넌 필경 백 년 묵은 여우렸다."

그도 그럴 것이 창백한 얼굴에 반달 같은 아미며 코, 그리고 앵두 같은 입술이 어릴 적 어른들에 들었던 영락없는 구미호다.

"잠시 들어오시지요."

미심쩍은 얼굴로 주춤주춤 방안으로 들어서며 동태를 살피는데 잘 정리된 방안에는 단출한 밥상이 정갈하게 차려져 있다.

"큰일 났구나. 빠져나갈 방법이 없다. 어떡하지?"

나그네가 반사적으로 경계의 자세를 보이자

"선비님. 전 혼자 사는 여인으로 오늘 밤이 시아버지의 첫 기일입니다. 아직 저녁 전 일진데 없는 반찬이지만 식사라도 하고 가시지요."

나그네는 그제야 경계심을 풀고 안도의 숨을 쉰다. 한참이나 시장했던 터라 마파람에 게 눈 감추듯 단숨에 먹어치우는데 숭늉을 가지고 들어서던 여인이 이제껏 자신의 삶을 이야기한다.

"이곳에 들어온 지가 어언 4년으로 남편과 함께 시아버지를 모시고 행복하게 살았습니다. 봄 여름이면 지천에 널린 산나물을 채취하고 가을이면 도토리나 산열매를, 겨울이 되면 칡과 산 더덕을 캐면서 살았지요."

한참을 이야기하다 또 목이 메는지 흐느껴 운다. 그리고 또다시 눈을 지그시 감고 깊은 회한에 잠긴다.

"이 자식아, 친구란게 이럴 수 있어? 내 비록 없이 살아도 신용 하나로 버텼는데 까짓 돈 좀 가지고 이래!"

친구들과 함께 잔뜩 술에 취한 남편 우식이 노름판에 얽혀서 돈을 잃자 이를 말리던 친구에게 돈을 빌려 달라며 싸움이 벌어졌다. 결국 크게 사달이 나고 사건 뒤처리로 더 큰 빚을 지게 되자, 시아버지 홍도는 이를 만회하기 위해 모든 가산을 털어서 장사를 시작했다. 처음에는 벌이도 쏠쏠하게 괜찮았는데 갑자기 흉년이 들어 초근목피도 어려워지자 야반도주로 이 깊은 산속으로 들어온 것이다.

"선비님, 밤이 늦어 갈 곳이 없는듯하니 여기서 주무시면 전 부엌에서 하던 일을 마무리하고 쉬겠습니다."

"아니요. 나도 잠들기엔 이미 늦었으니 하시던 얘기나 계속해주시지요."

밤은 깊어가고 집 밖에서는 서산으로 넘어가는 달을 바라보며 망향가를 부르는 듯 늑대 소리가 요란하다.

'아우~~웅'

"쉬고 있거라. 더덕이나 조금 캐오련다."

작년 이맘때 남편 우식이 혹독한 감기 몸살로 앓아눕자 시아버지 홍도는 더덕이나 캐오겠다며 길을 나섰다. 그런데 해가 떨어진 지가 꽤나 지났는데도 돌아오지 않아 밖으로 나가보니 심하게 상처를 입은 시아버지가 가쁜 숨을 몰아쉬고 있다.

"아버님, 이게 웬 상처래요?"

"아가야, 난 이미 늦었다. 손을 이리 다오."

시아버지는 소향의 손을 잡고 가쁜 숨을 크게 뿜어내더니

"이곳을 떠나거라. 오래전 이야기로 네 남편 우식이가 '호식'의 운명이라 하는구나. 그러나 별로 개의치 않고 살았다만 이곳엔 엄청난 크기의 호랑이가 살고 있구나."

결국 그렇게 자신을 끔찍이도 예뻐해 주시던 시아버지는 숨을 거두고 만

바람으로 오는 풍금 소리

다. 장례를 치르고 나자 우식은 창귀(호랑이 밥이 된 귀신)에 씌기라도 했는지 점점 더 변해간다.

이곳을 떠나자고 소향이 그렇게 애걸복걸하는데도 막무가내다. 그래서 소향은 어쩔 수 없이 남편을 보호할 방법으로 그림자처럼 따라다녔지만 급한 일이 있어 잠시 집에 들른 사이 우식은 아버지 한을 풀어드린다고 호랑이를 찾아 나선다.

"이놈! 반드시 아버지의 원수를 갚고 네 가죽을 씹을 테다."

두 눈에 불을 켜던 우식 앞에 소보다 더 큰 호랑이 한 마리가 살랑 막아선다. 우식은 호랑이를 맞이한 순간, 아버지의 한은 생각 없고 엄청난 기운에 압도되어 힘 한 번 제대로 써보지 못하고 한 많은 세상을 등지고 만다.

"그렇게 됐구려. 그러면 이런 우환을 당하고도 왜 이곳을 떠나지 않나요?"

"저도 이곳을 뜨고 싶습니다. 그러나 이곳을 떠난다고 해도 젊은 과부가 살아갈 길도 막막하고 또 삶에 대한 미련도 없습니다."

사실 소향은 이 고통을 당하면서도 떠나지 못하는 또 다른 뭔가가 있다. 사계절의 색채가 뚜렷하고 매일 아침이면 찾아와주는 다람쥐며 고라니, 그리고 노래까지 불러주는 종달새 가족이 있다. 더더욱 꼬리표까지 붙어 있는 세금이 칙칙한 삶을 만들고 가혹해서 엄두가 나지 않기 때문이다.

나그네도 떠나고 소향은 아침 일찍 모이를 들고 마당으로 나오니 다람쥐, 청설모, 까투리 가족까지 연신 인사를 해대는데 그 모습이 단풍을 뿌려놓은 듯 만산홍엽이다.

저녁을 먹고 난 후에도 소향은 하루의 기운이 좀처럼 회복되지 않는다.

시아버지의 '호식'에 대한 얘기며 그 이야기를 듣고 크게 결단을 하지 못한 자신이 밉다.

"안되겠다. 이 방법이라도 해서 마음을 달래보자."

낮부터 왠지 싱숭생숭해서 풀을 먹여뒀던 옷가지를 내어다가 뚝딱뚝딱 다듬이질을 해본다. 쉴 새 없이 두들겨 대는데 왈칵 또 보고 싶은 남편 생각으로 눈물이 흘러내린다. 이제 회한마저 없다. 또한 언제나 가족처럼 방문하던 산짐승들의 먹이도 충분히 주길 잘한 것 같다.

'어흥~ 어흥~'

심상치 않은 소리에 문틈으로 밖을 내다보니,

"아 큰일이구나. 이를 어이할꼬."

엄청난 크기의 호랑이가 온 마당을 '으르렁' 거리며 방안을 호시탐탐 노리고 있다.

"그래. 네 뜻대로 해 보거라. 각오는 이미 해뒀다."

드디어 탐색을 마쳤는지 호랑이가 방문을 박차고 들어선다. 그런데 백옥 같은 하얀 옷을 입은 아름다운 여인이 자신을 보고도 놀라지 않고 노려만 보고 앉아있다.

"아니 이게 무슨 느낌이지? 분명 인간 피 냄새를 맡았는데…"

기골이 장대한 남자들도 자신의 뒷모습만 봐도 사시나무 떨듯 했는데 이건 영 아니다.

"넌 어째서 나를 보고도 놀라지 않느냐."

그러나 이 여인은 한술 더 떠서 태연히 노려보면서 반격의 기미까지 보인다.

"뭔가 확실히 이상한데? 피 냄새로 보아 상처를 입었음이 확실한데."

긴장한 호랑이는 슬금슬금 소향을 살피더니 마지막 기운을 토하듯 엄청나게 큰 포효를 해댄다.

"내가 너를 이 우람한 발톱으로 할퀴지도 않았는데 네 옷에 묻은 피와 냄새는 무엇이냐! 그리고 내가 무섭지도 않느냐!"

"천만의 말씀. 난 너 같은 한낱 미물을 무서워하지 않는다. 단지 조총이라는 것이 무서울 뿐이다."

"뭐야?! 조총이 나보다 강하단 말이냐?"

"핏, 조총은 한 번 맞으면 평생 동안을 한 달에 한 번씩 피를 흘리는데 그것도 자그마치 일주일을 넘는다."

호랑이는 더 이상 말을 못하고 조총에 대한 두려움에 소향의 옷처럼 머리가 하얗게 질리더니 '걸음아, 날 살려라' 도망을 치고 만다.

깊은 산중은 다시 또 짐승들 노랫소리와 활짝 핀 꽃들로 평화가 가득하다.

바람으로 오는 풍금소리

초판 1쇄 발행 2019년 10월 20일

지은이 한규 김상길
펴낸이 변성진
편집인 김봉균
디자인 아이지컴
펴낸곳 도서출판 위
주소 경기도 파주시 광인사길 115(문발동 507-8)
전화 031-955-5117 l 팩스 031-955-5120
홈페이지 www.wegroup.kr

ISBN 979-11-86861-08-0 13080